Hoogblond

KATHLEEN FLYNN-HUI

Hoogblond

Tweede druk

Oorspronkelijke titel: *Beyond the Blonde*
Vertaling: Marga van den Herik
Omslagontwerp: Pete Teboskins/Twizter.nl
Omslagillustratie: Ingrid Bockting

ISBN 978 90 210 0576 8

www.boekenwereld.com & www.poemapocket.com

Ze griste het weer uit mijn handen.
'Wij betalen de winkelprijs niet,' zei ze. Ze bekeek het label van het truitje. Het was van een veelbelovende modeontwerpster. Niet zo groot als Calvin of Ralph, en het truitje was niet eens zo duur.
'Ze is een klant van ons,' zei Kathryn over de ontwerpster. Ze vouwde het truitje op en legde het op de toonbank. 'Kom mee.'
Terug in de salon kreeg ik mijn eerste les in de kunst van het beleefd in ontvangst nemen van geschenken van klanten. Want ze wílden ons overspoelen met geschenken. Echt waar. Ik keek en luisterde hoe Kathryn de ontwerpster-klant belde en haar vertelde hoe prachtig we dat oranje truitje hadden gevonden. Moet ik je nog vertellen wat er gebeurde? Jij denkt dat de klant de volgende dag het truitje stuurde, nietwaar? Mis. Ze stuurde twee boodschappentassen – een voor mij, één voor Kathryn – vol truitjes. Van elke kleur één. Ik zal je vertellen, het was een openbaring.
Mevrouw P. wachtte nog steeds op mijn oordeel over haar splinternieuwe Prada-tas. Het was inderdaad een leuk tasje. Ik nam me voor om mijn klant bij Prada te bellen.
'Volmaakt,' zei ik. 'Ik kom zo bij je.'

Tja, ik weet dat ik het zojuist even over de Manhattan had, en hiermee bedoel ik niet de heerlijke cocktail, hoewel de Manhattan-klant net zo zuur, verkwikkend en soms zelfs een tikkeltje bitter kan zijn. Maar de Manhattan (die in feite in twee ruime categorieën kan worden opgesplitst) is lang niet het enige type klant dat dagelijks in mijn stoel zit. Misschien is het handig als ik de diverse typen Jean-Luc-vrouwen even voor je in kaart breng; een soort van verklarende woordenlijst, zou je kunnen zeggen.

1. *De Manhattan (lid van de beau monde):* ik geloof dat ik haar al uitgebreid beschreven heb. Maar laat ik er dit aan toevoegen: ik generaliseer niet graag, maar ze is meestal zuinig met haar fooien. Mijn ervaring is dat mensen die nooit voor hun

geld hebben hoeven werken, niet echt nadenken over hoe andere mensen hun geld verdienen.

2. *De Manhattan (werkende vrouw)*: komt de salon binnenschieten met haar mobiel aan haar oor. Mobiel blijft tegen oor geplakt, zelfs met hoofd boven de wasbak. Bestelt lunch bij de Viand-koffieshop in Madison en eet terwijl ze met meerdere dingen tegelijk bezig is: haar, manicure, pedicure, zakentelefoontjes. Alleen voor haar zeswekelijkse wenkbrauwenharsbeurt sluit ze haar ogen en zit stil. Deze wenkbrauwenharsbeurt komt het dichtst bij het enige Zen-moment dat ze in haar leven heeft. De MWV is vaak getrouwd met (of gescheiden van) een soortgelijk type topman, die ze op zaterdagochtenden mee naar binnen sleurt voor zijn knipbeurt, manicure en – voor die onfortuinlijke harige types... aaaauuuu *zet je schrap!* – om zijn rug te laten harsen. Kinderen? Zelden. En anders kom je het nooit te weten. Een van mijn MWV-klanten die moeder is, heeft me foto's laten zien van het huis dat ze in Litchfield County heeft gekocht, maar niet van haar kinderen. Het hoeft niet gezegd te worden dat de MWV fantastische fooien geeft.

3. *De Bedford*: denk aan paarden en alles wat daarbij hoort. Glooiende heuvels en stenen muren, huizen die een naam hebben. Deze dames hebben niet alleen een huisadres. O, nee. Ze hebben briefpapier met daarop de naam en soms sierlijke, lichtgedrukte tekeningen van hun huis. *Longmeadow Manor. Hilly Knoll Farm.* De Bedford draagt haute couture rijkleding als ze met haar auto (Range Rover, zwart) naar de stad rijdt om haar haren te laten doen. Het is natuurlijk niet de kleding waarin ze echt paardrijdt: een kasjmieren twinset, pareloorbellen, suède rijbroek van Ralph. In de kringen waarin de Bedfords verkeren (of beter, paardrijden), kan Ralph maar voor één man staan: hij van het polopaard-imperium. Ralph heeft zowaar een huis in Bedford,

wat het geheel nog authentieker maakt. De Bedford wil de salon uitkomen en eruitzien alsof ze niets heeft laten doen. Haarkleur moet meer dan subtiel zijn. Het moet lijken alsof ze met die kleur geboren is. Ze neemt vaak foto's van haar kinderen mee, of zelfs de kinderen zelf, en vraagt me hun haarkleur exact te kopiëren. Gewoonlijk draagt ze geen make-up. Ze heeft een prachtig beendergestel en een slank figuur door al dat paardrijden. Je zult haar nooit horen vloeken. Ze zegt liever 'jeetje', en 'verdorie', en 'verdraaid'. De Bedford geeft een redelijke fooi, altijd precies twintig procent van haar rekening.

4. *De Greenwich*: het is eigenlijk nauwelijks te geloven dat Greenwich en Bedford naast elkaar liggen, geografisch gezien. Want de Greenwich kan niet meer van de Bedford verschillen en toch nog steeds een rijke, blanke vrouw zijn. Range Rover? Nee. Mercedes, ja, ja, ja. Bij voorkeur een personenwagen uit de 500-serie, maar als de Greenwich een groot aantal kinderen heeft – vaak heeft ze er drie, vier of zelfs vijf – wordt de Hummer het voertuig van haar keuze. Er gaat niets boven de aanblik van de Greenwich, haar make-up en haar zijn al perfect voordat ze de salon binnenkomt, wanneer ze rondjes rijdt rond Fifth Avenue omdat geen enkele parkeergarage haar Hummer wil toelaten. Ik bedoel, ze ziet eruit als een meisje dat doet alsof ze in de auto van haar ouders rijdt. Ik moet zeggen dat de Greenwich het meest modebewust is van alle klanten uit de voorsteden. Eigenlijk is ze zo bang er provinciaals uit te zien – zij, die na de geboorte van haar tweede kind uit de stad vertrok, toen je voor minder dan drie miljoen gewoon niets fatsoenlijks kon vinden – dat ze elke dag urenlang de catalogi van Barney's en Bergdorf doorspit, op het internet surft voor modesites zoals Net-a-Porter of Scoop.com, *W* en *Vogue* van begin tot eind leest, advertenties bestudeert, in belangrijke bladzijden een ezelsoor maakt en haar personal shopper belt

om er zeker van te zijn dat ze de juiste tas van Balenciaga heeft voor dat seizoen, of de meest trendy designerjeans. Ze wil het spoor niet bijster raken. Seven for all Mankind is echt passé. Diesel ook zo'n beetje. Welke moet je kopen? Haar chique kledingkasten van California Closets wachten. Chip and Pepper? Rogan? Elke maand benoemt *Vogue* een nieuwe favoriet. Het is onmogelijk bij te houden, maar toch probeert de Greenwich het. O, wat doet ze haar best! Haar kapsel is volmaakt. Om de acht weken highlights, met tussendoor een uitgroeibehandeling. Laagjes of geen laagjes, afhankelijk van wat Jennifer Aniston doet. Make up in aardetinten van Bobbi Brown, kleuren als *brick*, *sand* en *stone*. Ze draagt een enorm herenhorloge om haar magere pols en kijkt nauwgezet hoe laat het is, omdat ze op tijd thuis moet zijn om de kinderen van school te halen. Ik denk dat als je de MWV zou nemen, en je de belangrijke carrière wegliet en een landhuis in nep-tudorstijl voor haar neerzet met een hal met een plafond als van een kathedraal en enorme leren fauteuils in de surround-sound audio-videokamer, je min of meer de Greenwich zou hebben. En wat fooien betreft? Hmmm. Ik roddel niet graag over mijn klanten. Máár, ik moet zeggen dat ze iets onder het gemiddelde zit. Soms heeft ze zo'n haast om de file voor te zijn dat ze het gewoon vergeet.

5. *De Five Towns*: je zult veel van wat je over de klant van Long Island moet weten, weten als je begrijpt dat ze in een van de vijf steden woont die algemeen bekendstaan als 'de five towns' of 'de goudkust': Lawrence, Cedarhurst, Inwood, Hewlett en Woodmere. De FT is ietwat... flitsender dan haar Noord-Westchester of Connecticut tegenhangster. Ze heeft een voorkeur voor opzichtige ontwerpers, ofwel bling-bling ontwerpers, de term bling-bling gebruikt ze zelfs in gewone gesprekken. Zoals in: *Ik ga straks naar Fred Leighton om een beetje bling-bling te kopen.* Gucci, Louis Vuitton en

Dolce & Gabbana zijn haar goden. En ze heeft deze ontwerpers het liefst met hun labels aan de buitenkant, als je begrijpt wat ik bedoel. Ze gaat niet voor subtiel. Het zou niet extravagant zijn te verwachten dat de Long Island de salon binnenkomt (terwijl de chauffeur van haar echtgenoot beneden in hun Lincoln Navigator, met zwartgetinte ramen wacht) met het halve alfabet op haar lijf. Een riem met goudkleurige gesp van D&G, de zuurtjeskleurige tas rijkelijk voorzien van talloze LV's, mocassins versierd met in elkaar grijpende G's. Begrijp me echter niet verkeerd. De FT is een aardige vrouw, en ze weet precies wie ze is. Haar rolmodel, haar grootste idool, is – afhankelijk van haar leeftijd – Madonna of Britney Spears. En ze wil *kleur.* Ze is niet geïnteresseerd in natuurlijk. Het is hartstikke leuk met haar, met deze klant, want ze wil altijd iets nieuws proberen. *Doe maar rood deze keer, schat.* En ze is bijna nooit ontevreden over het resultaat. Ze heeft een hart van goud, de FT. Veel van mijn klanten zitten maand na maand, jaar na jaar in mijn stoel zonder me ooit één vraag te stellen. De FT is van mijn hele leven op de hoogte, en van het leven van mijn assistente, en dat van het meisje achter de wasbak. Ze mag dan hartstikke rijk zijn, maar ze is geen snob en ze weet nog altijd waar ze vandaan komt, wat meestal het puntje van Long Island is – het verkeerde puntje, namelijk Queens. En wat fooien betreft, ze is de beste – zelfs beter dan de MWV.

6. De Short Hills: stel je de New Jersey-uitvoering van de Greenwich voor. Met andere woorden: de Greenwich met een ernstig minderwaardigheidscomplex. Want het is bijna onmogelijk om in New Jersey te wonen zonder daar een ietwat vervelend gevoel bij te hebben. En om dat nare gevoel te compenseren, en een wrok tegen haar echtgenoot te voorkomen (Wall Street-forens wiens, volgens Wall Streetnormen, slechts middelmatige bonus eerder een heel aardig rustiek huis in Short Hills betekent dan, laten we zeggen, een landhuis in Greenwich of een halfvrijstaand huis aan Park Avenue), is het nodig dat ze het beste van alles heeft, zoals wordt voorgeschreven door dat wonderbaarlijke oord, het Mekka van alle Jean-Luc-klanten die in de staat New Jersey wonen: De Short Hills Mall. Het is op die plek, in het winkelcentrum, waar de SH haar gevoel voor esthetiek ontwikkelt. Tiffany's voor haar ring met 4.2 karaat solitaire – een verbeterde versie van de 2.1 karaat diamant die haar echtgenoot (destijds een ondergeschikte beurshandelaar) haar als verlovingsring had gegeven. Cartier voor het horloge. En al die schattige afdelinkjes van Neiman Marcus voor alle andere dingen. Haar stijl zou kunnen worden omschreven als voorstedelijk chic, wat, in strijd met tot de algemene opvatting, geen oxymoron is. Want in tegenstelling tot de Greenwich probeert ze er niet uit te zien alsof ze in de stad woont. Ze draagt van top tot teen Juicy Couture joggingpakken van velours en mocassins van J.P.Tod's, die met al die rubber nopjes op de zolen. Ze wil niet zonder haar chique handtas gezien worden, ook van Tod's. Maar haar leukste accessoire is haar mobiel, voorzien van alle laatste toeters en bellen, versierd met roze bergkristalletjes. De SH is overdreven precies wat betreft haar kapsel. Ze zou er tenslotte dichter bij huis voor terechtkunnen – er is een heel goed adresje in Millburn – maar haar bezoekjes aan Jean-Luc zijn een onderdeel van haar zoektocht naar het beste voor alles. En dus wil ze, na met haar BMW-cabriolet helemaal naar de stad te zijn gereden, precies dezelfde highlights als de vrouwen op de losse tijdschriftenpagina's die ze uit haar tas tevoorschijn haalt. Voordat ik zelfs maar een blik op de knipsels werp, kan ik het meestal al raden. Voor blondines is het Meg Ryan of, tegenwoordig, Jessica Simpson. Voor brunettes is het Jennifer Aniston of, zo nu en dan, Jennifer Lopez. Soms moet ik lachen, want de beroemdheid wier kapsel ze willen, is al jarenlang mijn klant. *Denk je dat je dit kunt doen?* vraagt de SH. En dan knik ik. Ik denk het wel.

7. De Beverly Hills: ach, wat kunnen kusten verschillen! De BH kan kiezen uit beroemde salons, een kwartiertje rijden over Rodeo, of Burton Way. Ze heeft Laurent D., Frederic Fekkai, zelfs die oude Jose Eber moet nog ergens zitten. Waarom, zou je misschien willen vragen, zou ze helemaal naar New York vliegen om haar haar bij Salon Jean-Luc te laten doen? Omdat ze het kán, schat. Omdat het gras altijd groener is, en het blond altijd blonder. Omdat New York voor de mensen die in L.A. wonen het toppunt van verfijning is. Ik kan een L.A. van een kilometer afstand herkennen. Ze is natuurlijk beeldschoon. Zelfs degenen die niet beroemd zijn zien eruit alsof ze het zouden moeten zijn. En ze is gekleed in prachtige kleren van Fred Segal – een mengeling van verschoten denim, diamanten, stukjes turkoois en een of ander perfect passend, boterzacht shirt dat een glanzende, niet overdreven bruine huid voordelig doet uitkomen. Ik zal je vertellen: die *Beach Boys* wisten heel goed waar ze over zongen. Een *California Girl* legt het verkeer in Madison Avenue plat. Ik heb het steeds weer opnieuw zien gebeuren. Maar – niet om mijn collega's aan de westkust af te zeiken, en ik heb het echt over niemand in het bijzonder – haar haar deugt van geen kanten. De L.A. komt vaak naar me toe met haar dat de kleur en textuur van stro heeft doordat het zo vaak is gekleurd. *Schat, je hebt zo veel chemicaliën in je haar dat het me verbaast dat de alarmpoortjes op het vliegveld niet zijn gaan knipperen*, zeg ik dan altijd. Ik bedoel, wie heeft besloten dat platinablond het antwoord is op alle kwalen van de L.A-vrouw? Het kost me uren om die kleur te corrigeren, er plukjes lichtgoudblonde highlights doorheen te weven en plukjes donkerblond, om haar de kleur terug te geven die ze zou moeten hebben na op Malibu Beach gelegen te hebben. Sommigen van hen zijn zenuwachtig als ze naar me toe komen, want hun volgende stop is Letterman, of een optreden heel vroeg in de morgen in *The Today Show*. Het jonge sterretje zit in mijn stoel te trillen. Ik kan haar in elk geval geweldig haar geven. Het is fenomenaal wat geweldig haar kan doen bij een paniekaanval. O, en wat fooien betreft? Ik weet dat dit niet eerlijk zal lijken, maar we berekenen de L.A.'s niet veel – of het nu volwassen sterren zijn of sterren in wording. Zelfs degenen die net beginnen krijgen korting. En ze geven geen fooi. Geen cent. Absoluut niets. Ze vinden dat ze recht hebben op korting – het is tenslotte onbetaalbare publiciteit als hen door een of ander tijdschrift gevraagd wordt wie hun haar doet en ze zeggen *Georgia bij Jean-Luc in New York* – dus wat kun je hen verwijten?

Een licht waas van stylingproducten en water van nat haar dat werd geföhnd hing als mist boven de vloer van de salon. Het Pink and Purple Ball was toevallig op een dinsdagavond – een van onze drukste dagen, zelfs tijdens een gewone week. Op zaterdag kwamen veel klanten via bruggen en tunnels naar ons toe, maar de dinsdagen waren de belangrijke dagen voor de ingewijden en vrienden van ingewijden. (Als donderdag, langgeleden, de nieuwe zaterdag was geworden, was dinsdag nu de nieuwe donderdag.) Faith Honeycomb bevond zich op haar gewone werkplek, naast het raam, en verfde het haar van een actrice die ik herkende maar niet helemaal kon plaatsen. Donker haar, hoekige jukbeenderen, een sterke kaaklijn die ik op tv had gezien, maar waar? De meeste actrices gingen naar Faith. Er waren er zelfs die maandelijks van de Westkust kwamen vliegen, of een eersteklas vliegticket voor haar betaalden. Ze was de nestor der kleurspecialisten, de eerste die eigenlijk zelf beroemd was geworden. Faith was ergens over de zestig – niemand wist het precies – en haar eigen haar had nog nooit chemicaliën gezien. Het was spierwit en geknipt in een strakke, schouderlange bob. Haar blauwe ogen schitterden en ze hield haar hoofd schuin als een waakhond terwijl ze naar haar actrice-klant luisterde.
Aan de andere kant van de salon, bij het raam, zag ik T. , de succesvolle publiciste en een volmaakt voorbeeld van een MWV, in de stoel van Jean-Luc. Hij stond achter haar, zijn handen rustten

licht op haar schouders, donkere ogen boorden zich via de spiegel in die van haar terwijl ze rap praatte, naar haar ravenzwarte pagekopje gebarend. Ik vroeg me af waar ze in hemelsnaam over konden praten, aangezien T. al tien jaar hetzelfde kapsel had. Alle vrouwen – zelfs T. – leken te krimpen als ze op onze stoelen zaten. De jassen, de handdoekjes rond hun nek, hun sluike natte hoofden waren geweldige gelijkmakers. Zonder al hun attributen (nou ja, de mééste ervan – de horloges, ringen en handtassen waren er nog) verloren ze hun glans. Maar na hun highlights, knipbeurt en harsbeurt, nadat hun haar in model geföhnd was en extensions erin waren gezet, nadat ze hun elegante kleren weer aangedaan hadden, kwamen ze weer tot leven: gepolijst, opgepoetst, zelfverzekerd en klaar om de wereld te veroveren.

'Een kwartier onder de lampen,' zei ik tegen Tiffany, mevrouw H. aan haar overleverend.

'Het zal toch niet te licht worden, is het wel?' vroeg mevrouw H, terwijl ze de *British Vogue* oprolde (het salonexemplaar) en in haar supergrote handtas propte.

'Zou ik dat ooit doen?'

Ze begon te antwoorden *natuurlijk niet*, maar ik had me al tot mevrouw P. gewend. Het was tenslotte een retorische vraag.

Ik had Tiffany net om een tube 6 en een halve tube 6.1 gevraagd, toen ik de klap achter me hoorde.

'O, mijn god!' gilde iemand.

Ik draaide me net op tijd om om Faith Honeycomb als een verfrommelde zakdoek op de grond te zien vallen, haar sluike witte bob uitwaaierend.

'Doe iets!' schreeuwde Sweetie. Sweetie was de eerste receptionist van de salon die, in de loop der jaren, tevens Faith Honeycombs persoonlijke assistent was geworden. Sweetie knielde naast Faith neer, zijn lange kastanjebruine krullen hingen naar beneden en zijn jurk schoof over zijn knieën omhoog – knieën waaraan je echt als enige kon zien dat Sweetie een man was.

'Faith! Lieverd! Faith, kun je me horen? Knipper met je ogen of zo. Doe je ogen open!'

Het was stil geworden in de salon, het geraas van föhns was plotseling opgehouden. Afschuwelijke Franse popmuziek klonk uit de luidsprekers. Ik hoorde iemand op de werkplek naast me met 911 bellen.
In de verte, door de dikke dubbele ramen van de salon heen, loeide de sirene van een ambulance. Kwam hij zo snel al voor Faith? Ik drukte mijn gezicht tegen het glas en tuurde Fifty-Seventh Street in. Een ambulance scheurde naar de ingang van ons gebouw en reed door. Ik wilde in mijn witte schort naar beneden rennen en de ambulance aanhouden, hem laten stoppen alsof het een taxi was.
Om me heen werd druk gemompeld. *Hartaanval*, hoorde ik iemand zeggen. *Beroerte. Hersenbloeding. Allergische reactie. Shock.* Ik keek op Faith neer, die vredig op de vloer leek te liggen slapen, met een zeldzaam glimlachje rond haar lippen.
'Georgia?' Het onmiskenbare accent, de vingers die mijn schouders streelden. Jean-Luc stond plotseling achter me. 'Je zult... Faiths klanten... moeten overnemen,' fluisterde hij, gebarend naar enkele vrouwen die op Faiths muurbankje zaten te wachten. Ze hadden allemaal dezelfde uitdrukking op hun gezicht en ik probeerde erachter te komen wat die betekende. Bezorgdheid? Nee, dat was het niet. Schrik? Angst? Nee, en nee. Maar toen het ambulancepersoneel de deur van Jean-Luc binnen kwam stormen en Faith op een brancard hees realiseerde ik me eindelijk wat die uitdrukking betekent: ergernis. Vanavond was tenslotte het Pink and Purple Ball.
'Faith! Lieverd! Ik ga met je mee,' jammerde Sweetie. Mascara liep in brede, zwarte stroompjes over zijn wangen.
'Het spijt me... mevrouw,' zei een van de verplegers, ietwat in verwarring over hoe hij haar moest noemen. 'Niemand mag de ambulance in.'
'Ik geloof niet dat je het begrijpt,' zei Sweetie, zich in zijn volle lengte uitstrekkend. 'Dit is Faith Hóneycomb.' Zijn glanzende lippen trilden bij het uitspreken van haar naam.
'Het kan me geen moer schelen, al is het Dolly Parton,' snauwde

de verpleger. Sweetie blokkeerde hun de weg. 'Dat zijn de regels. En nou opzíj!'
Ze droegen Faith langs Jean-Lucs werkplek, langs de receptie, waarbij ze bijna de enorme vaas met fresia's en babyroosjes omgooiden die daar elke ochtend werd neergezet. Sweetie ging hen achterna, jammerend als een weduwe bij een begrafenisstoet. De deuren van de salon zwaaiden zachtjes achter hen dicht, en langzaam kwamen de gewone geluiden weer op gang... in het begin wat hortend, vervolgens loeiend als een automotor totdat binnen enkele minuten de salon weer op volle kracht en snelheid draaide.
Mevrouw P. keek me in de spiegel aan terwijl ik achter haar stond, en probeerde normaal te ademen.
'Georgia?' vroeg ze, een onzichtbaar vlekje onder haar oog wegvegend. 'Lieve hemel. Dát was opwindend.' Ze zei het op de komische, droge manier waar alleen een vrouw die in Darien is geboren en op Miss Porters school heeft gezeten mee wegkomt. Alsof het leven een grap is. Vooral het leven van een ander.
Mijn vingers klemden zich rond de ijzeren steel van mijn kam, die ik in haar harde roze schedel wilde boren. Ik keek om me heen terwijl iedereen doorging met waar hij mee bezig was voordat Faith Honeycomb zo onbeleefd was om op de vloer van Franse steentjes neer te storten. Twee assistenten keken naar een bladzijde uit *Hamptons Magazine* en giechelden. T. was van Jean-Lucs stoel naar de stoel van de manicure verhuisd, haar haren vochtig, met pasgelakte nagels voorzichtig haar mobiel tegen haar oor houdend. De vrouw in de stoel op Faiths werkplek – degene aan wie Faith net was begonnen – bestelde rustig een salade met zeevruchten en ijsthee bij Nello. Ze zag me kijken en gebaarde me naar haar toe te komen. Ik wist niet hoe ze heette, maar ik had haar wel eens in de salon gezien. Ze was een van de dames die we de O.W's – Oude Wespen – noemden, gekleed in versleten kasjmier en ruimzittende kakibroek, en met een van de weinige fatsoenlijke facelifts. Ze deed me een beetje aan mijn eigen moeder denken, hoewel ik niet goed wist waarom. God weet dat het niet

haar sociale status was. Haar ogen knepen zich samen op een manier die vriendelijk leek en ik boog me naar haar over.
'Ik wil je er alleen maar even aan herinneren, lieve schat, dat Faith altijd een *glossing* gebruikt.'
Ik deed een paar stappen achteruit. Ik vertrouwde mezelf niet om iets te zeggen, laat staan dat ik het hoofd van deze vrouw met chemicaliën zou doordrenken. Ik dacht aan die arme Faith Honeycomb, in haar eentje achter in een ambulance die door de straten van Manhattan scheurt. Faith, met haar onberispelijke make-up en precisiekapsel (als ze ooit weer bij bewustzijn komt) in de groezelige, angstaanjagende gangen van een stadsziekenhuis. Ze was niet getrouwd en had nooit kinderen gekregen. Wij van de salon waren zo'n beetje het gezin dat ze nooit had gehad.
Zo zal ik nooit worden.
'Georgia?' Mevrouw P. klonk ongeduldig.
Zo zal ik nooit, maar dan ook nooit worden.
Ik draaide me weer naar haar om, een glimlach forcerend.
'Ja, mevrouw P.?'
'Ik wil je niet opjagen, schat. Maar ik heb om één uur een afspraak met de cateraar voor Kristens bruiloft.'

De nederige wortels van een kleurspecialist (Snap je hem?)

Soms, midden op een drukke dag, als klanten op het muurbankje op me zitten te wachten en anderen opbellen in een poging maanden van tevoren een afspraak te maken, als leden van de beau monde me met geschenken overladen, als agenten uit Hollywood me om een extra uur van mijn tijd smeken of bereid zijn me eersteklas naar Los Angeles te laten vliegen, moet ik even een minuut pauzeren en mezelf eraan herinneren wie ik echt ben. Ik haal een paar maal diep adem om er zeker van te zijn dat ik nog steeds dezelfde ben: een meisje dat straatarm opgroeide in Weekeepeemie, New Hampshire. Ik bedoel, het was mijn grootste ambitie de opleiding voor schoonheidsspecialiste te volgen en ergens een baan te vinden waar ik het haar van vrouwen kon verven.

Als ik in New York naar mensen kijk, vraag ik me altijd af waar ze werkelijk vandaan komen. Want eigenlijk komt niemand uit New York. Stel je eens voor. Hoeveel echte New Yorkers ken je? Ik maak er een spelletje van; ik probeer de boerenkinkel te vinden tussen al die trendy lui die door Madison Avenue lopen, of Prince Street in Soho oversteken. Die magere gozer in oude Levi's en een verbleekt zwart T-shirt, dat er oud uitziet maar waarvan ik weet dat het vijfentachtig dollar kost in de winkel van Helmut Lang? Ik zou zeggen: Maryland. Hij groeide op in Maryland, in een splitlevelwoning met drie slaapkamers. En dat meisje met dat neusringetje en lippenstift in de kleur van opgedroogd bloed, van top tot teen in zwart leer gehuld? Op haar voorhoofd staat met grote letters 'voorstad' geschreven. New Jersey misschien. Of een voorstad van Philadelphia. Haar vader is waarschijnlijk dermatoloog of zoiets, en haar moeder belt haar tien keer per dag op om er zeker van te zijn dat ze niet is beroofd. Ik weet niet waarom, maar meestal raad ik het goed. Het komt doordat er al heel wat jaren mensen in mijn stoel zitten die mij hun levensverhaal vertellen. Ze kunnen er niets aan doen. Ze vertellen me dingen die ze niet eens aan hun psychiater vertellen. Ik ben een soort haarpsychiater. Ik breng meer tijd met mijn klanten door dan psychiaters, en ik kan je vertellen dat mijn klanten zich werkelijk beter voelen als ze vertrekken.

Vanaf dat ik een klein meisje was, wilde ik kleurspecialiste worden. In Weekeepeemie had mijn moeder een kapsalon – we noemden het een schoonheidssalon – waar vrouwen uit de wijde omtrek naartoe kwamen. Is het je wel eens opgevallen hoe de namen van schoonheidssalons veranderen, zodra je buiten de grote stad bent? Hier volgen enkele van mijn persoonlijke voorkeuren:

1. Haar voor Haar
2. Knipkunst
3. De Hoofdzaak
4. Knip en Krul

Ik bedoel maar, wat heeft haar met grappig zijn te maken? En het is geen strikvraag. Het antwoord is: niets. Dus de zaak van mijn moeder heette gewoon Doreen's. Duidelijk, eenvoudig en recht door zee. Net als mijn moeder. En daar gingen de vrouwen van Weekeepeemie naartoe als ze wat opgevrolijkt moesten worden. Ik groeide op met het idee dat de wekelijkse afspraak in de schoonheidssalon een noodzaak was. Het bezoek aan de kruidenier of de tandarts kon wachten. In feite hadden sommige dames die bij mijn moeder in de zaak kwamen nog maar een paar, of geen, eigen tanden, maar hun kapsel zat perfect: getoupeerd en met haarspray bespoten tot er een orkaan voor nodig zou zijn om het uit model te brengen.

Ik zat aan mijn moeders voeten in een mand waarin de plukken nat haar werden opgevangen op de vloer van Doreen's voordat het zelfs maar Doreen's heette. De zaak was van een oude dame geweest, Mabel Smith, die stierf toen ik elf was, en haar erfgenamen verkochten de schoonheidssalon voor een redelijke prijs aan mijn moeder. Een van de eerste dingen die mijn moeder deed toen ze de papieren bij de bank had getekend, was een lange triplexplank mee naar huis nemen, die zij, mijn zusje Melodie en ik wit schilderden.

'Hoe zullen we de salon noemen?' vroeg mijn moeder ons.

Melodie was een jaar jonger dan ik, maar ze was al klaar met groep zeven en volgde taal- en wiskundelessen op middelbareschoolniveau.

'Wat dachten jullie van Folly?' vroeg Melodie.

We keken haar wezenloos aan.

'Je weet wel, van follikel,' zei ze, in de lach schietend, met een luide hik in haar hoge stem.

'Wat is follikel?' vroeg ik.

'Dat doet er niet toe, Georgia,' zei mijn moeder. Ze was toen nog jong en mooi, met haar lange, asblonde haar in een paardenstaart, zonder make-up op haar gezicht.

'Wat zou pap ervan vinden?' vroeg Melodie met glinsterende ogen, zoals altijd wanneer ze iets zei waarvan ze wist dat ze het niet had moeten zeggen.

'Nou, het doet er eigenlijk niet toe wat je vader zou vinden,' zei mijn moeder zachtjes. 'Want het gaat hem helemaal niets aan.'

'Dat weet ik,' zei ik snel, in de hoop die droevige, verloren blik te voorkomen die mijn moeder vaak kreeg als een van ons het over onze vader had. Hij was ervandoor gegaan toen ik acht was en Mel zeven, en hij nam nauwelijks moeite ons wat geld te sturen. Op een keer had ik hem een klootzak genoemd, en Doreen had me een klap gegeven. *Je vader heeft ons in de steek gelaten*, zei ze kwaad. *Dat geeft je nog niet het recht te praten alsof je niet goed bent opgevoed.* Dat iemand niet goed was opgevoed was het ergste wat mijn moeder over iemand kon zeggen. Daarna hield ik mijn mond, en sprak praktisch nooit meer over mijn vader.

'Laten we de salon naar jou noemen!' probeerde ik mijn moeder op te vrolijken.
'Ach, ik weet het niet...' zei ze aarzelend.
'Iedereen komt toch alleen maar om jou te zien,' zei ik.
'Doreens Schoonheidssalon,' zei mijn moeder om te horen hoe het klonk.
'Doreens Haarparadijs,' zei Melodie.
'Wat dachten jullie van gewoon "Doreen's"?' vroeg ik.
Onze moeder zweeg even en dacht erover na. Toen brak de eerste glimlach op haar gezicht door die ik in tijden had gezien. 'Wat dachten jullie van "Doreen's",' zei ze, en ze spreidde haar armen. 'Met als motto: "We krullen en kleuren."'
We keken haar wezenloos aan.
'Begrijpen jullie?' vroeg ze. 'We krúllen en...'
'We snappen het,' zei Mel plechtig.
'Dat kun je niet doen,' zei ik.
Het was een van de zeldzame keren dat mijn zusje en ik het volledig eens waren.
We gingen aan het werk – mijn moeder, zusje en ik – met het witgeschilderde triplex, knalroze verf en sjablonen die mijn moeder uit een catalogus had gekocht. We werkten met zijn drieën urenlang, om het helemaal goed te doen, en toen we klaar waren voegden we er een bloemenrankje rond de D van Doreen aan toe. Ik kon me niet herinneren dat een van ons sinds die klootzak ervandoor was gegaan gelukkiger was geweest.
In de jaren dat mijn moeder haar zaakje opbouwde, voerde ze al haar experimenten op mij uit, want Melodie liet haar niet in de buurt komen. Ik begon met lang witblond haar tot aan mijn middel, maar op de middelbare school had ik alle kapsels die op dat moment in de mode waren. Het Dorothy Hamill-kapsel: met een hoek erin geknipt die als een perfect omgekeerde driehoek viel. Het Toni Tennille-kapsel: een ongelukkige, naar binnen gekrulde bob met naar binnen gekrulde pony. En ten slotte, de geweldigste coupe van allemaal: het Farrah Fawcett-kapsel. Mijn eerste jaar op de middelbare school had ik een in pluizige lagen geknipt

kapsel met lange pony, nog pluiziger gemaakt door de speciale Farrah Fawcett-shampoo die ik mijn moeder bij de drogist voor me liet kopen.

'Hoe kun je toelaten dat ze dat bij je doet?' vroeg Melodie me soms. 'Je ziet eruit als een idioot.'

'Ik vind het leuk,' zei ik, beledigd. Ik onderdrukte de neiging wraak te nemen, door tegen mijn zusje te zeggen dat zíj de idioot was. Het kwam te dicht bij de waarheid. Ze had bruin haar dat nooit een kam zag, en een bril met jampotglazen en het lelijkste montuur dat je ten noorden van Boston kon kopen. Ik mag er dan naar Weekeepeemie-normen een beetje anders hebben uitgezien, maar ik wist dat ik, als ik in New York of Los Angeles zou wonen, niet zou opvallen.

Maar goed, ik vertelde Melodie niet dat ik nooit gelukkiger was dan wanneer mijn moeder mijn haar deed. Het deed er eigenlijk niet toe wat ze ermee deed. Het ging om haar aandacht. Ik vond het heerlijk om in haar stoel te zitten, te zien hoe ze haar ogen tot spleetjes kneep en me bekeek, met haar hoofd schuin. Soms knipte ze mijn haar, andere keren gaf ze me highlights. Terwijl alle andere kapsalons daar die mutsjes met gaatjes erin voor gebruikten, gebruikte mijn moeder aluminiumfolie. Ze noemde het *engelenlokjes maken*: smalle plukken van mijn al blonde haar nemend die ze kunstig een gouden gloed gaf.

Mijn moeder rekende twintig dollar voor wassen en föhnen, vijfentwintig dollar voor knippen en zestig dollar voor verven, behoorlijke prijzen voor haar klanten. Maar zelfs toen ze haar tarieven verhoogde bleven de mensen komen. Ze werkte van acht uur 's morgens tot negen uur 's avonds, om de vrouwen die op de fabrieken en in bedrijven in de buurt werkten te kunnen helpen. Op een gegeven moment nam ze een manicuurster in dienst, maar die arme vrouw zat daar aan haar tafeltje, in haar eentje met haar tientallen flesjes zuurtjeskleurige nagellak. Blijkbaar hadden mooie nagels geen prioriteit; niet als diezelfde nagels aan de lopende band koppen op poppennekken moesten drukken.

Iedereen wilde altijd Doreen, Doreen en alleen Doreen. Het was niet zozeer dat mijn moeder goed was in haar werk, hoewel dat zeker zo was. Ze had fláír. Dit begreep ik al snel: je kon een geweldige kleurspecialist zijn, maar als je niet wist hoe je met mensen moest omgaan, zat je zonder werk. Mijn moeder had handen die maakten dat je dingen kon voelen. Meelevende handen die maakten dat je haar je levensverhaal wilde vertellen. En dus was Doreen's, in een stad zonder psychologen en psychiaters, zonder een enkele zielenknijper, het adres waar mensen naartoe gingen om hun hart te luchten.

Soms, als mijn moeder 's avonds thuiskwam, kon ik zien dat ze gebukt ging onder het gewicht van de geheimen en problemen van een hele stad. Judy Johnstons dochter: zwanger op haar vijftiende. De kijkoperatie van Marcie Appleby's echtgenoot. Doreen had lichtblauwe vegen onder haar ogen en haar huid was zo dun, zo doorzichtig, dat ik de tere adertjes in haar slapen en langs haar kaak zag lopen.

Melodie en ik waren dan al uren thuis – we zaten toen al op de middelbare school – en de meeste avonden kookte ik voor ons, dan hield ik het eten voor mijn moeder warm in de oven tot ze thuiskwam. Onze keuken was mijn lievelingsplek. Hij had een geruite vloer en we hadden er een grote oude boerentafel staan die we bij een garageverkoop hadden gevonden en hemelsblauw hadden geverfd. Hoe blut we ook waren, Doreen zorgde er altijd voor dat er een schaal met vers fruit op tafel stond. Mensen die niet goed waren opgevoed aten fruit uit blik. Wij niet.

Mijn moeder kwam binnen en rook zo heerlijk dat mijn neusgaten ervan begon te kriebelen.

'Arme mevrouw McCormick,' zei ze, haar paardenstaart uitschuddend zodat haar haren als een blonde waterval over haar schouders vielen.

'Wat is er met mevrouw McCormick?' vroeg ik, tegen beter weten in. Mijn moeder roddelde nooit.

Ze zuchtte, liet haar jas van haar schouders glijden en haalde toen haar avondeten uit de oven. 'Sommige mensen hebben het moeilijk, Georgia-liefje,' zei ze tegen me. Het was een van de grote talenten van mijn moeder dat ze haar eigen leven niet als moeilijk beschouwde. Ondanks het feit dat ze een alleenstaande moeder was die zonder hulp haar twee kinderen opvoedde, vond ze zichzelf een gezegend mens.

'Waar is je zus?' vroeg ze.

Ik wees naar het plafond. 'Boven, huiswerk maken,' zei ik, hoewel Melodie waarschijnlijk maar tien minuten nodig had gehad om door de meetkundevragen te vliegen die ze al had kunnen oplossen toen ze acht was. Ik wist dat mijn moeder zich zorgen maakte om Melodie. Ze was slimmer dan goed voor haar was, griézelig slim. Waar was al die wijsheid vandaan gekomen? Mij leek het dat er met een hoofd dat zo propvol zat geen plek meer was voor andere dingen, dingen die maar al te belangrijk waren op de middelbare school. Melodie had geen vrienden en het leek haar niets te kunnen schelen. Ze bracht al haar vrije tijd door in de bibliotheek, of in haar kamer met de deur dicht, waar zij boeken las die ik niet begreep.

Mijn leeswerk stond vol foto's. Elke week verslond ik het exemplaar van *People* van de week daarvoor, die mijn moeder mee naar huis nam uit de salon. Ik bestudeerde beroemdheden, in het bijzonder de jonge Hollywoodsterren: wat voor kleding ze droegen, hoe hun make-up zat, de exacte snit en kleur van hun haar. Mijn lievelingsboek was van het beau monde-lid Cornelia Guest. *The Debutante's Guide to Life* was mijn bijbel. Ook al was ik nooit in New York geweest, ik wist gewoon dat die New Yorkse meisjes die in paleizen op Fifth Avenue opgroeiden nog geen seconde van hun leven zorgen hadden gehad. Het enige waar ze aan dachten was waar ze zouden gaan lunchen, en of ze hun teennagels roze zouden lakken of donkerrood. Ik had een foto van Cornelia Guest gezien, de hele nacht dansend in Studio 54 met Sylvester Stallone. Het had allemaal met geld te maken. Geld was de sleutel om allerlei magische deuren te openen. Ik wist niet hoe die deuren eruitzagen, of hoe het zou voelen om erdoorheen te gaan, maar ik wist dat ze er waren.

'Er is iets waar ik met je over wil praten, Georgia,' zei mijn moe-

der terwijl ze een hap nam van de cheeseburger die ik had klaargemaakt. Ze knipperde met haar vermoeide ogen naar me, een rimpel in haar voorhoofd. 'Over volgend jaar.'
Volgend jaar betekende maar één ding voor me. Ik zou naar de opleiding voor schoonheidsspecialiste gaan, wat ik als het begin van mijn echte leven zag. Het enige wat ik op de hele wereld wilde was mijn diploma halen en bij Doreen's gaan werken. Ik wist dat dit niet was wat Doreen eigenlijk voor me wilde, maar ik dacht dat ze wel zou bijdraaien. Mijn moeder wilde dat ik een 'echte' opleiding zou volgen. Dat ik een of ander vak ging leren: verpleegster, misschien. Of accountant, zoals mevrouw Peabody in de stad, die een naambord op haar huis in Main Street had hangen. Ik was niet geboren om verpleegster of accountant te worden. Niet dat daar iets mis mee is. Maar het is niets voor mij. Eerlijk gezegd wil ik bij de gedachte eraan alleen nog maar mijn hoofd in de wc-pot stoppen en doortrekken.
'Ik ben van gedachten veranderd wat betreft de opleiding voor schoonheidsspecialiste,' zei mijn moeder. Ze sprak langzaam, alsof elk woord haar nog vermoeider maakte. De moed zakte elke seconde dieper in mijn schoenen. 'Ik wil niet dat je die doet.'
'Waarom?' vroeg ik. 'Wat is er gebeurd?'
'Ik wil niet dat je je hele leven in een kapsalon in Weekeepeemie werkt,' zei mijn moeder fel. Ze keek uit het raam naar het streepje van Weekeepeemie Lake dat we door de herfstbladeren konden zien. 'Dat gaat niet met je gebeuren. Punt. Einde verhaal.'
'Maar ik heb het hier naar mijn zin,' zei ik. Ik probeerde niet te gaan huilen. 'Ik hou van de kapsalon.'
'Georgie, je moet proberen iets van de rest van je leven te maken,' zei mijn moeder. Toen bukte ze zich en wroette in haar handtas.
'Wat is er gebeurd?' vroeg ik. 'Er moet iets gebeurd zijn.'
'Er is niets gebeurd,' zei mijn moeder.
Ik wist dat dat onmogelijk waar kon zijn. Iets moest de blauwe vegen onder haar ogen nog donkerder dan normaal hebben gemaakt. Als ik er echt over nadacht, had ik waarschijnlijk kunnen bedenken dat het iets met geld te maken had, en met mijn vader,

die al tijden geen cheque had gestuurd, ondanks de brieven van mijn moeders advocaat van de wetswinkel. Mijn moeder wilde niet dat ik net zo werd als zij. Mijn leven moest absoluut anders worden. Hoe had ik haar kunnen uitleggen dat zij mijn heldin was, en dat het voor mij het grootste compliment ter wereld was als iemand tegen me zei dat ik op mijn moeder leek?

'Hier,' zei mijn moeder. 'Alvast hartelijk gefeliciteerd.' Ze gaf me een envelop. 'Ik wist hoe teleurgesteld je zou zijn, en ik dacht dat dit misschien...'

Ik maakte de envelop open. Mijn benen voelden loodzwaar, mijn ingewanden verdoofd. Hoe kon ze me dit aandoen?

Ik haalde een retourtje met de bus naar New York tevoorschijn, en keek mijn moeder vragend aan.

'Om Ursula te bezoeken,' zei ze. 'Ik dacht dat als je zou zien...'

'Wauw,' zei ik. 'New York?'

Mijn moeder knikte. En dus overkwam me, op hetzelfde moment, zowel het opwindendste als het meest teleurstellende in jaren.

Ursula was de enige persoon in New York die ik ooit had gekend. En feitelijk woonde ze niet eens in de stad (ze woonde in Queens), maar in mijn belevingswereld als tiener walste ik hieroverheen. Toen ik nog een kind was, was Ursula altijd bij ons. Ze paste op Melodie en mij, en ze werkte bij Doreen's wanneer Doreen extra hulp nodig had. Toen ik klein was, was ik dol op haar, totdat ze mijn hart brak door op mijn tiende uit Weekeepeemie te vertrekken, voor een twee jaar durende opleiding tot secretaresse in Boston.

Als voorbereiding op mijn reis scheurde ik bladzijden uit tijdschriften, en schreef ik alle namen van de shows op Broadway op. Ik wilde *Cats*, zien, *La Cage aux Folles*, *All that Jazz*. Ik wilde met de metro reizen en naar Bloomingdale's gaan. Voordat ik vertrok, ging ik met mijn moeder winkelen. We bezochten een *outlet,* een uur rijden van huis, waar ik, tussen de geruite jasjes en afgedankte kasjmieren truien, iets geweldigs ontdekte: een roodleren jumpsuit dat van zeshonderd dollar was afgeprijsd naar honderd dollar. Het was zo ver boven ons budget dat ik er nauwelijks naar durfde te kijken, maar mijn moeder pakte hem toch van het rek.

'Pas hem eens,' zei ze en ze gaf hem aan me.

'Maar hij is zo duur!'

Er verscheen een dromerige uitdrukking op mijn moeders gezicht.

'Je bent maar één keer jong,' zei ze.

In de kleedkamer rukte ik mijn Danskin-shirt uit, maakte mijn wikkelrok los. (Die had ik in alle kleuren van de regenboog, het was mijn uniform. Van elke kleur één.) Het rode leer zat als een tweede huid om mijn lichaam, transformeerde me van een middelbare scholiere uit New Hampshire tot iemand die eigenlijk in een videoclip van Michael Jackson thuishoorde.

'We kopen hem,' zei mijn moeder, terwijl ze in de spiegel van de gemeenschappelijke kleedkamer naar me keek.

'Maar mam...' Ik wilde niet al te hevig protesteren. Ik kon niet geloven dat ze hem echt voor me zou kopen. Ik werd verscheurd; ik wilde niet egoïstisch lijken, maar in de spiegel zag ik een nieuwe Georgia Watkins, alsof een roodleren jumpsuit alles veranderde.

'Geen gemaar,' zei ze kordaat. 'Het is je verjaardagscadeau.'

'Maar de reis naar New York...'

'Doet er niet toe,' glimlachte mijn moeder. 'Je moet hem hebben.'

In de Bonanzabus van Weekeepeemie naar New York had ik mijn nieuwe kledingstuk aan. Mijn lavendelkleurige Danskin-top met de laag uitgesneden hals kwam net boven de rits van mijn jumpsuit uit, en mijn oogschaduw had precies dezelfde kleur als mijn top. Ik had transparante lipgloss op die een tikkeltje roze was, want ik had in alle tijdschriften gelezen dat je de andere aspecten van je gezicht subtiel moest houden als je er één wilde benadrukken. Aangezette ogen, subtiele lippen. Aangezette lippen, subtiele ogen. En ga zo maar door.

Ik zag wel dat mensen vreemd naar me keken, maar het kon me

niets schelen. Met mijn Farrah-krullen en die jumpsuit voelde ik me een kanjer. Wat wisten *zij* er nou van? In het land van L.L. Bean-laarzen en flanellen overhemden zag ik mezelf als een exotische bloem. Elke beroemdheid was ergens anders begonnen, in een of ander afgelegen stadje waar mensen er niets van begrepen. Ik stak mijn kin vooruit, zette mijn donkere bril op en deed alsof ik een filmster was. Dat je die nooit bij het busstation van Danbury, Connecticut, zou zien staan om in een andere bus te stappen, met haar zwarte Le Sportsac over haar schouder, doet er niet toe.

We zouden om vijf uur 's middags bij de Port Authority in New York aankomen. Ik zat op de twee na achterste rij in de bus, want daar was de enige vrije plek aan het raam, en ik wilde zien hoe we in New York aankwamen. Ik had er niet aan gedacht hoe dicht de op twee na achterste rij bij het toilet was, en tegen het einde van de reis was ik duizelig van het proberen mijn adem in te houden. Maar toen maakte de snelweg een bocht en daar was de Triborough Bridge, dwars over de Hudson River, kolossaal en majestueus, net zoals op de foto's. We staken de brug over en reden vervolgens naar het zuiden Manhattan in. De bus reed kalmpjes vanaf 110th Street over Columbus Avenue, en het enige wat ik door het raam kon zien waren dichtgetimmerde gebouwen en winkelruiten, en lege straten. Waar waren we? Wat was dit voor een New York?

De bus maakte een aantal bochten en toen werd alles donker en grijs terwijl we de Port Authority binnenreden. Ik verbaas me er nog altijd over dat mensen die New York voor het eerst bezoeken zich niet omdraaien om terug te rennen naar welk hoekje van de wereld ze ook vandaan komen. Ik wil maar zeggen, Port Authority? Dat is... en was... en zal waarschijnlijk altijd een desolate plek zijn. Het stonk er zelfs nog erger en was nog afschuwelijker dan de op de twee na achterste rij van de Bonanzabus. Maar zag ik dat, op mijn zeventiende, toen ik uit de bus het station inliep? Nauwelijks.

Ursula stond bij de ingang van het station op me te wachten. Ze was een grofgebouwde vrouw, gemakkelijk in een menigte te herkennen met haar dikke, lange bruine krullenbos en haar modieuze stadskleding. Ook al was ze tamelijk lang, Ursula droeg altijd hoge hakken. In een menigte forenzen, slonzige vrouwen die sportschoenen droegen onder hun mantelpakje, stond Ursula er keurig gekleed bij. Ze zou nooit betrapt worden met Reeboks aan haar voeten.

'Georgia!' Ze zwaaide toen ik de bus uitstapte. 'Deze kant op!'

Ik hees mijn weekendtas over mijn schouder en liep naar haar toe. Plotseling was ik me van mezelf bewust in mijn roodleren jumpsuit, want ik realiseerde me dat het me kon schelen wat Ursula ervan vond. Ze was een godin. Een stedelijke modegodin.

'Mijn god, laat me eens naar je kijken!' Haar stem was donker en luid, passend bij de rest van haar indrukwekkende verschijning, en de mensen draaiden zich om en keken samen met haar naar mij.

'Je bent beeldschoon,' riep ze. Het klonk grappig toen ze dat zei: beeeeld-schoon. Ik verdween in haar omhelzing en ademde haar geur in, waarvan ik wist dat het *Jean Nate* was. Ik was ook *Jean Nate* gaan gebruiken. Die gekleurde geel-witte fles vrolijkte me elke morgen op, en het wijsje van de televisiereclame voor de geur – *Jean Nate, Jean Nate* – speelde vaak door mijn hoofd onder wiskunde wanneer ik de minuten aftelde.

Ursula stak haar arm door de mijne en we liepen door de aankomsthal van Port Authority alsof we actrices waren die bij de Academy Awards over de rode loper schreden. Het was halfzes – midden in de avondsspits – en bussen en taxi's claxonneerden in Eight Avenue. De pretzelverkoper op de hoek van Eight Avenue, de dikke politieagente die met een fluitje in haar mond het verkeer leidde, de man op de motor die voor het rode licht stilhield – ik probeerde het allemaal in me op te nemen, maar het was te veel voor me. Ik kon nauwelijks ademhalen zo opgewonden was ik.

'Moest je voor mij eerder van je werk weg?' vroeg ik aan Ursula.

'Een paar minuten maar.' Ursula leidde me naar de ingang van de metro. 'Mijn baas deed er moeilijk over. Die ouwe zak. Je zou

haast denken dat ik hem om de sleutel van de kluis had gevraagd.'
Ursula werkte bij een bank net buiten het centrum. Ik dacht dat dat betekende dat ze bankier was, maar eigenlijk was ze een kasbediende, achter de balie, de hele dag, voor een boos, mopperend publiek dat genoeg had van het wachten. Ze was pas achtentwintig, maar ik had het gevoel alsof ze eeuwen ouder was dan ik, die elf jaar maakten een wereld van verschil.
De trein kwam het metrostation binnenrijden in een pastelkleurig waas van staal en graffiti. Ursula duwde mij voor zich uit door de schuifdeuren. Ik rook eten. Een mengsel van uien, drukinkt en zweet. Even werd ik overweldigd door een golf van iets als zeeziekte. Er waren zoveel mensen, en ze zagen er allemaal uit alsof ze snel ergens naartoe moesten. Niemand keek me aan en glimlachte, zoals in Weekeepeemie. Mijn hele leven was ik nog nooit ergens geweest waar mensen me niet kenden. Zo gaat dat als je in een kleine stad opgroeit. Waar je ook bent – bij de kruidenier, de stomerij, de wasserette – zeggen de mensen: *Hallo, Georgia. Hoe gaat het met je? Hoe gaat het met die mooie moeder van je?* Je koopt aspirine bij de drogist en de volgende morgen vraagt iemand je of je nog steeds last hebt van hoofdpijn.
'Dit is prachtig.' Ursula voelde aan de leren mouw van mijn jumpsuit.
'Ik heb hem samen met mijn moeder bij de outlet gekocht,' zei ik luid, boven het gebulder van de metro uit.
'Heeft je moeder dit voor je gekocht?' Ursula trok een wenkbrauw op.
Ik knikte.
'Nou, lieverd, weet je waar ik je morgen mee naartoe neem?' vroeg Ursula.
Ik wachtte af, keek haar met puppyogen aan. Ik nam alles aan haar in me op. Haar mooie bergkristallen oorbellen, het fijne kettinkje met een kruis dat ze om haar hals droeg.
'Fiorucci,' zei ze.
'Je meent het!' Ik sloeg mijn hand voor mijn mond. Mijn paniek verdween door één enkel woord. Fiorucci! De winkel waar Cor-

nelia Guest haar spijkerbroeken kocht, waar, op foto's in oude exemplaren van *Vogue*, modellen en actrices hun inkopen deden.

Ik deed die nacht nauwelijks een oog dicht. Visioenen van Fiorucci speelden door mijn hoofd. Ik hield van de klank van de naam. *Fie-joo-roe-tsjie*. Het klonk sexy en kosmopolitisch, mysterieus en buitenlands. Ik had al het geld dat ik met babysitten had verdiend meegenomen naar New York.

De opbrengst van een jaar hard werken zat in een envelop in mijn weekendtas, in een bundel bankbiljetten van één, tien en twintig dollar. Ik had precies 286 dollar, die ik had gespaard voor mijn opleiding tot schoonheidsspecialiste, maar nu mijn moeder dat niet wilde, waar spaarde ik dan nog voor? Ik wil maar zeggen: ik leefde nu. Ik was jong, ik was in New York en ik had kleren nodig.

De volgende dag was het helder en zonnig, de regen van de vorige avond had de straten van de stad schoongespoeld. Ursula's kleine eenkamerappartement met tuin in Forest Hills blonk in het zonlicht. Haar tweedehands meubilair, de hobbelige bank waarop ik de nacht had doorgebracht, leek net zo elegant als dat van de Ritz. Ik trok een Danskin-top en wikkelrok in mijn lievelingskleur aan – roze – en maakte me zorgvuldig op, met bijpassende lichtroze oogschaduw.

Ik probeerde me cool te gedragen. Ik wilde in geen geval een provinciaaltje uit New Hampshire lijken. In New York stond niemand ergens van te kijken, ooit. Als de allerberoemdste filmster voorbijliep, konden mensen bestudeerd hun blik afwenden. Later begon ik dit als een kunstvorm te zien; hoever mensen wilden gaan om er blasé uit te zien, en ik begreep het intuïtief. Terwijl Ursula en ik over de parterre van Fiorucci liepen, zorgde ik ervoor dat er aan de buitenkant niets te merken was van mijn bonzende hart en de denderende blijdschap in mijn hoofd. Achter in de winkel zag ik een rek met spijkerbroeken en ik liep ernaartoe alsof ik dat dagelijks deed.

Donna Summer knalde door de luidsprekers. *Someone left the cake out in the rain...* Ik had het gevoel alsof ik in een film zat toen ik

vluchtig door het rek met de donkerblauwe denim met het kenmerkende, krullerige Fiorucci-stiksel op de achterzakken ging.
'Kan ik je helpen?' Een verkoopster kwam op me aflopen. Ze had lang, krullend, zwart haar en kobaltblauw omlijnde ogen.
'Ze wil deze even passen,' zei Ursula, die ineens naast me stond.
'Welke maat?'
'Vierendertig,' zei Ursula zelfverzekerd. Ik was blij dat ze iets zei, want ik was sprakeloos. Die verkoopster zag er geweldig uit, van top tot teen in Fiorucci: een rood-wit gestreept nylon shirt, spijkerbroek met hoge taille, een riem met glittersteentjes en Candies met plateauzolen.
'Probeer deze eens.' De verkoopster gaf me een haltertop van zwaar goudlamé, die zo klein was dat de rug alleen maar bestond uit een zwart koordje waarmee je hem kon vastmaken. Toen ik hem van haar aanpakte en naar de paskamer liep, probeerde ik er niet aan te denken wat mijn moeder ervan zou vinden.
'Ik blijf hier wachten,' riep Ursula. 'Laat het me maar zien als je klaar bent!'
In de paskamer naast me hoorde ik twee vrouwen praten terwijl ik me in de spijkerbroek wurmde. Om hem over mijn heupen te krijgen moest ik plat op de grond liggen en de broek met het haakje van een hanger omhoogtrekken. Hij hoorde superstrak te zitten. Ik trok mijn buik in en knoopte de broek dicht. Ik kon nauwelijks ademhalen.
'Wil je straks nog naar Halston?' vroeg de ene vrouw aan de andere. 'Ik heb een jurk gezien die ik vanavond aan wil.'
'Ga je naar de 54?'
'Ja. Mijn kerel staat vanavond bij de deur.'
Met mijn handen achter mijn rug strikte ik de minuscule top onhandig vast. Het ding moet wel een paar kilo hebben gewogen, maar zelfs ik wist dat het er geweldig uitzag. Ik had het lichaam van een zestienjarige: het lichaam dat bedoeld was om trendy mode te dragen, hoewel de vrouwen die het daadwerkelijk kochten meestal vrouwen van twee of drie keer zo oud waren. Ik kon niet geloven dat ik ergens was waar ze het over Studio 54 hadden;

dat ik dezelfde lucht inademde als die vrouwen die er op verveelde, wereldse toon over spraken. *Mijn kerel staat bij de deur.* Wat betekende dat eigenlijk?
Ik schoof de gordijnen van de paskamer open en liep de door tl-buizen verlichte winkel weer in waar Ursula op een roze plastic opblaasbank zat, haar benen keurig over elkaar geslagen alsof ze in de wachtkamer van een dokter zat.
'Allejezus,' zei Ursula. 'Je moeder vermoordt me.'
Ik wist niet zeker of ik de top wel moest kopen. Hij kostte me meer dan de helft van mijn babysitgeld en ik zou hem in Weekeepeemie nooit kunnen dragen. De roodleren jumpsuit was hiermee vergeleken zo saai als een oude trui.
'Je hebt nog schoenen nodig,' tjilpte de verkoopster. Ze nam de maat op van mijn voeten en kwam terugsnellen met een paar zwart-gouden plateauschoenen die bij het goud van de haltertop pasten.
'Je ziet eruit als een fotomodel,' zei Ursula. 'Zoals dat meisje... hoe heet ze ook weer? Die met Rod Stewart uitgaat.'
'Kelly Emberg?' vroeg de verkoopster behulpzaam.
'Precies.'
Dat was de druppel. Als ik door deze kleding leek op Kelly Emberg, die ik elke maand in elk tijdschrift, van *Mademoiselle* tot *Vogue*, met grote ogen bekeek en bewonderde, dan zou ik het moeten kopen – allemaal. De spijkerbroek, de haltertop, de schoenen. Kelly was een adembenemend, katachtig schepsel met amandelvormige groene ogen, hoogblond haar en jukbeenderen die uit glas leken gehouwen. Ik bekeek mezelf in de spiegel. Vanbinnen was ik nog steeds de onopvallende oude Georgia Watkins uit Weekeepeemie, maar als mijn buitenkant er anders uitzag, zou mijn binnenkant misschien vanzelf volgen.
'Ga jij niets passen?' vroeg ik Ursula. Ik vond het vervelend dat ze hier alleen maar op mij zat te wachten.
'Nee, ik vind het prima zo,' zei ze. 'Deze winkel is perfect voor jou, lieverd, maar dit is niet echt mijn stijl.'
Ik begreep wel wat Ursula daarmee bedoelde. Ze droeg klassieke

combinaties die ze bij Macy's in de uitverkoop kocht, en godallemachtig, Fiorucci was verre van klassiek.
'Ik trakteer je op de schoenen,' zei Ursula.
'Ursula! Dat moet je niet...'
'Nee. Ik wil het,' antwoordde ze. Wat heel goed uitkwam, want alleen al door de spijkerbroek en haltertop was er van mijn babysitgeld zo goed als niets meer over.

Ik weet niet hoe ik Ursula daarna het volgende heb durven vragen. Ik bedoel, ze was al zo'n beetje mijn goede fee door me al die cadeaus te geven: een weekendje in de stad, haar eigen stadse wijsheid en, natuurlijk, de schoenen. Maar ik vroeg het. Toen we over Fifty Eight Street naar Central Park liepen verzamelde ik al mijn moed en vroeg: 'Ursula?' Ik sprak met kleine stem want ik wist dat ik een groot verzoek deed.
'Wat, lieverd?'
'Kunnen we naar Studio 54 gaan?'
'Wat?' Ze bleef stilstaan. 'Bedoel je, er langslopen? Dat kunnen we doen. Het is niet ver hiervandaan.'
'Nee, ik bedoel... kunnen we ernaartoe gaan? Proberen binnen te komen? Vanavond... misschien?'
'Wauw.' Ursula schudde haar hoofd toen we verder liepen. 'Ik weet het niet, George. Het is echt niet zo dat we daar met zijn tweeën zomaar binnen kunnen walsen.'
'We kunnen het probéren,' zei ik.
'Ze hebben er portiers en zo. Uitsmijters.'
Ik dacht aan de twee vrouwen die ik bij Fiorucci had horen praten. *Mijn kerel staat bij de deur.* Misschien bedoelden ze dat ermee.
'Ik wilde je meenemen naar *Saturday Night Fever*,' zei Ursula toen we bij het hotdogstalletje vlak bij de ingang van het park bleven staan.
Dat was even slikken. Ik wilde *Saturday Night Fever* dolgraag zien, maar ik zou er altijd nog in Weekeepeemie naartoe kunnen gaan. Alles kwam een keer naar de bioscoop in het winkelcentrum, vroeg of laat.

'Alsjeblieft? Het zou zo leuk zijn. Een avontúúr.'
Ursula rolde met haar ogen.
'Oké,' zei ze met een glimlach.
Mijn hart maakte een salto. Mijn hele lichaam trilde van vreugde.
'Echt? O, mijn god.'
'Het blijft ons geheimpje,' zei Ursula. 'Je mag het niet aan Doreen vertellen. Ze krijgt een hartaanval.'
'Ik zal haar niets vertellen. Ik beloof het.'

Het kostte ons de hele middag om ons aan te kleden en voor te bereiden op ons belangrijke uitje. Na een snelle wandeling door Central Park en elk twee hotdogs, reden we met de metro terug naar Queens en liepen naar het kleine complex flats van twee verdiepingen waar Ursula woonde. Ze was heel stil en ik kreeg daar een beetje een naar gevoel... ik bedoel, ik dwong haar iets te doen wat ze niet wilde... maar niet naar genoeg om te zeggen: laten we het maar vergeten. Dat kon ik gewoon niet. Het voelde als de grootste kans van mijn leven, mijn enige mogelijkheid om ooit naar Studio 54 te gaan.
Toen Ursula en ik ons aan het klaarmaken waren, belde mijn moeder om te vragen hoe het ging. Het was halverwege de zaterdagmiddag en het verbaasde me om van haar te horen; dit was meestal het drukste moment van haar week.
Ursula nam de telefoon op en gaf hem snel aan mij. *Hé, hallo Doreen, ik zal je Georgia even geven.* Ik denk dat het was omdat ze niet keihard tegen mijn moeder wilde hoeven liegen. Ursula wist dat, hoe modern mijn moeder ook probeerde te lijken, ons uitje haar goedkeuring absoluut niet zou kunnen wegdragen en dat ze, als ze me in mijn volledige disco-outfit had gezien, zelfs op haar bezemsteel naar New York was komen vliegen, krijsend als de Gemene Heks van het Westen uit de *Wizard of Oz*.
'Hoi, mam.' Door de telefoon hoorde ik het geraas van een föhn, enkele flarden van stemmen. 'Wat is er?'
'Er is niets. Ik mis mijn meisje gewoon.' Mijn moeder zweeg even. 'Mag dat soms niet?'

'Ja, natuurlijk. Ik mis jou ook,' mompelde ik gegeneerd. Eigenlijk had ik geen seconde aan mijn moeder gedacht sinds ik met de bus uit Weekeepeemie was vertrokken. Er ging een vlaag van nare gevoelens door me heen: schuld, wroeging en, het ergst van alles, een pijnlijk gevoel van verdriet om mijn moeder. Ze had eigenlijk niemand, behalve Melodie en mij, en nu ik er niet was, was het waarschijnlijk nog moeilijker om met Melodie om te gaan.
'Wat zijn jullie aan het doen?' vroeg ze.
'Niets bijzonders.' Ik probeerde niet echt te liegen. Goed beschouwd was het waar, op dat moment waren we niets bijzonders aan het doen.
'Wij hebben het vandaag niet zo druk. Elsa MacNaughton had een afspraak voor een dubbele kleurbehandeling en knippen, maar belde een uur van tevoren dat ze niet kwam.'
'Je laat haar toch wel betalen, hè?'
'Dat kan ik niet doen, Georgia. Ze zou zo verongelijkt zijn dat ik waarschijnlijk een goede klant zou kwijtraken.'
'Zo zou het niet moeten zijn.'
Het maakte me zo kwaad dat rijke vrouwen als Elsa McNaughton hun eigen regels konden maken. Het was niet eerlijk. Begrepen ze dan niet dat mijn moeder probeerde haar brood te verdienen?
'O, daar komt mevrouw Klemm,' zei mijn moeder. 'Ik kan maar beter opschieten.' Ze maakte kusgeluidjes in de telefoon. 'Goed oppassen. Ik zie je morgen, ik wacht op je bij de bushalte.' Ze zweeg even, alsof ze zichzelf probeerde in te houden, en zei toen: 'Dus Ursula heeft een leuk leventje daar in New York, is het niet? Weet je, ik hoop dat je het met haar zult hebben over die secretaresseopleiding die ze heeft gedaan.'
'Oké.'
'Oké-hou-nu-maar-weer-op-mam? Of: oké-ik-zal-het-er-met-Ursula-over-hebben?'
'Gewoon oké,' zei ik zachtjes. 'Ga nu maar naar je klanten.'
Ik legde de telefoon weer neer, blij dat Ursula was verdwenen, dat ze was gaan douchen tijdens ons gesprek. Ik ging weer voor de

make-upspiegel zitten en ging verder met het aanbrengen van mijn valse wimpers. Ik knipperde een paar maal om er zeker van te zijn dat ze goed vastgelijmd zaten en bracht toen de rest van mijn oogmake-up op met een kwastje, precies zoals ik in *Glamour* had gelezen.

Ursula kwam uit de badkamer vol stoom, haar haren in een donzige handdoek gewikkeld.

'Je hebt haar toch niets verteld, hè?' vroeg ze.

'Nee.'

'Misschien moeten we het niet doen, George. Je moeder rekent erop dat ik goed op je pas.'

We móésten ernaartoe. We moesten gewoon.

Ursula bleef me enkele ogenblikken aankijken en ik vroeg me af wat ze zag. Er gleed iets over haar gezicht, de een of andere ondoorgrondelijke uitdrukking.

'Wat is er?'

Ze schudde haar hoofd. 'Niets.'

'Wat nou, niets?'

'Het is gewoon...' begon ze. 'Je moeder wil alleen maar het beste voor je, George. Ze wil dat je...'

'Ik weet wat ze wil,' flapte ik eruit, haar in de rede vallend. 'Ze wil dat ik naar school ga en een of andere...'

Ik zweeg, realiseerde me dat ik gevaarlijk dicht in de buurt van een belediging aan het adres van Ursula kwam.

'Een of andere wat?' drong ze aan.

'Ik weet het niet.' Ik had plotseling zin om in tranen uit te barsten. 'Ik wil gewoon kapster worden. Is dat zo vreselijk?'

De plaatselijke taxi van Queens zou om negen uur 's avonds bij Ursula voor de deur staan. We wisten niet wat we in de tussenliggende uren moesten doen, dus zaten we maar wat op haar bank in onze uitgaanskleren tv te kijken en popcorn uit de magnetron te eten. We wisten dat we niet bij Studio 54 op de stoep hoefden te staan voordat de avond goed op gang was. Terwijl we daar maar zaten te wachten, kijkend naar *Wheel of Fortune* en *Jeopardy* voelde

ik de moed in mijn schoenen zinken. Dit was een idioot plan, het speet me dat ik ermee was gekomen. We zouden ons gewoon weer in onze spijkerbroek moeten hijsen en naar de film gaan.
'Ze zullen ons nooit binnenlaten,' jammerde ik na een poosje. Wat had ik wel niet gedacht? Waarschijnlijk stond er met grote letters *middelbare scholier uit New Hampshire* op mijn voorhoofd geschreven.
'Je moet je gedragen alsof je daar gewoon naar binnen kunt lopen,' zei Ursula. 'Alsof je daar recht op hebt.'
Ze sprong van het bed en demonstreerde haar hautaine loopje voor bij het fluwelen koord: haar ogen net iets boven de blik van elke uitsmijter gericht, lippen geopend, ontspannen, zwaaiende, losse ledematen.
'Hoe weet je dat je zo moet doen?' vroeg ik. Ik stond versteld.
'O, dat heb ik op tv gezien,' zei Ursula. 'Het is eenvoudig, je moet gewoon goed naar de actrices kijken.'
'Ik kijk altijd naar ze,' zei ik.
Buiten werd geclaxonneerd.
'Daar is onze auto,' zei Ursula. Ze zweeg even. 'Weet je, we kunnen ons nog steeds bedenken.'
'Nee! Ik wil ernaartoe!' Ik had het gevoel dat ik mezelf moest dwingen. Het was een test, een berg die ik moest beklimmen, anders zou ik het mezelf nooit vergeven.
Ursula greep haar jas – een grijsachtig bruine regenjas – en de moed zonk me in de schoenen. Met één beweging van vinyl was ze veranderd van disco-chick in saaie piet.
'Die kun je niet aandoen!'
Ze bleef staan en keek me met grote ogen aan.
'Het is koud buiten,' zei ze. Ze gaf me een marineblauwe trui om over mijn goudlamé haltertop aan te trekken. Ik zou nog liever doodgaan van de kou dan dat ding aantrekken. Maar Ursula's wangen waren felroze geworden en ik begreep dat ze wilde dat ze er nooit mee had ingestemd om te gaan. Ik greep de trui, erop rekenend dat ik wel een manier zou verzinnen om hem kwijt te raken voordat we in Manhattan waren.

Een gedeukte oude stationcar stond langs de stoeprand te wachten, met rammelende motor. Een bordje – *Forest Hills Verhuurbedrijf* – stond tegen de achterruit geperopt.

'Jezus,' zei Ursula.

'Is dat onze taxi?'

'Jezus,' zei ze nog eens. En toen: 'Maak je geen zorgen. Als we er zijn, stappen we aan het begin van de straat uit en lopen we het laatste stuk.'

We gleden op de achterbank van de auto; de gescheurde leren bank kraakte en kreunde onder ons gewicht. Een luchtverfrisser in de vorm van een dennenboom bungelde aan de achteruitkijkspiegel, het hielp de verschaalde stank van sigaretten nauwelijks verdrijven. Ik keek uit het smerige raam en stelde me voor dat we op de achterbank van een glanzend zwarte limousine zaten, en dat de chauffeur – in plaats van deze kerel met zijn shirt dat opkroop boven zijn grijze, harige buik – een keurige heer in uniform was die het portier voor ons zou openen als we bij Studio 54 waren.

Terwijl we over de brug van Fifty Ninth Street scheurden en Fifth Avenue opreden, dacht ik aan al die mensen die in die hoge gebouwen woonden en was nieuwsgierig naar hun leven. Wie waren ze? Hoe waren ze daar gekomen? Was er een geheim wachtwoord, een sleutel waarmee sommige mensen toegang kregen en andere met hun neus tegen het glas gedrukt moesten blijven staan?

'Je mag één cocktail hebben,' zei Ursula terwijl we door het zaterdagavondverkeer kropen. 'Eentje maar, Georgia... ik meen het. Je bent nog te jong.'

'Prima,' zei ik schouderophalend. Mijn hart maakte in stilte weer een sprongetje. Ik had namelijk niet eens verwacht dat ik van Ursula ook maar één drankje zou mogen. Maar nog belangrijker was: Ursula ging er blijkbaar van uit dat we binnen zouden komen!

'En we blijven maar tot middernacht,' waarschuwde ze. 'Geen minuut later of je verandert in een pompoen.'

'Oké,' zei ik. Ik stak mijn hand uit en gaf een kneepje in de hare. 'Ik ben zo opgewonden, Ursula. Dank je wel dat je dit doet!'
Het verkeer werd wat minder druk en eindelijk waren we bij Fifty-Fourth Street. Het leek alsof alles om me heen rechtstreeks uit een film kwam. Het zou zelfs niet erg zijn om in armoede te leven in New York. Het zou min of meer romantisch zijn. Niet zoals in Weekeepeemie, waar arme mensen slappe, gerimpelde gezichten hadden en in bijgebouwtjes woonden met een wc op het achtererf.
'Waar denk je aan?' vroeg Ursula. 'Je kijkt zo dromerig.'
Op dat moment dacht ik aan Audrey Hepburn in *Breakfast at Tiffany's* maar dat wilde ik niet zeggen.
'Gewoon aan om hier te gaan wonen,' zei ik.
'Dat is niet eenvoudig, hoor.'
'Dat weet ik.'
Ze keek me van opzij aan.
Ik knikte.
'Nou ja, als je komt kun je op mijn bank slapen,' zei ze. 'Misschien kunnen we zelfs een studio voor je vinden in Forest Hills Gardens, samen met een kamergenoot?'
Ik dacht aan hoe het zou zijn om met Ursula in New York te wonen. We zouden de hele tijd uitgaan, cocktails drinken uit mooie glazen en in verlengde limousines worden rondgereden. Ik had nog nooit van een beroemdheid gehoord die in een buitenwijk woonde. Hoewel Ursula natuurlijk de enige was die ik kende en die ergens in New York woonde.
'Waar willen de dames dat ik hen afzet?' vroeg de chauffeur.
Verderop in de straat, halverwege Fifty-Fourth Street, zag ik de roze gloed van een neon '54'.
'Hier is prima,' zei Ursula. Ze gaf de chauffeur twintig dollar en we stapten uit de auto.
'O, mijn god,' zuchtte ze, toen we stonden te wankelen op het hobbelige trottoir. 'Moet je die menigte zien.'
Er stonden honderden mensen, krioelend, samengeperst tussen de straat en de fluwelen koorden voor de club. Ik kon hun ge-

zichten niet goed zien, maar ik zag wel de massa lichamen toen we dichterbij kwamen, en het haar... in alle kleuren van de regenboog. Knalroze, turkoois, met zwarte en witte strepen erin geverfd als een stinkdier.
'We komen er nooit in,' kreunde ik.
'Trek je feestgezicht,' zei Ursula. 'Kom mee!' Ik herkende haar gezichtsuitdrukking: ze was vastbesloten. We voegden ons bij de menigte. Het licht van een schijnwerper streek over ons heen alsof we gevangenen waren die gelucht werden. Een grote kerel met lang haar met strepen en een superdonkere zonnebril stond bij het fluwelen koord, zijn blikken gleden over de menigte. Ik hoorde allerlei accenten om ons heen: de nasale klanken van New Jersey, het typische gejengel van Long Island. Die mensen zagen eruit alsof ze het koud hadden. Alsof ze al uren stonden te wachten. Twee platinablondjes met extreem steil haar trokken hun jas dicht om zich heen.
'Laten we gewoon ergens anders naartoe gaan,' hoorde ik de een zeggen. 'We komen hier nooit binnen.'
'Hoe laat is het?'
'Halfelf.'
Op mijn plateauzolen was ik langer dan de meeste andere vrouwen en enkele mannen. Wat kon het schelen dat ik nauwelijks kon lopen? Ursula en ik liepen voorbij de menigte naar voren. Er stonden mooie auto's langs de stoeprand, grote en kleine limousines, een paar kleinere, duur uitziende auto's met chauffeur erin en met draaiende motoren.
Er kwam een grote zwarte auto aanrijden en toen het portier openging, steeg er een zacht gemompel op uit de menigte, dat iedereen leek samen te brengen. Een kleine, intens bleke man met een dikke bos sneeuwwit haar, mager in zijn zwarte spijkerbroek en zwarte jasje, gleed zonder enige moeite door de menigte, en de uitsmijter maakte het fluwelen koord meteen los toen hij eraan kwam. De man verdween als een geest door de deuren van de club.
'Wie was dát?' vroeg ik Ursula. Het was zo koud dat de woorden als damp uit mijn mond kwamen.

'Ik probeer me zijn naam te herinneren,' zei ze. 'Een of andere beroemdheid. Een grote ontwerper of zoiets.'
Ik keek naar de plek waar de man zojuist had gestaan toen ik me realiseerde dat de uitsmijter naar me keek. Ik kon zijn ogen achter die donkere bril niet echt zíén, maar hij wees met zijn vinger, alsof hij een geweer richtte, naar me. Ik draaide me om, om te kijken of hij naar iemand achter me wees, maar er stond niemand. We stonden aan het uiterste randje van de enorme groep mensen.
'Ík?' Ik wees naar mijn eigen borstkas.
Een kort, bijna onmerkbaar knikje.
'We gaan naar binnen.' Ik greep Ursula's arm en we begonnen ons een weg door de mensenmassa te banen.
'Neem me niet kwalijk!' jubelde Ursula. 'We moeten er even door!'
Ik kon nauwelijks ademhalen, overweldigd door al die verschillende geuren: parfum, zweet, sigarettenrook en marihuana. Mensen stonden jointjes te roken, gewoon in het openbaar waar iedereen hen kon zien.
'We moeten er even door!' gilde Ursula weer. 'Lieve help, Georgia... hij wees echt naar óns.' Ik voelde haar ademhaling in mijn oor.
Eindelijk waren we vooraan gekomen... zo dichtbij dat we het fluwelen koord konden aanraken. De uitsmijter had armen die twee keer zo dik waren als mijn middel en zijn tanden waren onwaarschijnlijk wit. Hij had een walkie-talkie in zijn ene hand. Zelfs op dertig centimeter afstand kon ik zijn ogen niet zien. Er zaten spiegelende glazen in zijn bril en ik zag mezelf: een ronde, blonde schim.
'Jij.' Hij wees naar me.
Ursula en ik wilden door de versperring lopen.
'Jij.' Hij legde een hand op mijn arm. 'Alléén jij.' Hij draaide zich niet eens naar Ursula om toen hij dat zei. 'Jij niet.'
Achter me floot iemand... een luid, doordringend geluid. Er klonk een claxon. In de verte loeide de sirene van een brand-

weerauto. Alles leek te vertragen; de lucht voelde dik en golvend aan.

Ik dwong mezelf me om te draaien en Ursula aan te kijken. Ik was bang voor wat ik daar precies zou zien: teleurstelling, verwarring, een donkere wolk van pijnlijk ongeloof. Er verschenen rimpels in haar voorhoofd. Ze leek ineens tien jaar ouder.

'Ga je naar binnen?' vroeg de uitsmijter. Ik dacht dat ik hem zag grijnzen.

'Ga maar,' zei Ursula zachtjes. 'Ik kom je om middernacht ophalen.'

Wat zei ze nou?

'Ik ga niet zonder jou.' Ik wierp een smekende blik op de uitsmijter. Hoe kon hij zo harteloos zijn? Hij schudde zijn hoofd.

'Je móét,' zei Ursula weer.

'Ik kan dit niet geloven,' mompelde ik. Natuurlijk wilde een deel van me – een behoorlijk groot deel – langs de uitsmijter lopen en de club ingaan, waar de discobeat zo luid was dat ik hem door de dikke betonnen muren heen kon horen. Het was mijn grote kans, en ik wist dat ik hem misschien nooit meer zou krijgen. Hoeveel kansen kreeg je in één kort leven?

Ik keek Ursula nog eens aan. Ik kende haar al sinds mijn geboorte. Ze had op me gepast sinds ik een peuter was en mijn hele leven had ik haar bewonderd. Ze had iets bereikt, iets wat groter was dan al die benauwde wereldjes van de vrouwen in Weekeepeemie. En nu stond ze hier voor me, rillend in de kille avondlucht van Manhattan, met een beteuterd gezicht. Ik voelde zoveel dingen tegelijk; een golf van tegenstrijdige emoties. Ik had zin om die uitsmijter een mep te verkopen, hem tegen zijn borst te rammen omdat hij een van de mensen die ik het liefst van de hele wereld vond kwetste. Tegelijkertijd voelde ik een merkwaardige, ongemakkelijke tevredenheid. Hoe moeilijk het ook is om toe te geven, ik voelde iets van pure vreugde dat de uitsmijter mij had uitverkoren... dat ik op de een of andere manier hipper, mooier, cooler, of wat dan ook werd bevonden dan de vrouw tegen wie ik mijn hele leven had opgekeken.

'Ga nou,' drong Ursula aan. Ze knipoogde naar me. Ik zag de tranen achter haar ogen branden. 'Doe niet zo dom.'
'Laten we naar huis gaan,' zei ik. Ik trok haar aan haar arm mee en baande me een weg terug door de menigte. Ik wilde zo ver mogelijk bij de fluwelen koorden van Studio 54 uit de buurt zijn. Als ik ons, door even met mijn ogen te knipperen, terug in New Hampshire had kunnen brengen, waar mensen geen goudlamé en spijkerbroeken van Fiorucci droegen, maar wel wisten hoe ze hartelijk en behulpzaam tegen elkaar moesten zijn, zou ik het meteen gedaan hebben.
We liepen zwijgend naar de straat waar taxi's als een gele flits langs ons heen zoefden en de lichten van Times Square er in de verte uitzagen als een plattelandskermis. Ik hield me aan de mouw van Ursula's regenjas vast, ik voelde hoe gespannen haar arm was onder de stof.
'Het spijt me,' zei ik ten slotte. We liepen in zuidelijke richting naar het metrostation.
'Doe niet zo mal.' Ze keek me niet aan.
'Nee, echt... ik had nooit...'
'Zeg maar niets,' zei ze zacht.
Maar ik was zestien en ik wist niet wanneer ik mijn mond moest houden. Het kwam niet bij me op dat ik eigenlijk alleen maar probeerde mezelf beter te voelen door me uitgebreid tegen Ursula te verontschuldigen... waardoor zij zich ellendiger voelde.
'Ik weet zeker dat die gozer zich vergiste,' vervolgde ik. 'Ik bedoel, waarom zou hij...'
Ursula greep mijn hand en kneep er even in.
'Alsjeblieft,' zei ze. 'Hou je mond, Georgia.'
We liepen de trap van het metrostation af, elke stap verwijderde ons verder van alles wat op glamour leek. Op het door tl-buizen verlichte, van urine doordrenkte perron, sloeg niemand ook maar acht op ons, jonge vrouwen in feestkledij, onze make-up al van ons gezicht gewreven. Mijn ogen prikten. Een van mijn valse wimpers begon los te laten.
De trein kwam piepend het station binnenrijden en de deuren

gingen open. We stapten voorzichtig in op onze hoge hakken, en gingen toen op een harde bank zitten. Ursula trok haar jas stevig om zich heen, rillend. We moeten al halverwege op weg naar huis zijn geweest toen ze weer iets zei, en het kwam eruit met een zucht. 'Je kwam erin,' zei ze, terwijl ze zich naar me over boog en me op mijn wang kuste. 'Onthoud dat goed als je weer thuis bent. Je kwam erin.'

De schoonheidsspecialistenopleiding

'Ik ben mevrouw Bosco.'
De kleine, ronde vrouw die achter haar bureau stond in het klaslokaal van de Wilfred Academie voor Schoonheidsspecialisme, sprak haar naam met eerbied uit, alsof de veertien leerlingen die rond de U-vormige tafel zaten van haar gehoord moesten hebben.
Het was mijn eerste dag. Ik had gezeurd en doorgedramd, gejammerd en gehuild... en toen, uiteindelijk, had ik gewoon geweigerd om naar Doreens nee te luisteren. Waar het op neerkwam was dat mijn moeder veel van me hield. En ze wilde gewoon dat ik gelukkig was. Dus zat ik hier. Ik keek om me heen. Waarom had ik zo mijn best gedaan... hiervoor? We werden verondersteld vierhonderd uur aan theorie te besteden voordat we aan de praktijk begonnen. Ik kénde de theorie. Ik kende de praktijk trouwens ook. Het kostte me nu al moeite te blijven luisteren. Ik concentreerde me in plaats daarvan op mevrouw Bosco zelf, die een rode rok met gouden vlekjes droeg en een rood met zwarte trui die zo strak zat dat het vlees van haar rug over haar bh-bandjes heen puilde als ze zich omdraaide en op het schoolbord begon te schrijven.
Chemische relaxer, schreef ze, en vervolgens *beschermende gel*.
Ze draaide zich weer om naar de klas. Haar huid was zo wit als papier en haar haren hadden de kleur zwart waar niemand mee geboren wordt. Ze had verbazingwekkende ogen – werkelijk de

kleur van viooltjes – en ik realiseerde me dat ze ontzettend veel op Elizabeth Taylor leek. Niet de aantrekkelijke, jonge Elizabeth Taylor uit *National Velvet*. Niet de oogverblindend mooie volwassen Elizabeth Taylor uit *Cleopatra*. Nee, deze vrouw vertoonde een griezelige en ongelukkige gelijkenis met de Elizabeth Taylor van tegenwoordig, zoals ze door John Belushi in *Saturday Night Live* werd neergezet.

'Kan iemand me vertellen wat deze twee producten met elkaar te maken hebben?' vroeg ze lispelend, met één glanzend rode nagel op haar bureau tikkend.

Ze keek de tafel rond en ik volgde haar blik. Van ons veertienen waren er twaalf vrouw en twee man. Een van de mannen droeg een dik flanellen overhemd en een dikke werkbroek. Hij leek me iemand die buiten hout zou moeten hakken of een dieselmotor uit elkaar halen, totdat me één klein detail opviel: aan zijn grote, vierkante handen zat één nagel van tien centimeter lang, donkerrood gelakt. De andere man, die aan de korte kant van de U zat, was eenvoudigweg de mooiste man die ik ooit had gezien. Hij had donker haar dat over zijn voorhoofd viel, bruine ogen met lange, dikke wimpers, een krachtige neus en volle, donzige lippen waardoor je gedwóngen werd te denken aan hoe het zou zijn hem te kussen. Hij hield zijn hoofd schuin terwijl hij naar mevrouw Bosco luisterde, en het licht viel op het lange, gekartelde litteken dat van zijn ooghoek, over zijn wang, tot aan zijn mond liep. In plaats van zijn gezicht te ontsieren maakte het hem alleen maar mooier. Ik staarde naar hem en stelde me voor dat ik mijn vinger langs dat litteken liet glijden, toen de stem van mevrouw Bosco mijn dagdroom verstoorde.

'Neem me niet kwalijk,' zei ze. 'Hallo? Dat blondje daar?'

Een snelle blik om me heen maakte me duidelijk dat ze het tegen mij had, tenzij ze het meisje met het geblondeerde korte kopje links van me bedoelde.

Met tegenzin keek ik op. Mevrouw Bosco's viooltjeskleurige ogen waren inderdaad op mij gericht.

'Hoe heet je?' vroeg ze.

'Georgia Watkins, mevrouw.'
Ze trok een volmaakt verzorgde wenkbrauw op.
'Doreens dochter?'
Ik knikte, mijn wangen gloeiden. Waarom had mijn moeder me niet verteld dat ze mijn lerares kende?
'Tja. De dochter van Doreen Watkins weet natuurlijk het antwoord op zo'n fundamentele vraag.'
Ik haalde diep adem. 'Het spijt me, mevrouw. Wat was de vraag?'
'Noem me geen mevrouw!'
Vanuit mijn ooghoek zag ik de mooie jongen met het litteken aarzelend zijn hand opsteken.
'Ja?'
'Je smeert de beschermende gel op het hoofd voordat je de chemische relaxer opbrengt,' zei hij. Zijn stem was net zo mooi als hijzelf... donker en muzikaal.
'Ik ben blij dat er tenminste íémand oplet. En hoe heet jij?'
'Patrick,' zei hij. 'Patrick Shaw.'

De Wilfred Academie bevond zich in een klein winkelcentrum vlak bij de snelweg. Er zat ook een Chinees restaurant, een bakkerij, een videotheek, een stomerij en de kleine supermarkt Joey's. Die eerste ochtend, tijdens de koffiepauze, liep een groepje van ons naar Joey's. Ik kende niemand bij naam (behalve Patrick), het meisje met het korte geblondeerde haar droeg een gouden kettinkje met eraan in krullende letters van glittersteentjes *Janet*.
'Ga je koffiedrinken?' Patrick kwam naast me lopen.
'Ik drink geen koffie. Je krijgt er grove poriën van.'
O, mijn god. Mijn wangen gloeiden en ik wenste dat ik de woorden weer kon inslikken. Hier stond de aantrekkelijkste knaap die ik ooit had gezien en ik had het over mijn póriën. Wat bezielde me?
Maar wacht even. Eigenlijk leek hij wel geïnteresseerd.
'Echt?'
'Ja. Ik heb het in een tijdschrift gelezen.'

'Weet je, er is een product waarvan ik heb gehoord...'
'De poriën verkleinende crème van de Body Shop!'
'Precies!'
Ik had nooit kunnen opschieten met de jongens op de middelbare school van Weekeepeemie. Het enige wat ze wilden was aardbeienwijn drinken en na schooltijd op hun motor crossen. Ik had zorgvuldig in de gaten gehouden wat er gebeurde met de kinderen die in Weekeepeemie van de middelbare school kwamen. Vooral met de meest populaire kinderen. Het leek me toe dat populair zijn op de middelbare school een toekomst inhield (voor de meisjes) waarin je op je vijfentwintigste in een trainingspak loopt en drie kinderen hebt, en (voor de jongens) je als pompbediende werkt bij het Texaco Station langs Route 109.
Maar hier was een knaap die wist waar hij het over had.
Wat zeg ik, een adembenémende knaap die wist waar hij het over had.
'Dus mevrouw Bosco kent je moeder?' vroeg hij terwijl hij de deur voor me openhield. Het licht viel weer op zijn litteken, ik probeerde er niet naar te staren.
'Ja. Mijn moeder heeft een salon,' zei ik. 'In Weekeepeemie.'
'Is je moeder Doréén? Doreen van Doreen's?'
Ik knikte.
'Ze is hartstikke gaaf, je moeder. Ik bedoel, Doreen's is de enige salon hier in de buurt waar ik ooit zou willen werken.'
We bestelden een broodje en pakten twee blikjes cola light uit de koeling. De jongen in het flanellen overhemd achter de toonbank keek nauwelijks op toen we hem betaalden. Ik zag dat hij gewend was aan de leerlingen van de Wilfred Academie; we zagen er volgens de plaatselijke maatstaven raar uit.
'Ik zal je aan mijn moeder voorstellen,' zei ik. 'Ik werk er elke zaterdag.'
'Nou, eigenlijk...'
'Echt... het is geen moeite.'
'Dat is het niet,' zei Patrick. 'Het is alleen zo dat ik al iets heb voor als ik mijn diploma heb gehaald.'

'Ja? Wat?'
Op dat moment kwam een meisje met roodgeverfd haar en oorringen naast ons staan. Ze had een grote dampende beker koffie in haar handen en ik zag met enige tevredenheid dat ze, inderdaad, grove poriën had.
'Hallo, ik ben Violet,' zei ze. Toen ze haar mond opendeed werd er een prop roze kauwgom zichtbaar.
'Hallo,' antwoordden we beiden flauwtjes. Violet was een van die mensen – dat voelde ik meteen – bij wie je gewoon een grote stap achteruit wil doen.
'Wat gaan jullie doen als jullie je diploma hebben?' vroeg ze, een slok van haar koffie nemend. Hoe kon ze drinken met die kauwgom in haar mond? 'Ik bedoel, wat willen jullie wórden?'
'Kleurspecialist,' zei ik.
'Stylist,' zei Patrick.
'Ooo, stylíst. Wat trendy,' zei Violet.
'Zo noemen ze dat,' zei hij flauwtjes.
'Hoe kom je aan dat litteken op je gezicht?' vroeg ze abrupt.
Ik hield mijn adem in, verbijsterd en vol afschuw. Patrick bracht een hand naar zijn wang, het leek een onwillekeurige reflex.
'Flap je altijd alles eruit wat in je hoofd opkomt?' vroeg hij.
'Sórry. Was dat onbeleefd?'
De vraag leek geen antwoord waard te zijn. Maar ze stond daar maar naar ons te kijken. Ik realiseerde me dat ze wachtte tot Patrick haar over zijn litteken zou vertellen.
Ik keek hem aan.
'Ik loop terug,' zei ik. 'Ga je mee?'
We zigzagden over het parkeerterrein in plaats van de lange weg eromheen te nemen. Ik voelde de neiging me voor Violet te verontschuldigen, ook al had ik haar vijf minuten geleden pas voor het eerst ontmoet. Patrick had een zekere zachtheid over zich, een vriendelijkheid die maakte dat je hem wilde beschermen.
'Waar is het baantje waar je na je diploma mee wilt beginnen?' probeerde ik van onderwerp te veranderen.
'In New York,' zei hij. 'Daar gaat deze winter een nieuwe salon

open waar een vriend me over verteld heeft. Die salon gaat het helemaal worden. Ik bedoel, ik weet dat ik zal moeten beginnen met het aanvegen van haar en koffie halen voor klanten... maar toch, dan heb ik er in elk geval een voet tussen de deur.'
'Hoe heet die salon?'
'Jean-Luc.'

Tijdens de weekenden, in de maanden dat ik de opleiding volgde, werkte ik bij Doreen's. Ik deed een beetje van alles: enkele en dubbele kleurbehandelingen, highlights, permanentjes (maar alleen als klanten daarop stonden), knippen en föhnen. Op school besteedde mevrouw Bosco veel aandacht aan de *State Board Roller Set*. Het was een coupe waarvoor alle basisvaardigheden moesten worden ingezet: het haar in de krul brengen door een combinatie van spelden, rollers en vingers te gebruiken. Het eindresultaat was een kapsel dat leek op dat van 'Dear Abby' op de foto die boven haar column in de krant stond. Gelukkig was het een model waar veel van de oudere klanten van mijn moeder de voorkeur aan gaven, dus ik kreeg genoeg oefening. Lang voordat ik mijn achthonderd uur erop had zitten, kon ik de *State Board Roller Set* met mijn ogen dicht doen.
Mijn moeder kon alle hulp van mij gebruiken bij Doreen's. Op sommige avonden ging ik er zelfs na schooltijd heen om een paar late klanten te helpen. Mevrouw Smith was zeer tevreden over de manier waarop ik haar blauwe spoeling deed, en dan had je mevrouw Matthews, die om de andere week kwam om krulspelden te laten inzetten, en die haar haren tussen twee afspraken door niet waste.
'Georgia, maandag moet je de salon voor me openen,' zei mijn moeder toen we na afloop van een lange drukke zaterdag in de winter naar huis reden.
'Maar ik moet naar school! Mevrouw Bosco zal het nooit...'
'Ik praat wel met Edna Bosco,' zei mijn moeder. 'Maak je daar maar geen zorgen over.'
'Wat is er aan de hand?'

'Je zusje heeft een gesprek.'
'Wat voor gesprek? Voor een prijsvraag in *Mad Magazine*?'
'Dat is niet aardig, Georgia.' Ze zweeg even. 'Het is voor een universiteit.'
Het regende – een harde, ijzige regen – en haar handen hielden het stuur stevig vast. Ze was altijd al een gespannen chauffeur geweest.
'Wat bedoel je met universiteit? Ze is zéstien!'
'Boston University heeft je zusje een volledige beurs aangeboden.'
'Hoe heeft ze...'
'Blijkbaar is ze gewoon haar gang gegaan en heeft ze het voor elkaar gekregen,' zei mijn moeder. 'Ze heeft haar test gedaan, haar aanbevelingen gekregen en een aanvraagformulier opgestuurd.'
Mijn moeder zette de richtingaanwijzer uit en reed bij onze afslag de snelweg af. Voor ons reed een truck met aanhanger die modderwater deed opspatten.
'Waarom moet je met haar mee?'
Er trilde een spiertje in mijn moeders kaak.
'Moet ik die vraag echt beantwoorden?'
'Nee. Het spijt me.'
Het was duidelijk dat mijn moeder met Melodie mee moest. Om te beginnen was ze al drie keer voor haar rijexamen gezakt.
'Ik denk dat ik gewoon heel verbaasd ben,' zei ik.
'Ja. Ik ook.'
'Betekent dit iets goeds?'
Ze zuchtte. 'Ik denk het wel. Ik heb het een en ander gelezen... ik denk dat B.U. de juiste plek voor haar is. Ze zullen haar daar... waarderen. De kinderen in Weekeepeemie...' haar stem stierf weg. Ze hoefde de zin niet af te maken. Ik wist het. De kinderen in Weekeepeemie vonden Melodie abnormaal. Ze vonden mij ook abnormaal, maar dat kon me niets schelen. We waren op een heel verschillende manier abnormaal, Melodie en ik. Zij leefde in een andere wereld, een wereld waar het blijkbaar normaal was dat je je gezicht niet waste of je rok scheefzat. Ze keek mensen nooit

aan en schuifelde in zichzelf mompelend door de gangen van de middelbare school van Weekeepeemie. De kinderen dreven niet eens de spot met haar, in elk geval niet recht in haar gezicht, of het mijne. Terwijl ik, met mijn Farrah-vleugeltjes in mijn haar en mijn op elkaar afgestemde Danskin-kleding, er gewoon om vroeg. Mijn laatste jaar op de middelbare school begonnen ze me voor allerlei dingen uit te schelen. De meisjes vonden me een slet vanwege de manier waarop ik me kleedde, en de jongens waren teleurgesteld omdat ik het niet was. Ik probeerde er niet op te letten. Ze zeiden smerige dingen, gemene dingen. Maar ik bleef met opgeheven hoofd lopen. Ik dacht eraan dat zij op een dag mijn tank zouden moeten volgooien.

'Hoe laat moet je in Boston zijn?'

'Haar afspraak is om tien uur.'

'Ik open de salon wel. Geen probleem.'

We hielden stil voor ons huis. Het was al donker buiten, maar er waren geen buitenlichten aan, zelfs het lampje boven de achterdeur niet. De gratis kranten van een hele week lagen hier en daar verspreid langs de achterveranda, sneeuw en ijs maakten de oprit verraderlijk glad.

'Voorzichtig.' Ik hield mijn moeder bij de arm vast. Soms lag ik 's nachts wakker en maakte me zorgen over wat er zou gebeuren als ze plotseling niet meer kon werken. We hadden niets om op terug te vallen, en onze ziektekostenverzekering werd zo nu en dan stopgezet. We leefden zo op het randje dat ik er bang van werd.

Binnen kwam het enige licht uit Melodies kamer. Ik voelde een steek van intense liefde voor mijn jongere zusje. Ze kon in zo veel opzichten niet voor zichzelf zorgen. Haar ogen waren slecht (mede de oorzaak dat ze voor haar rijexamen was gezakt) en ze droeg een bril met dikke glazen die bijna altijd scheef op haar neus stond. Ze vergat te eten en moest eraan worden herinnerd voor een lange autorit naar de wc te gaan, net als een klein kind. Maar ze had een manier gevonden om weg te komen... om te bereiken wat ze wilde. Ik wist gewoon dat ze geweldige, grote dingen zou gaan doen, als ze maar even de kans kreeg.

'Melodie!' brulde ik onder aan de trap. 'Kom naar beneden, idioot kind dat je bent!'
De deur boven aan de trap ging op een kiertje open en ze stak haar onverzorgde hoofd naar buiten. Zoals gewoonlijk zag Melodie eruit alsof ze net uit een lange verkwikkende slaap was ontwaakt.
'Wat is er?' Ze geeuwde en wreef in haar ogen.
'Waarom heb je me niets verteld?'
Ik liep halverwege de trap op.
'Wat verteld?'
'Kom op. Geen spelletjes nou. Mam heeft het me verteld... van de universiteit... dat is geweldig.'
'Ik dacht dat het je niets kon schelen.'
'Hoe kun je dat nou zeggen?'
'Ik weet het niet...' Ze ging op de bovenste trede zitten. 'Ik bedoel, je bent meer in andere dingen geïnteresseerd.'
'Zoals haar,' zei ik vlak. Ik wist het. Ze dacht dat ik stom en achterlijk was, en dat wat mijn moeder en ik deden gewoon niet belangrijk was.
'Nou, eh, ja.'
'Je vergist je.'
'Oké.'
'Je hoeft me niet naar de mond te praten.'
'Meisjes... ophouden,' zei mijn moeder. Ze hing haar donsjack aan een haakje bij de deur. 'Gewoon ophouden. Jullie hebben alleen maar elkaar.'
Het was een geliefde uitdrukking van haar. Ik wist dat ze er ook echt in geloofde. Familie was belangrijk. Een bloedband was alles. Alle anderen kon je – als het erop neerkwam – niet vertrouwen.
'Idioot,' mompelde ik. Ik stompte zacht tegen haar bleke, dunne arm.
'Idioot.' Ze schonk me een zeldzame grijns, en stompte me terug.

Binnen de kortste keren was Patrick Shaw mijn beste vriend. Ik wilde meer van hem zijn dan zijn beste vriendin, maar ik bedacht dat we nu collega's waren en iets dat verderging dan vriendschap kon wachten tot na onze vierhonderd uur opleiding. We wisten van elkaar dat we in de groep van Wilfred-studenten de enigen waren die niet zouden eindigen bij een of andere keten of kapper in het winkelcentrum. Niet dat daar iets mis mee was. Het was voornamelijk een kwestie van stijl. Terwijl wij ons verdiepten in de Franse *Vogue* en de Duitse *Elle*, bladerden de anderen tijdschriften door met foto's van overdreven opgemaakte modellen met piekerig, gestreept haar.

Patrick begon in de tweede week van onze opleiding de uren te tellen. We liepen over het parkeerterrein van Joey's naar de duistere lobby van het kantoorgebouw waar de Wilfred Academie was gevestigd met een cola light en een half opgegeten koffiebroodje in onze hand. 'Driehonderd en tweeënvijftig uur,' zei hij zachtjes.

'Dat is niet zoveel,' zei ik.

Hij rolde met zijn ogen. 'Lieverd, ik weet niet hoe het met jou zit, maar ik heb er genoeg van mijn tijd uit te zitten.'

Ik wist wat hij bedoelde. Als Patrick en ik iets gemeen hadden, was het dat onze wens om weg te komen groter was dan onze behoefte erbij te horen. Het was moeilijk geweest, al die jaren als raar en anders beschouwd te worden. En als het moeilijk voor mij was geweest, kon ik me alleen maar voorstellen hoe het voor Patrick geweest moest zijn. Hij was niet zoals de andere jongens in Weekeepeemie. Hij was geen macho, deed niet aan motorcrossen en hij was niet bezig voortijdig een bierbuik te krijgen. Hoe moest hij erbij zien te horen? Volgens mij probeerde hij het niet eens.

Terwijl we liepen te praten kwam er een auto naast ons rijden – ik had hem niet eens aan horen komen – en de chauffeur draaide zijn raampje naar beneden. Ik herkende Bud Knauer, een van de grootste klootzakken van de middelbare school in Weekeepeemie, en dat wil echt wat zeggen. Wat wilde hij?

'Hé, Cher!' riep Bud uit het raampje.

Shit. Dat was een van de namen die ze op school voor me hadden.

Patrick keek naar de auto.
'Heeft die gozer het tegen ons?'
'Negeer hem,' zei ik, mijn pas versnellend.
'Cher!' brulde Bud weer.
Ik begon te wensen dat ik die dag iets minder opvallends had aangetrokken. Ik droeg een minirok, wat plotseling aanvoelde alsof ik in mijn ondergoed liep.
Naast Bud zat een andere jongen van de middelbare school die ik niet van naam kende. Hij had het verfrommelde gezicht van een worstelaar.
'Heb je Sonny daar bij je?' schreeuwde de verfrommelde kop.
Ze begonnen met zijn tweeën te lachen alsof ze iets reuze grappigs hadden gezegd.
'Wat willen ze?' vroeg Patrick. 'Ken je hen?'
'Ik zat met ze op de middelbare school.'
'Laat me dat lekkere kontje eens zien, Cher!'
Ik zag Patricks gezicht rood worden. Ik werd heel zenuwachtig van dit gedoe. Er was niemand in de buurt... waar was iedereen? Ik rekende uit dat we nog zo'n vijftig stappen moesten doen voordat we bij de Wilfred Academie waren.
'Laat haar met rust!' schreeuwde Patrick. Toen bleef hij doodstil staan en sloeg zijn armen over elkaar.
'Tegen wie heb je het, mooie jongen?' vroeg Bud.
'Krijg de klere. Gewoon doorrijden, met je blote-billengezicht.'
Bud liet de motor van zijn Mustang loeien, mij de doodsschrik op het lijf jagend, maar Patrick bleef stokstijf staan. Toen zette Bud de auto in zijn versnelling en trok met piepende banden op, alsof alles in slowmotion gebeurde, draaide de auto om en kwam recht op ons af.
'Rennen!' schreeuwde ik naar Patrick. We waren bijna bij het gebouw.
Patrick greep mijn hand en ik vloog zo'n beetje door de lucht. Het kan nog geen tien seconden geduurd hebben, maar het waren de ergste seconden van mijn leven, dat kan ik je wel vertellen. Niemand had ooit tegen Bud Knauer gezegd dat hij een blote-

billengezicht had. De auto reed met gierende banden voorbij, een wolk van stof achterlatend, precies op het moment dat Patrick en ik de deur van het trappenhuis doorrenden. We lieten ons op de eerste trede vallen, allebei buiten adem.

'Dat had je niet moeten doen,' hijgde ik.

'Maak het effe. Dacht je dat ik kon toelaten dat hij zo tegen je praatte?'

We zaten daar, luisterend naar elkaars ademhaling. Als ik moest zeggen wanneer ik precies hopeloos verliefd werd op Patrick Shaw, dan zou dat het moment zijn geweest. Hij was een droomprins.

'Patrick,' zei ik plotseling toen we ten slotte de trap naar de eerste verdieping opliepen. 'Luister eens... je hoeft het me natuurlijk niet te vertellen, maar als je er ooit over wilt praten...'

Ik legde een hand tegen mijn eigen gezicht, op de plek waar Patricks litteken begon.

Patrick bleef staan en schudde zijn hoofd.

'Het spijt me,' zei hij. 'Het is nog niet zo langgeleden, en ik kan eigenlijk niet...'

'Iemand heeft je dat aangedaan omdat je zo mooi bent,' zei ik langzaam. Ook al was *mooi* niet het juiste woord. Ik weet niet hoe ik het wist... maar ik wist het gewoon.

Er kwam een kleur op Patricks wangen.

'Naderhand zeiden ze dat ze mijn gezicht kapot wilden maken,' zei Patrick.

We waren boven aan de trap gekomen en we stonden voor de glazen deur van de Academie.

'Nou, dat is ze dan niet gelukt,' zei ik en ik ging op mijn tenen staan om hem te kussen.

'Dit zijn jullie nieuwe vrienden!'

Mevrouw Bosco opende met een zwierig gebaar de grote kast in de hal van de Academie. In de kast, op metalen planken, stonden tientallen poppenkoppen, allemaal met lang, weelderig bruin haar.

'Oké, allemaal een kop uitzoeken. Jullie zullen hem een hele poos bij jullie hebben.'
We stonden op een kluitje voor de kast. Patrick stond achter me, en porde me in mijn rug.
'Het is echt,' zei mevrouw Bosco. 'Daar bedoel ik mee, ménsenhaar, veertig centimeter lang.'
'Jemig,' zei Janet, achter me.
'Kom op,' zei mevrouw Bosco. 'Ze bijten niet.'
Ze wendde zich tot mij.
'Jij... Georgia Watkins. Ga je gang en pak er een.'
Ik liet mijn blikken langs de planken glijden, me afvragend welke van de identieke koppen ik zou pakken... welke me geluk zou brengen. Uiteindelijk koos ik de derde van links. Haar haar was net zoals dat van de andere – lang, bruin en steil – maar haar plastic lippen leken te glimlachen.
'Geef haar een naam,' zei mevrouw Bosco.
'Pardon?' Zoals altijd moest ik de neiging haar mevrouw te noemen onderdrukken.
'Een naam. Jullie moeten allemaal je kop een naam geven.' Ze hield ons een handvol stiften voor terwijl ieder van ons langzaam langs de kast liep en een kop uitzocht. Ik pakte een stift van mevrouw Bosco aan en liep terug naar de tafel die midden in het vertrek stond. Toen ik de dop eraf haalde, rook ik de zoetige, chemische geur van natte inkt.
Ik begon met dikke, grote letters op de nek van mijn poppenkop te schrijven. *Ethel.*
Patrick gluurde over mijn schouder.
'Ethel?' vroeg hij. 'Wat is dat in godsnaam voor naam?'
'Die van mijn grootmoeder,' zei ik schouderophalend. 'Ze draagt een pruik.'
'O.' Zijn stift bleef even boven de nek van zijn pop hangen. Toen schreef hij met krachtige, schuine letters *Miranda.*

Ethel en Miranda vergezelden Patrick en mij overal heen. We waren samen, altijd. Ik had geen auto, dus Patrick reed me overal naartoe, de meeste ochtenden kwam hij me in zijn lichtblauwe Chevy Impala ophalen.

'Tweehonderd en zestien uur,' kondigde hij aan.

'Honderd en achtentachtig.'

'Honderd en twaalf.'

De staat waarin onze koppen verkeerden was een tamelijk goede aanwijzing voor het aantal uren dat we hadden geoefend. Ethel was een puinhoop. Haar ogen zaten vol vlekken van aangekoekte eyeliner en mascara die met geen enkele remover te verwijderen waren. Haar lippen zagen eruit als die van een vrouw die haar lippenstift 's avonds laat, dronken, slordig had opgebracht, zonder de hulp van een spiegel. En haar haren... haar haren! Wat er nog van over was, was een geblondeerd bosje suikerspinachtige franje. We hadden dat oorspronkelijk glanzende bruine haar gepermanent en ontkruld, in de krul gezet, geföhnd en gladgestreken tot het op de ergste nachtmerrie van elke kapper leek; het was werkelijk niet meer te herstellen, en het groeide niet meer aan.

Op zaterdagen gingen we samen naar Doreen's, waar Patrick na enkele maanden al een vaste klantenkring had gekregen. Patrick parkeerde de Impala vlug op een parkeerplaats naast de salon. Ethel en Miranda rolden over de achterbank.

'We kunnen de dames déze dames beter niet laten zien,' zei Patrick terwijl hij het portier dichtsmeet. 'Anders laten ze ons nooit meer een haar op hun hoofd aanraken.'

'Ik weet het niet,' zei ik. 'Misschien kunnen we hen ervan overtuigen dat de geblondeerde, pluizige look heel erg in zal worden.'

'Niet dat we zoiets ooit zouden doen,' zei Patrick.

Binnen had mijn moeder mevrouw Stolley, de plaatselijke makelaarster, in de eerste stoel gezet.

'Hallo lieverd!' riep ze.

'Heb je het tegen hem of tegen mij?' vroeg ik. Mijn moeder aanbad Patrick. Als hij 's avonds niet bij ons kwam eten, zorgde ze ervoor dat ik de volgende dag een Tupperware-doos met eten voor hem meenam, ook al was het maar gewoon een diepvriesmaaltijd. *Die jongen zal nog eens iets bereiken*, zei ze. *Een heel aardige jon-*

gen. Ze vroeg nooit ronduit of Patrick mijn vriendje was. En ik vertelde haar niets, want... tja... er was niets te vertellen.
'Patrick, mevrouw Carter zit bij de wasbak,' zei mijn moeder. 'Ik heb Karen gevraagd haar vast te wassen... ze heeft haast.'
'Geen probleem.'
Mijn moeder gaf mevrouw Stolley een eenvoudig kort kapsel in laagjes... het model waarin ze haar haren nu al tien jaar knipte. De vrouwen in Weekeepeemie hielden niet zo van verandering. Als ze iets hadden gevonden wat hen aanstond – gewoon wassen en föhnen of wekelijks krulspelden inzetten – dan bleven ze daarbij.
'Hoe gaan de zaken, Doreen?' hoorde ik mevrouw Stolley aan mijn moeder vragen toen ik langs hen naar achteren liep om mijn witte schort aan te trekken.
Het antwoord klonk gedempt. Ik spitste mijn oren, maar ik kon door het geraas van de haardrogers niet horen wat mijn moeder zei. Maar Sharon Stolley had een stem die boven alles uit kwam – hoog en doordringend, altijd op het randje van hysterie – en ik kon haar antwoord luid en duidelijk horen.
'Nou, je gaat gewoon naar de bank en zegt tegen Tim Cornell dat je een oude klant bent en dat hij je gewoon wat meer tijd moet geven!'
Opnieuw was de stem van mijn moeder niet te horen. Mijn vingers hadden moeite met de knoopjes van mijn schort. Ik vroeg me af of, als we echt in moeilijkheden zaten – échte moeilijkheden, anders dan onze maandelijkse evenwichtskunsten – mijn moeder het me zou vertellen.
'Wel alle donders, daar zijn tweede hypotheken toch voor!' Mevrouw Stolley's stem tetterde door de hele salon. Ik kon haar spichtige armen door de lucht zien zwaaien om haar woorden kracht bij te zetten, haar kleine hoofd onder mijn moeders schaar heen en weer zien schieten.
'Wat is er aan de hand, ma?' Ik kwam met mijn schort aan tevoorschijn. Ik had waarschijnlijk tot later moeten wachten, maar ik vond het allemaal te verontrustend om er de hele dag mee rond te lopen.

'Niets om je zorgen over te maken, lieverd.' Haar vingers waarmee ze de schaar vasthield waren ongewoon gespannen, de knokkels wit van het te stevig vasthouden.
'Zeg dat niet,' zei ik. 'Alsjeblieft.'
Patrick leidde mevrouw Carter naar de stoel naast mijn moeders werkplek, de hele tijd zijn blik afgewend houdend. Wist hij iets wat ik niet wist?
'Wat is er aan de hand?' vroeg ik nog eens.
'Ik wil er niet over praten.'
'Je moeder heeft wat ze een zwevende hypotheek noemen op haar schoonheidssalon,' zei mevrouw Stolley. 'En die moet ze nu gaan aflossen.'
Ik stelde me een heteluchtballon voor die boven Weekeepeemie zweefde, met het gebouwtje waarin Doreen's zat aan dunne touwtjes eronder bungelend. 'Wat betekent dat?' vroeg ik.
'Het betekent dat ik de bank heel veel geld schuldig ben,' zei mijn moeder zachtjes. De andere klanten – allemaal oude klanten van Doreen's – luisterden mee terwijl ze deden alsof ze door *People* bladerden of *Entertainment Weekly*.
'Hoeveel?'
'Georgia, kunnen we hier even over ophouden?'
'Ik moet het weten.' Ik dacht dat, als ik alles wist, ik het op een of andere manier kon herstellen, met een toverkunstje alles goed kon maken, zoals ik als kind dacht dat een kusje alle pijn kon wegnemen.
'Drieënvijftigduizend dollar,' zei mijn moeder. Haar ogen keken me in de spiegel over het hoofd van mevrouw Stolley heen aan. Het was een onmogelijk bedrag... ik kon het niet eens uitrekenen. Het was meer geld dan mijn moeder in een jaar verdiende... soms twee jaar. Ik was me bewust van Patrick die op nog geen meter afstand van me stond, ik hoorde het knippen van zijn schaar. Ik durfde hem of iemand anders niet aan te kijken. Ik wist niet wat ik moest doen.

‘Er is maar één oplossing,’ zei Patrick toen hij me aan het einde van de dag naar huis bracht. Ik had niet gedacht dat ik de acht dubbele kleurbehandelingen en vier highlights die op mijn lijstje stonden zou doorkomen, maar op de een of andere manier – ondanks trillende handen – had ik het voor elkaar gekregen. Nu moesten we stoppen voor een verkeerslicht. De motor van Patricks Impala maakte zorgwekkende geluiden.

‘Er is geen oplossing,’ zei ik. Ik keek strak naar het stoplicht, wilde het door pure wilskracht op groen laten springen. Ik wilde gewoon naar huis. Ik wilde in mijn bed klimmen en onder de dekens kruipen met *The Debutante's Guide to Life*. Ik voelde me altijd beter als ik daarin las.

‘Natuurlijk wel. Ga met me mee naar New York,’ zei Patrick.

Ik schudde mijn hoofd. Daaraan denken alleen al was een wrede grap.

‘Ik kan niet weg... vooral nu niet.’

‘Je moeder heeft geld nodig, toch?’

‘Ja.’

‘Nou, je kunt niet veel helpen als je hier blijft.’

‘Maar dat was de afspraak. Ik zou mijn diploma halen en een poosje bij Doreen's gaan werken.’

‘Georgia.’ Patrick stak zijn hand uit en gaf een kneepje in mijn knie. ‘Hoeveel geld breng je binnen bij de salon?’

Het licht sprong op groen en we schoten vooruit.

‘Een paar honderd piek,’ zei ik. Ik had er onmiddellijk spijt van dat ik ‘piek’ had gezegd. Cornelia Guest zou nooit ‘piek’ zeggen.

‘Per dag?’ vroeg Patrick.

‘Per week.’

‘O.’

We reden in stilte verder, op de rammelende motor na. We reden langs de kwekerij van meneer Shaw, alle bloemen en planten stonden binnen omdat het winter was, en in New Hampshire duurt de winter vaak tot midden april. Alles was bruin of met struikgewas bedekt, de grond bedekt met modder of plekken blubberige sneeuw. Vervolgens kwamen we langs het grote stenen gebouw van de middelbare school van Weekeepeemie. Ik keek uit het raam naar het lege parkeerterrein, het was stil op school aan het einde van een zaterdagmiddag, en ik dacht eraan hoe ik, al die tijd dat ik erop zat, elk moment van elke dag, hier alleen maar weg had gewild.

'Ik zal je eens iets vertellen,' zei Patrick. 'Jij en ik... we komen uit de arbeidersklasse, is het niet?'

Ik knikte.

'Weet je, er zijn maar een paar manieren waarop we veel geld kunnen verdienen. Heel veel geld,' zei Patrick. 'Eén daarvan is bouwmaterialen verkopen, of aannemer worden. En dát zijn we niet van plan.'

Ondanks alles moest ik lachen toen ik me Patrick met een kettingzaag in zijn handen voorstelde.

'Een andere manier is om naar New York te gaan en enorm succesvolle haarstylisten te worden,' zei Patrick. 'En je weet dat ons dat zou kunnen lukken.'

'Waarom denk je dat ik een baan in New York zou vinden?' vroeg ik hem.

'Ik zorg dat je een baan krijgt,' zei hij. We reden mijn straat in... het ene zelfde huis na het andere.

'Patrick, dat is heel lief van je, maar je kan niet gewoon...'

'Denk je dat ik dat niet voor elkaar krijg?'

'Ik weet het niet... ik bedoel, die nieuwe salon...'

'...Jean-Luc,' viel hij me in de rede.

'Ja, Jean-Luc. We weten niet eens of het een succes zal worden. In New York worden elk jaar vast wel een miljoen salons geopend.'

Patrick reed de Impala onze inrit op en zette de motor af, die nog een laatste keer rammelde.

'Vertrouw maar op mij,' zei hij.

Ik keek omhoog naar het gele licht dat in de duisternis uit Melodies raam viel. Ze zou in de herfst naar B.U. gaan en ook al had ze een volledige beurs, we moesten nog steeds rekening houden met kamerhuur en levensonderhoud. Eigenlijk had ik de laatste maanden weinig anders gedaan dan daar rekening mee houden.

Ik keek Patrick aan. Zijn donkere ogen schitterden. En ik realiseerde me... natuurlijk. Natuurlijk ging ik met hem in New York wonen en bij Salon Jean-Luc werken. Natuurlijk zouden Patrick en ik samen een appartement zoeken, misschien zou Ursula ons kunnen helpen, en zouden we eindelijk onze plek gevonden hebben. Misschien zouden Patrick en ik op een dag trouwen. En natuurlijk zou ik meer geld verdienen, bergen geld, genoeg om Doreen's te redden en Melodie te laten studeren.
'Oké,' zei ik. Ik leunde met mijn hoofd op Patricks schouder. 'Oké.'

De meest trendy salon ter wereld

Er zaten veertien klanten op het muurbankje; een absurd aantal. Zelfs Jean-Luc leek enigszins verstoord door de hoeveelheid, hoewel een vreemde dat nooit aan hem zou hebben gemerkt. Eén haarlok met brillantine was in een komma over zijn voorhoofd gevallen, en zijn mondhoek trilde licht maar onophoudelijk.

De salon was nu drie maanden open, en in dat korte tijdsbestek was het – zonder te overdrijven – de meest trendy salon ter wereld geworden. Jean-Luc werd benijd door stylisten van New York tot Tokio tot Parijs. Er was geen enkele tijdschriftredactrice die – na gratis geknipt, gehighlight en geföhnd te zijn, en, in het geval van enkele uitverkorenen, na een bezoek aan het privé-heiligdom van Jean-Luc – niet naar haar kantoor terugdrentelde, haar sluike hoofd glanzend in de middagzon van Manhattan, en een artikel over Jean-Luc schreef. Hier: Jean-Luc staand voor de fontein van het Plaza Hotel, parmantig in zijn typerende kledingstuk: het zwartleren jasje. Daar: een foto die genomen is in de salon, van Jean-Luc die het haar van de omroepster van het zesuurjournaal doet. Zijn uitspraken kwam je overal tegen, geciteerd in *Vogue*, *Harper's Bazaar*, *Women's Wear Daily*. Als Jean-Luc voorstelde dat kort het nieuwe lang was, of blond het nieuwe rood, of dat krullen uit waren, volgden tienduizend vrouwen zijn voorbeeld. In een mum van tijd glimlachten de vrouwen op cocktailparty's en benefietavonden in de *Upper East Side* veelbetekenend naar el-

kaar. *Jean-Luc?* had de een de ander kunnen vragen. *Maar natuurlijk!*
Ik assisteerde Richard, een van de eerste kleurspecialisten. Richard – die zijn naam als *Rie-sjaar* uitsprak – heette in werkelijkheid Ricky en kwam ergens uit het noorden van New Jersey. Iets wat alleen ik wist en verborgen hield, als het waardevolle geheim dat het was. Ik had het alleen aan Patrick verteld.
'Weet je wie vandaag voor Richard belde?'
'Wie?'
'Richards moeder.'
'Werkelijk? Uit Parijs?'
'Eh... nee.'
'Vertel op.'
'Het ging als volgt.' Ik sprak met mijn beste New Jersey-accent. 'Halloow, is Ricky er ook?'
Patrick drukte zijn hand tegen zijn mond.
'Rícky?'
'Je mag het aan niemand vertellen.'
'Natuurlijk niet.'
'Het is te mooi om waar te zijn.'
We hadden allebei een hekel aan Richard, en we waren niet de enigen. Maar de klanten waren dol op hem, en zij deden ertoe. Richard droeg zijn lange, platinablonde haar in een paardenstaart, en hij had een diamanten knopje in zijn oor. Hij was altijd van top tot teen gekleed in Hermès: ons uniform van zwarte broek of rok en witte top tot in het extreme doorgevoerd, in elk geval extreem duur, wat de klanten wisten en waardeerden. Zijn handelsmerk – voor het geval iemand het had kunnen missen – was een zwarte krokodillenleren riem met een gouden H-gesp.
'Hoe gaat het met dat buitenhuisje van je, schat? In... waar was het ook weer?' vroeg mevrouw L.
'New Hope,' zei Richard. Hij pakte met de steel van zijn puntkam een pluk van haar haar op en liet die door mij vasthouden. Richard had geen vertrouwen in haarspelden of klemmen, dus zijn assistente zijn betekende eigenlijk dat je een menselijke haar-

speld was. En Richards menselijke haarspeld zijn betekende in feite een promotie, als je bedenkt waar ik was begonnen. Toen Jean-Luc me pas aangenomen had, veegde ik het haar van de klanten van de marmeren vloer. Blond, donkerbruin, roodbruin, grijs en alle kleuren daartussenin werden opgeveegd en weggegooid. Aan het einde van de dag zaten de vuilniszakken zo vol met haar dat het leek alsof we grote, pluizige dieren in de vuilnisbak hadden zitten.

Voorlopig was ik blij – nou ja, misschien is blij te sterk uitgedrukt, dus laten we zeggen hoopvol – dat ik Richard mocht assisteren. Ik bleef positieve energie naar hem uitstralen, zoals ik in tijdschriften had gelezen. Elke keer als hij iets vervelends zei of deed, stelde ik me hem voor badend in een zee van wit genezend licht.

'New Hope is de bóm,' zei Richard. Wat betekende dat in godsnaam?

Mevrouw L. zat kaarsrecht op haar stoel. Haar handtas stond voor haar op het speciale ingebouwde plankje, gehuld in een plastic zak om hem tegen de chemicaliën te beschermen – een Jean-Luc-uitvinding.

'Ik heb net mijn plantenbakken laten doen,' zei Richard. 'Op het balkon van de eerste verdieping van mijn huis. De bloemen...' hij zwaaide met zijn hand door de lucht, ternauwernood mijn oog met zijn puntkam missend, 'ze bleven maar doodgaan. Ze verwelkten gewoon en gingen dóód.'

Mevrouw L. knikte meelevend terwijl ik een nieuwe pluk van haar muisbruine haar vasthield, bespikkeld met Richards goudblonde highlights.

'Dus weet je wat ik heb gedaan?' Richard boog voorover en liet zijn stem tot een gefluister dalen. 'Zijde.'

'Zijde?'

'De bloemen,' zei hij met zijn zware Franse accent. 'Ze zijn van zijde.'

'Briljant,' zei mevrouw L. ademloos.

Mevrouw P., Richards vorige klant, zat bij de wasbak te wachten tot haar *glossing* was ingewerkt. Haar wekker was afgegaan tijdens Richards tirade over zijn plantenbakken, en ik was er niet helemaal zeker van of hij het had gehoord. Het was mijn taak de glossing uit te spoelen, maar het was ook mijn taak de plukken van mevrouw L.'s haar vast te houden, dus ik wist niet precies wat ik moest doen. Het leek onmogelijk hun gesprek te onderbreken.

'Denk je dat ik de ontwerper van de plantenbakken kan bellen?' vroeg mevrouw L. 'Er móét wat aan mijn huis in East Hampton gedaan worden. De zon schijnt er gewoon te veel.'

'Natuurlijk... hij is geweldig,' zei Richard. 'Hij heeft wel een wachtlijst, maar je kunt mijn naam noemen.'

Naast Richard staan en niets anders doen dan plukken haar vasthouden gaf me ruimschoots gelegenheid te kijken wat er in de salon gebeurde. Richard had misschien geen idee dat er veertien klanten op het muurbankje zaten te wachten, maar ik wel. Ik ving een glimp op van Patrick, die al snel de reputatie had gekregen fantastisch te kunnen föhnen. De klanten vroegen altijd naar hem, en ook al kon hij officieel nog niet zijn eigen afspraken maken, Jean-Luc had voor hem een uitzondering gemaakt. Patrick zag er gespannen uit, en ik zag dat er voor hem ook mensen zaten te wachten.

'Het is hier net een fabriek,' hoorde ik een van de klanten klagen toen Jean-Luc voorbijliep. Langzaam draaide hij zich om, stapje voor stapje, centimeter voor centimeter, en keek op de klant neer. 'Madame,' zei hij en hij rekte zich uit tot zijn hele één meter zeventig. 'Diet ies geen fabriek. Diet...' hij gebaarde naar de roezemoezende salon, 'is levende poëzie. Diet ies schoonheid.'

Hij draaide zich om en knipte met zijn vingers naar een van de Roemeense dames. We hadden een zestal van zulke dames die manicuurden, pedicuurden en harsten. Thuis, in Boekarest, was de dame die kwam aanrennen toen Jean-Luc met zijn vingers knipte scheikundelerares geweest. 'Alstublieft... een gratis manicure,' zei hij.

'O, dank je, Jean-Luc,' zei de klant en ze gooide koket haar natte hoofd in haar nek.

Maar vooral, terwijl ik Richard assisteerde, bestudeerde ik Faith Honeycomb. Haar werkplek bevond zich achter ons, haar eigen speciale plek... er was zelfs een speciaal muurbankje voor Faiths klanten. Als ik in Richards spiegel keek, leek het net alsof ik naar zijn klant keek, maar eigenlijk was mijn aandacht volledig bij Faith. Ze was een eilandje van kalmte in de opgewonden drukte van Salon Jean-Luc. Hoeveel mensen er ook op haar zaten te wachten – en zelfs dit gebeurde niet vaak, want haar werk liep zo gesmeerd als een trein – leek ze onverstoorbaar. Vredig, zelfs. Er werd altijd over Faith gefluisterd. Was ze een zenboeddhiste? Gebruikte ze valium? Maar ik dacht dat ik het geheim van Faiths rust kende: ze was geconcentréérd. Terwijl alle andere kleurspecialisten en stylisten druk om zich heen keken welke filmster of welke vriendin van een beroemde politicus zojuist was binnengekomen, hield Faith haar aandacht bij haar klant en als gevolg daarvan was haar werk altijd onberispelijk. In veel opzichten herinnerde ze me aan mijn moeder.
Ik keek hoe ze een *baliage*, een soort highlights, deed bij de blondine die in haar stoel zat, waarbij ze de plukken haar die ze had uitgezocht met de precisie en concentratie van een chirurg verfde.
Dat was bij Richard niet het geval. Er waren nu al minstens vijf minuten verstreken nadat mevrouw P.'s wekker was afgegaan, en Richard had het nog steeds niet gemerkt. Hij en mevrouw L. waren tot de ontdekking gekomen dat ze dezelfde *personal trainer* hadden, en Richard had daardoor een aanval van euforie gekregen.
'Ik kan het niet geloven!' gilde hij. 'Duncan, hij is de beste! Laat hij je die... hoe noem je het... die *crunch*-oefeningen doen?'
'O, mijn god,' kreunde mevrouw L. 'En wat vind je van die nekmassage die hij je na afloop geeft? Hij noemt het een harmonisering, maar...'
'Neem me niet kwalijk, Richard?' Mevrouw P. was naast hem komen staan.
'Ja, wat is er, schat?'

'Mijn... ik denk dat mijn wekkertje is afgegaan,' zei mevrouw P.
'Onmogelijk!'
'Nee, echt, ik weet vrijwel zeker...'
Toen keek Richard eindelijk naar mevrouw P.'s haar. De glossing had er duidelijk te lang op gezeten en het was, onder de gel, een donkerder kleur rood geworden dan ze leuk zou vinden. Ik zag zijn neusvleugels opzwellen.
'Georgia,' zei hij met zijn zachtste, liefste stem. 'Wil je zo vriendelijk zijn met mevrouw P. naar de wasbak te gaan om haar snel even een gouden glossing te geven?'
'Maar Richard,' mevrouw P. keek op haar horloge – een met diamanten versierd exemplaar met een roze band van hagedissenleer – 'ik ben al laat.'
'Geloof me,' Richard liet zijn meest hartveroverende glimlach zien, 'je zult gloeien van tevredenheid over het resultaat.'
Hij pakte de pluk haar van mevrouw L. uit mijn vingers en gaf me een duwtje in de richting van de wasbak. Ik wist uit ervaring dat hoe aardiger Richard tegen de klant was, hoe feller hij tegen de mensen om hem heen tekeerging, vooral tegen mij. Ik probeerde diep adem te halen toen ik mevrouw P. naar de wasbak bracht. Hoe zou Faith Honeycomb in deze situatie handelen?
Ik legde een schone handdoek over de schouders van mevrouw P. en waste snel de aanstootgevende glossing uit haar haren.
'Er is toch niets misgegaan, wel?' vroeg mevrouw P. Vanuit mijn gezichtshoek, boven haar, kon ik zien wat de zwaartekracht met haar facelift deed. Haar hele gezicht bewoog als één plak, alsof alle spieren bevroren waren.
'Helemaal niets,' zei ik op, naar ik hoopte, kalmerende toon. In werkelijkheid had haar haar een lichtviolette kleur gekregen. 'Ik ben zo weer terug, ik moet even de glossing mengen.'
Ik rende naar achteren, in stilte biddend dat mevrouw P. niet zou besluiten rechtop te gaan zitten om in de spiegel te kijken.
Ik wist dat een goudblonde glossing niet zou helpen. Daarvoor was het al te laat. Dus ik maakte een snelle berekening: waar zou Richard pissiger van worden? Doen wat hij had gevraagd en hem

laten zitten met een ontevreden klant? Een klant die, als ik het me goed herinnerde, de echtgenote van een beroemde advocaat was? Ik schudde heftig mijn hoofd, om helder te kunnen denken. Ik moest dit zelf oplossen.
Dus de vakvrouw in me – ik was tenslotte Doreens dochter – deed het enige wat mogelijk was. Ik glipte snel het achterkamertje in en mengde een aantal spoelingen die misschien zouden helpen. En vervolgens, met de precisie van een scheikundige, behandelde ik het hoofd van mevrouw P. eerst met het ene, daarna met het andere mengsel om haar highlights te herstellen – langzaam verschenen de juiste kastanjebruine strepen – zoals Richard, als hij had opgelet, het oorspronkelijk had bedoeld. Toen liet ik mevrouw P. gaan om gratis geföhnd te worden en keerde behoedzaam naar mijn plek naast Richard terug. Hij was nu klaar met mevrouw L. en hun gemeenschappelijke blijdschap met zijden bloemen en personal trainers, en deed een enkele kleurbehandeling bij een oudere vrouw die naar hem toe was gebracht door een van de eerste stylisten; nog een klant in zijn onmogelijk drukke schema persend.
Ik stond al minstens vijf minuten naast hem voordat hij iets tegen me zei. Hij zei ook niets tegen zijn klant, die een heel aardig oud dametje leek, maar ze had de onvergeeflijke zonde begaan een broek van synthetische stof te dragen, een namaak Gucci-handtas bij zich te hebben (de G's stonden omgekeerd, alles verradend) en een Timex-horloge om te hebben.
Eindelijk, nadat hij blijkbaar had besloten dat ik lang genoeg aan het haakje had gebungeld, wendde Richard zich tot mij.
'Ik stel voor,' zei hij, met een nog sterker accent dan normaal, 'dat je je lunchpauze gebruikt om nieuwe kleren te kopen. Je ziet eruit...' hij zwaaide met zijn hand alsof hij een scepter vasthield, 'als een barmeid.'
De ogen van het oude dametje – zo groot als schoteltjes – keken me in de spiegel aan. Ik was het liefst in tranen uitgebarsten, of in elk geval Salon Jean-Luc uitgerend om nooit meer terug te komen. Maar Doreen had geen watje grootgebracht. Ik knikte rus-

tig, alsof ik nadacht over de wijsheid van Richards voorstel. Ik keek in de spiegel naar mezelf en naar wat ik een creatieve interpretatie van het kledingvoorschrift van Jean-Luc had gevonden. Ik had een zwarte panty aan (glanzend, ondoorzichtig), zwarte hotpants, hooggehakte laarzen met vierkante neuzen en een gouden gesp en een wit overhemd met open kraag. Ik had me sexy en aantrekkelijk gevoeld toen ik die ochtend mijn appartement verliet. Nu voelde ik me goedkoop door Richards snerende opmerking. Misschien had hij gelijk. Misschien wist ik niet hoe ik me moest kleden om in het universum van Jean-Luc te passen.
'Oké, ik ga nu meteen,' zei ik en ik probeerde mijn stem niet te laten trillen.
'Hier, liefje, ik zal je iets geven,' zei het oude dametje en ze pakte haar handtas.
'U hoeft Georgia geen fooi te geven,' zei Richard. Zijn stem droop van minachting toen hij mijn naam uitsprak, alsof ik helemaal niets voorstelde. Ik probeerde hem in een zee van wit licht te laten baden. Het lukte niet.
'Ja, maar ik wil het toch.' Het oude dametje bleef naar die verdomde portemonnee van haar zoeken. Ik hoopte voor haar dat het geen namaak Gucci was.
'Nee, ik wíl niet dat u het doet,' zei Richard. 'Onze assistenten worden goed betaald. En we willen ze niet bederven.'
Hij knipoogde naar haar, een vette knipoog, en keek toen naar mij in de spiegel, alsof hij me uitdaagde iets te zeggen. Het was een pertinente leugen. Ik bedoel, we lééfden van onze fooien. De salon betaalde ons bijna niets. Jean-Luc liet ons zelfs voor onze visitekaartjes betalen. En dit was niet de eerste keer dat Richard dit deed. Hij zei altijd tegen de klanten dat ze me geen fooi moesten geven. Ik bleef maar proberen erachter te komen waarom dat was. Ik bedoel, probeerde hij zelf meer te krijgen? Wat konden mijn centen in hemelsnaam voor hem betekenen? *Het komt doordat hij diep in zijn hart weet dat je goed bent*, hield Patrick me steeds maar weer voor. *En hij is gewoon een dikke, vette, kloterige oplichter.*

Toen ik uit de salon vertrok en Fifth Avenue opliep, voelde ik me een nietig insect. Nee, nog minder dan een insect. Richard had me zo klein gemaakt dat ik onzichtbaar was. Een vlekje. Een amoebe, zoals we die tijdens de biologieles op de middelbare school in Weekeepeemie onder de microscoop hadden bestudeerd. Ik liep langs een telefooncel en bleef toen staan. Ik zocht in mijn portemonnee naar het losse geld dat er altijd in zat.

Ik moest één stem horen, tegen elke prijs. Ik gooide het ene muntstuk na het andere in de gleuf. Het was niet de eerste keer dat ik dit deed en ik wist dat er twintig muntstukken voor nodig waren om vanuit Manhattan naar Weekeepeemie te bellen.

'Doreen's, wat kan ik voor u doen?'

'Mam? Waarom neem je zelf de telefoon op?'

'Ach, je weet hoe dat gaat,' lachte ze. 'Ik sta net op mijn volgende klant te wachten.'

'O.' Op de hoek van Fifty-Seventh Street en Fifth Avenue werd ik overweldigd door een golf van heimwee die zo hevig was dat mijn tanden er pijn van deden. Ik kon niet blijven praten, anders zou ik gaan huilen. Ik bedoel, wat deed ik hier eigenlijk in New York? Ik verdiende niet genoeg geld om naar huis te sturen. Wat had het voor zin?

'Georgia?' Mijn moeders stem zweefde over de telefoonverbinding. Ze was ver weg... te ver weg. 'George? Is alles goed met je?'

'Er is niets aan de hand,' snikte ik. 'Ik mis jullie gewoon, dat is alles.'

'Ach, lieve schat.'

Ik probeerde me te vermannen.

'Maar weet je wat? Binnenkort stuur ik je vijfhonderd dollar,' zei ik. 'Ik weet dat het niet veel is, maar met mijn fooien moet het me lukken om...'

'Maak je geen zorgen om mij,' zei mijn moeder. 'Zorg jij maar voor jezelf.'

'Ik hou van je,' zei ik.

Een brandweerwagen scheurde voorbij met loeiende sirene.

'Ik hou ook van jou, lieverd,' zei Doreen. Het was stil aan haar kant, de stilte van een middag in Weekeepeemie, wanneer je de mensen buiten de salon op straat kunt horen praten. Mijn knieën voelden slap en ik was bang dat ik zou instorten.

'Ik moet ophangen,' zei ik.

Fifty-Seventh Street ten oosten van Fifth Avenue bestond uit één lange rij luxe winkels, hun etalages schitterend van juwelen, bont en soepel leer, katoenen stoffen die zo mooi waren dat het wel zijde leek. Onder het lopen herkende ik klanten van Jean-Luc. Ik glimlachte naar hen, maar ze hadden geen idee wie ik was. Een lang, mooi blond meisje dat voor *Vogue* werkte, stapte uit een Mercedes met chauffeur, waarbij ze een voor een haar volmaakt gevormde benen strekte. Ze was net de vorige dag in de salon geweest – Jean-Luc had haar geknipt en Faith had haar kleur gedaan – en een van de andere assistenten had me een fotoreportage van haar laten zien in de *Town & Country* van die maand. Ze was een *It Girl*, zo worden meisjes zoals zij genoemd. Op een van de foto's die ik had gezien lag ze in Portugal, op het landgoed van haar familie, in een hangmat. Op een andere reed ze zonder zadel op een paard over het strand. En daar was ze, ze glipte bij Hermès naar binnen terwijl haar chauffeur bij de stoeprand wachtte.

Ik zwaaide, aarzelde toen. Idioot die ik was. Ze keek me met een vragende, beleefde uitdrukking op haar gezicht aan, alsof ze wilde zeggen *ken ik je ergens van?* Alsof ik misschien haar masseuse was geweest in Biarritz. Of haar een gezichtsbehandeling had gegeven bij Georgette Klinger.

Ik hield mijn hoofd gebogen, ineengedoken tegen de kou. Waar zou ik in deze buurt iets vinden wat ik me kon permitteren? Uiteindelijk kwam er één winkel bij me op. Ann Taylor was een zaak waar ik nooit in betrapt had willen worden, vol conservatieve jasjes en twinsets, kleren voor de jonge zakenvrouw in spe. Maar ik kon nou niet bepaald bij Hermès of Gucci binnenwandelen, of een van die andere winkels die werden bezocht door de klanten en de eerste stylisten en kleurspecialisten van Jean-Luc. Eigenlijk was ik maar één keer bij Hermès binnen geweest, op mijn eerste dag in New York. Ik had mijn moeder een cadeautje willen sturen, gewikkeld in het prachtige oranje met bruine papier dat ik vereeuwigd had gezien in *Vogue*. Uiteindelijk, na de kleinste dingen bekeken te hebben – de sjaals, de pennen, de portefeuilles – had ik Doreen, en ook nog maar net, zeep kunnen sturen.

'Kan ik je helpen?' vroeg een verkoopster.

Ik keek op mijn horloge. Ik had vijftien minuten om van gedaante te veranderen. Ik haalde een paar maal diep adem.

'Ja, graag. Ik heb een zwarte broek nodig... een pantalon... de meest simpele die je hebt. En een wit overhemd. Ook simpel. O, en zwarte schoenen.'

'Werk je bij Jean-Luc?' vroeg de verkoopster, glimlachend.

Ik voelde me onmiddellijk opgelucht, en was ook nieuwsgierig. Welke assistente had zich verlaagd tot Ann Taylor? Of was er gewoon niet zo'n opvallend verschil tussen een pantalon van negentig dollar en een van vijfhonderd? Als een *It Girl* een broek van negentig dollar droeg, zou hij er misschien uitzien alsof hij een miljoen kostte. Niet dat ze dat ooit zou doen. Een kwartier later liep ik Ann Taylor uit, luchtiger gestemd en met een tas vol nieuwe kleren.

Terug in de salon, nadat ik het toilet was ingedoken, mijn nieuwe kleren van Ann Taylor had aangetrokken en mijn eigen kleren in mijn rugzak had gepropt, was het tijd voor Richards lunch. Alle andere eerste stylisten en kleurspecialisten bestelden zelf hun lunch of namen van huis mee wat ze die dag wilden eten. Maar Richard niet. Nee. Richard verwachtte dat ik, als onderdeel van mijn taken als zijn assistent, zijn *panini* met mozzarella en zijn cappuccino bij Nello in Madison bestelde, en de twintig dollar die dat kostte, voorschoot. Die hij, en dat zal niet als een verrassing komen, vaak vergat me terug te betalen. Als Richards lunch bij de salon werd gebracht, nam ik hem van de bezorger in ontvangst en bracht hem naar de personeelskamer.

De personeelskamer was het zenuwcentrum van Jean-Luc, de enige plek waar de assistenten, tweede en eerste stylisten en kleurspecialisten allemaal op adem konden komen. Het was een beetje alsof je je bij een toneelstuk achter de schermen bevond. De belangrijke handelingen, het drama, de illusie van perfectie, speelden zich af in de salon. In de personeelskamer werden alle alledaagse details geregeld. Als klanten hun lunch bij de coffeeshop in de buurt bestelden, werden de papieren zakjes, plastic vorken en messen en plastic borden weggegooid, en kwam Paco, de vaste hulpkelner van de salon, weer tevoorschijn met keurig opgemaakte salades en fruitcocktails op een dienblad met een kleedje erop, dat bij de klanten op schoot kon worden gezet terwijl ze hun behandeling kregen. Dat moet je echt eens gezien hebben: iemand die geföhnd wordt en een manicure krijgt, terwijl ze probeert een broodje te eten zonder haar nagels te bederven.

Patrick zat al in de personeelskamer, voor een snelle hap met zíjn eerste kleurspecialist: Lois. Lois was de meest trendy werkneemster van Jean-Luc: een geweldig uitziende, hoogblonde, tengere vrouw die witte kasjmieren truien droeg en elegante herenpantalons.

'Hé!' zei Patrick toen ik binnenkwam. 'Waar ben je geweest?'

'Dat kun je beter niet vragen.'

'Kom zitten.'

Lois klopte op een lege stoel naast haar. Ze was een lippenstiftlesbienne – een term die ik niet kende totdat Patrick hem gebruikte – en ze deed de naam eer aan. Haar lippen waren prachtig in de voor haar typerende vuurrode kleur geverfd, volmaakt afstekend bij haar verder onopgemaakte gezicht. Het gerucht ging dat ze een relatie had met een beroemde actrice wier homoseksualiteit een publiek geheim was, maar niemand wist het zeker.

'Dat gaat niet,' zei ik. 'Ik moet Richards lunch klaarmaken.'

Lois rolde met haar ogen. 'Die kerel moet echt eens een...'

'Wacht eens even,' zei Patrick. 'Wat heb jij nou voor kleren aan?'

'Ik...'

'Dit droeg je vanmorgen niet.'

'Richard zei...'

'Richard!' Patrick ontplofte bijna.

'... dat ik net een barmeid leek,' maakte ik mijn zin flauwtjes af.

'De barmeid van mijn dromen,' zei Lois.
De deur van de personeelskamer zwaaide open en Jean-Luc kwam binnen, samen met Massimo, de über-eerste stylist. Massimo en Jean-Luc hadden samen bij dezelfde salon gewerkt voordat Jean-Luc zijn eigen salon kon openen, en van Massimo was bekend dat hij a) meer talent had dan Jean-Luc, en b) in het geheim pissig was over de manier waarop Jean-Luc met de eer ging strijken. Hij was ook een van de aardigste mensen van al het eerste personeel. Hij bleef altijd even staan om me 's morgens te groeten, en er lag een warmte in zijn bruine ogen die me onmiddellijk een goed gevoel gaf, terwijl ik eigenlijk vreselijk onder de indruk van hem had moeten zijn. Ik bedoel, die man was geniaal.
'Alors!' riep Jean-Luc. 'Het is een gekkenhuis daarbuiten, dus opschieten... *mangia, mangia!*'
Massimo trok een lelijk gezicht, geïrriteerd dat zelfs dit – zijn moedertaal – werd opgeëist door Jean-Luc.
'Hebben jullie vanmorgen Sigourney Weaver gezien?' vroeg Lois Jean-Luc. 'Ik zag haar naam in het afsprakenboek staan.'
'Ze stuurde haar assistente,' zei Jean-Luc met een beweging van zijn vingers, alsof hij de hele ervaring weg wilde wuiven. 'Ze heeft me bedonderd... die Sigourney... alsof ik me ooit op het laatste moment zou hebben vrijgemaakt voor een secretaresse.'
Jean-Lucs zwartpaarse lip krulde zich minachtend.
'Was dat het meisje met het krullende haar?' vroeg Patrick. 'Je hebt haar geweldig geknipt.'
'Merci,' zei Jean-Luc met een stijf buiginkje. 'Maar goed... om de waarheid te zeggen... maakt het ons iets uit?'
Ik ving Lois' blik op. Wat vond zij van dit alles? Ik vroeg me af of Jean-Luc het echt meende, of dat zijn cynisme onderdeel was van een uitgebreide act. Buiten de muren van de personeelskamer, op het toneel van de salon – waar het gladde hout glom en de tijdschriften in een strakke waaier waren neergelegd – was Jean-Luc in elk geval de charme in hoogsteigen persoon. Hij zou nooit onbeleefd zijn tegen een klant. Hij wist dat het, uiteindelijk, om de service ging. Er waren een stuk of vijf salons in New York die met

Jean-Luc konden wedijveren. Maar geen daarvan bood service van het niveau van Jean-Luc. Cafeïnevrije cappuccino met magere melk? Geen probleem. Een manicure én een pedicure tijdens het föhnen? Maar natuurlijk. Verwarmde tafels tijdens het harsen, op elke werkplek een telefoon, een portier die in elke gril voorzag, van restaurantreserveringen tot theaterkaartjes. Klanten namen hun hondjes mee, pluizig, keurig gekamd, met namen als Poofy en François. Soms namen ze hun baby mee, samen met de bijbehorende kinderjuffrouw. Alles wat hen gelukkig zou maken... bijzonder... zou ervoor zorgen dat ze terug zouden komen.
Ik liep naar achteren, naar de balie bij de koffiemachine, om Richards lunch op een dienblad klaar te maken. Hij lunchte altijd precies om één uur, of er nu klanten zaten te wachten of niet. De andere eerste stylisten aten snel iets wanneer ze een kwartiertje pauze hadden, áls ze die al hadden.
Jean-Luc sloeg een dubbele espresso achterover en slaakte een diepe en dramatische zucht. 'En nu heb ik mevrouw Z.,' zei hij.
Mevrouw Z. was een van de, laten we zeggen, vrijgéviger klanten van de salon. Ze was, tja, haar leeftijd was moeilijk te bepalen: zevenenveertig? Vijfenvijftig? Of ouder? Ze was zo vaak onder het mes geweest dat de huid achter haar oren zo hard en bobbelig als die van een krokodil was. Ze maakte haar entree in de salon zoals een man een dure stripclub zou kunnen binnenkomen: de biljetten van vijftig dollar vlogen in het rond. Niemand kreeg minder dan vijftig dollar voor het helpen van mevrouw Z. Esmeralda, die haar jas aannam en haar een kappersjas gaf, kreeg vijftig dollar. Jing Su, die haar waste, kreeg vijftig dollar. Als je alleen al hallo zei tegen mevrouw Z., was je zo'n beetje gegarandeerd van vijftig dollar.
Massimo liet zich naast Lois en Patrick aan tafel ploffen toen Jean-Luc vertrok. Hij maakte een plastic tasje open vol met groen spul dat eruitzag als iets wat op het strand was aangespoeld.
Hij haalde zijn schouders op. 'Van mijn voedingsdeskundige. Hij zegt dat het goed is om te ontgiften.'
Na drie korte maanden bij Jean-Luc verbaasde het me nog steeds

hoezeer iedereen die hier werkte met zijn gezondheid bezig was: speciale brouwsels, smeersels, flesjes met vitaminen, de planken in de personeelskamer stonden er vol mee. En toch, aan het eind van de dag, kon je hen stuk voor stuk in de hipste bars en restaurants van de stad vinden, martini's drinkend en sigaretten rokend, en in de toiletten van die gelegenheden deden ze nog veel meer. Hoewel ik niet wist of dat ook gold voor Massimo. Hij was zo oogverblindend, misschien was hij gewoon wel een gezondheidsfreak.

Richard duwde de deur open op het moment dat Patrick en Lois hun borden wegzetten. 'Waar is mijn lunch?' vroeg hij aan mij.

'Het is tien minuten voor één,' stamelde ik. 'Ik heb het al...'

Zijn paardenstaart was losgeraakt en de haartjes langs zijn slapen krulden, waardoor hij eruitzag als een kruising tussen een strandjongen en een chassidische jood. Hij knipperde snel met zijn ogen.

'Excusez-moi. Ik geloof niet dat ik je gevraagd heb hoe laat het is,' zei hij. 'Ik vroeg je waar verdomme mijn lunch blijft.'

Iedereen in de personeelskamer werd stil. Lois, Patrick en Paco, die bezig was bij het aanrecht de lunch voor een klant uit te pakken.

'Ik was hem net aan het uitpakken,' zei ik. Ik probeerde mijn stem niet te laten trillen.

'Weet je wat jouw probleem is?' vroeg Richard.

Ik schudde mijn hoofd. Mijn wangen brandden, ik voelde het bloed in mijn hoofd bulderen. Mijn oren suisden. Misschien hoorde ik hier echt niet thuis. Misschien had ik gewoon moeten blijven waar ik vandaan kwam, en het coolste meisje van Weekeepeemie moeten blijven.

'Je denkt dat je iets weet,' zei Richard. Hij verhief zijn stem, en als hij niet oppaste zou zijn New Jersey-accent erdoorheen komen. 'Maar je weet níéts!'

'Het spijt me,' mompelde ik. 'Ik...'

'Neem me niet kwalijk.' Het was de vriendelijke stem van Patrick. Ik sloot mijn ogen. *Bemoei je er niet mee*, zond ik hem in ge-

dachten toe. Ik wilde niet dat hij voor mij zijn baan zou kwijtraken. Hij was het enige wat mij in heel New York op de been hield.
Richard draaide zich om en keek Patrick strak aan.
'Ja, mooie jongen van me?'
'Laat haar met rust,' zei Patrick.
'Waarom? Neuk je haar soms? Ik wist niet dat je het in je had.'
'Hou daarmee op, Rícky.'
Patrick zei het kalm, maar met genoeg nadruk. Richard deed een stap achteruit, met een verbaasde rimpel in zijn voorhoofd. Het was zo stil in de personeelskamer dat je het gezoem van de koelkast kon horen toen hij aansprong.
'Ik moet nu gaan,' zei hij stijfjes, 'om bij mijn klant te kijken.'
Lois kneep in de brug van haar neus, fronsend. Toen de deur achter Richard dicht zwaaide liep ze naar me toe en omhelsde me even.
'Het spijt me, lieverd.'
'Het is niet erg.'
'Ja, het is wel erg. Niemand zou ooit zo tegen een ander mogen praten.'
'Wat een gore klootzak,' zei Patrick. 'Is alles goed met je?'
'Prima,' zei ik, misschien iets te fel. Ik wilde de hele gebeurtenis zo snel mogelijk vergeten.
'Laten we vanavond uitgaan,' zei Patrick. 'Ik trakteer.'
'Nee, ík trakteer,' zei Lois.
'Toe maar, jongens. Maak maar ruzie om mij.'
'Trouwens, waarom noemde je hem Ricky?'
'Omdat hij eigenlijk...' begon Patrick, maar hij zweeg toen ik hem een waarschuwende blik toewierp. Richard was een eersteklas eikel, maar ik begreep zijn behoefte om een ander persoon te zijn, en ik wilde niet degene zijn die het voor hem bedierf. Wie weet hoeveel jaar het hem had gekost om dat perfecte Franse accent aan te leren, en iemand te worden die alles wist van zijden bloemen in bloembakken en de wereld van Hermès? Soms, wanneer ik naar Richard keek, zag ik een glimp van de rare buitengesloten jongen

uit Verona, New Jersey, die hij eens moest zijn geweest. We waren allemaal zo, wij die in een salon geëindigd waren.
'Ik ga weer terug naar de salon,' zei ik.
'Ik ga mee,' zei Patrick. 'Onze klant van kwart over een zit waarschijnlijk te wachten.'
'Wacht even. Je hebt me nog niet verteld waarom...' begon Lois.
'Een andere keer,' zei Patrick. Ook al had hij bijna net zo'n hekel aan Richard als ik, ik kon zien dat hij het begreep.

Drie uur, een van de meisjes van Click kwam binnen. Dat gebeurde regelmatig. Click, Ford, Elite, Wilhelmina, ze stuurden ons allemaal hun modellen – in het bijzonder hun kersverse modellen, net van de bus uit Nebraska of de boot uit IJsland. Ze kwamen de deuren van Jean-Luc binnen zweven, als elfjes, frêle schepsels, onmogelijk lang, met gelaatstrekken die hun gezicht op de een of andere manier uniek en prachtig maakten. Een paar volle lippen, geloken blauwe ogen of een massa roodbruine krullen, zoals het geval was bij dit bepaalde model dat haar benen en armen over elkaar sloeg terwijl Richard haar in de spiegel bekeek.
'Ik denk dat we iets van kastanje moeten doen,' zei Richard, met zijn handen op haar smalle schouders. 'Om meer contrast te creëren met het rood.'
Het meisje schudde haar hoofd, de krullen vlogen in het rond.
'Mijn modellenbureau zegt dat ik geen andere kleur moet nemen. Alleen maar een paar natuurlijke highlights. Dat is alles.'
'Geloof me,' zei Richard. 'Dit zal je carrière goed doen. Je zult van gewoon een mooi meisje een supermodel worden. Ze zijn allemaal bij mij geweest. Elle MacPherson, Cindy Crawford, noem maar op.'
Het meisje schudde weer met haar haar en deze keer keek ze boos.
'Ik zei toch van niet. Echt hoor... mijn agent vermoordt me.'
'Georgia,' zei Richard tegen mij. 'Wil je alsjeblieft lichtroodbruin met kastanjebruin mengen?'
'Je luistert niet!' zei het meisje.

Ik volgde Richards bevel op, gedreven door mijn besluit te doen wat ik moest doen om met hem te kunnen opschieten. De enige manier waarop iemand bij Jean-Luc hogerop kwam, was door een eerste specialist te assisteren en na verloop van tijd te worden opgemerkt. Ik had natuurlijk naar de personeelsmanager kunnen gaan om te vragen of ik bij een andere kleurspecialist gezet kon worden, maar het risico was te groot dat me gewoon gevraagd zou worden te vertrekken.

In de ruimte waar we de kleuren mengden pakte ik twee grote blikken met lichtroodbruin en kastanje en mat van elke kleur 30 ml in elk bakje af, met 60 ml ontwikkelaar. Het haar van het meisje zou eigenlijk heel mooi worden, dacht ik. Niet dat het niet al mooi was. Ik mengde alles met een plastic kwast, toen ik de stem van Jean-Luc hoorde, die steeds dichterbij kwam.

'Waar was je mee bezig, daarnet?' vroeg hij aan Richard toen ze samen door de gordijnen kwamen die de verfruimte van het gedeelte waar de wasbakken stonden scheidde.

'Ze probeerde me te vertellen hoe ik...'

'Zij is de klánt,' zei Jean-Luc. Hij sprak heel zacht, maar zijn gezicht bevond zich vlak bij dat van Richard.

'Ze is een model. Ze betaalt niet eens,' zei Richard. 'Wat verwacht je dat ik doe? Dat ik haar kont kus?'

Na deze woorden bracht Jean-Luc zijn gezicht nog dichter bij dat van Richard. Ik wist niet zeker of ze zich van mijn aanwezigheid bewust waren. Ik had mezelf plat tegen de muur gedrukt, wensend dat ik kon verdwijnen. Jean-Lucs ogen puilden uit, en er vormde zich een straaltje spuug in zijn mondhoek.

'Ik ben Jean-Luc,' siste hij. 'En ik kus konten.'

Toen draaide hij zich met een ruk om en liep met grote passen de salon weer in. Richard streek met zijn hand langs zijn voorhoofd en zuchtte diep. Heel even leek hij bijna menselijk. Alsof zelfs hij in tranen kon uitbarsten. Maar toen zag hij mij. Hij pakte het bakje met lichtroodbruin en kastanje uit mijn handen en kwakte het in de wasbak.

'Wat sta je te kijken?' snauwde hij. 'Ga weer aan het werk.'

'Ik vind dat je met Jean-Luc moet praten,' zei Lois.
Het was bijna middernacht en we waren allemaal een beetje dronken, op weg naar het land der vergetelheid. Het bruiste echter in Paddy's Pub, aangezien die zich een paar straten ten noorden van Times Square bevond en vol zat met studenten en een paar verdwaalde theaterbezoekers die net bij *Cats* vandaan kwamen. We zaten bij het verduisterde raam: Patrick, Lois, Kathryn en ik. Kathryn was een andere assistente bij Jean-Luc en was op het laatste nippertje met ons meegegaan, iets waar ik niet zo blij mee was geweest. Maar of het nu door de vijf Bailey's met ijs of door Kathryn zelf kwam, ik had besloten dat ze oké was.
'Dat kan ik niet,' zei ik.
'Dat kan ze niet doen,' zei Patrick op hetzelfde moment.
'Waarom niet?' vroeg Lois.
'Je weet toch hoe het is?' antwoordde Patrick. 'We zijn allemaal... stuk voor stuk... volledig vervangbaar. Hij heeft ons niet nodig. We kunnen hem geen moer schelen.' Hij wendde zich tot Kathryn, die over haar Irish coffee gebogen zat, haar zijdeachtige blonde haar viel op haar schouders, die naakt boven haar zwarte haltertop glansden. Hoe kreeg ze haar huid toch zo glanzend?
'Behalve jij, natuurlijk,' zei Patrick.
Kathryn keek op, haar groene ogen waren groot en mooi. Ze was zo vreselijk knap dat het moeilijk was om nog iets anders te zien... aan iets anders te denken.
Ze kreeg een kleur.
'Dat is niet waar,' zei ze. 'Hij zou me zo laten gaan.'
'Ja, hoor,' lachte Lois.
Het was algemeen bekend, zo duidelijk dat niemand ook maar de moeite nam erover te roddelen, dat Jean-Luc hartstikke gek was op Kathryn, die hem al assisteerde sinds de salon was geopend. *Kath-e-rien*, zong hij min of meer haar naam, hem in drie lettergrepen verdelend, *let op deze hoek*, en dan knipte hij een lange, gelaagde pony bij een klant, een optreden dat zowel voor de klant als voor Kathryn bedoeld was. Alle assistenten gingen ervan uit dat zij de eerste zou zijn die promotie zou maken, die haar eigen

stoel zou krijgen in de salon en die haar eigen afspraken mocht maken.
'Wat ga je dan doen?' vroeg Lois terwijl ze haar zoveelste Marlboro opstak. 'Je kunt zijn beledigingen niet blijven slikken.'
'Ik moet wel,' zei ik. Ik sloot mijn ogen. Het vertrek draaide een beetje om me heen en ik vroeg me af hoe ik het de volgende morgen moest redden. Trillende handen hebben was gewoon uitgesloten. Kon ik mijn kater gewoon wegjagen?
'Is alles goed met je?' vroeg Patrick.
'Ja.' Ik probeerde diep in te ademen. 'Ik voel me niet zo geweldig.' Ik schoof mijn stoel achteruit. 'Ik ga op zoek naar het damestoilet.'
'Ik ga met je mee,' zei Kathryn snel.
We baanden ons zigzaggend een weg door de bar, langs een groep kerels in voetbalshirts en sweaters met I LOVE NY erop. Zelfs in mijn dronkenschap kon ik zien hoe ze naar Kathryn lonkten. In Weekeepeemie was ik een van de mooiste meisjes geweest, maar in New York kon ik er niet eens aan tippen.
'Daar,' zei Kathryn en ze duwde me naar een deur waarop *Dames* stond. Ze drukte op de lichtknop en boven ons hoofd knipperde een lamp aan. Ze trok een papieren handdoekje uit de automaat aan de muur en maakte het een beetje nat onder de kraan. Toen drukte ze het tegen mijn voorhoofd.
'Van dat zoete spul word je altijd misselijk,' zei ze.
'Zeg maar niets.'
'Sorry.'
Ik leunde tegen een wc-deur en struikelde naar achteren toen hij openging. 'O, god,' zei ik. 'Ik weet niet hoe ik morgen mijn bed moet uitkomen.'
'Meld je ziek,' zei Kathryn. Ze bleef mijn voorhoofd en wangen met het koude handdoekje deppen.
'Je weet dat ik dat niet kan doen.'
'Hoor eens,' zei ze. 'Laat mij maar met Jean-Luc praten. Ik denk niet dat hij enig idee heeft hoe vervelend Richard is.'
'Dat is heel aardig van je, maar...'

'Echt, ik doe het graag. Ik beloof je dat ik je niet in moeilijkheden zal brengen. Ik weet hoe ik met hem moet praten.'
Ik moest denken aan die ene roddel, waarover ik me nu schuldig voelde omdat ik hem had geloofd – en mee had geroddeld – en die te maken had met de aard van Kathryns relatie met Jean-Luc.
Kathryn knipperde met haar ogen en deed een stap achteruit, alsof ze mijn gedachten kon lezen. 'Ik ben nu al drie maanden de assistente van die man,' zei ze zachtjes. 'Ik weet hoe hij denkt.'
'Laat me er even over nadenken,' zei ik. En toen, impulsief, knuffelde ik haar even. Ze was oké. Het was niet haar schuld dat ze er oogverblindend uitzag, talent had en blijkbaar voorbestemd was voor een geweldig leven. Dat kon ik haar niet kwalijk nemen. Was dat, uiteindelijk, niet wat we allemaal wilden?
'Patrick is zo'n aardige jongen,' zei ze, van onderwerp veranderend.
'Ja, hè?' zei ik dromerig.
'Eigenlijk is het jammer.'
Kathryn bestudeerde haar lippenstift in de spiegel.
'Wat is jammer?'
'Je weet wel. Dat hij homo is,' zei ze.
'Waar heb je het over?'
Ze keek me lang en onderzoekend aan. Toen schudde ze alleen maar langzaam haar hoofd.
'O, lieverd,' zei ze. 'Vergeet het maar.'

We baanden ons een weg terug naar ons plekje bij het raam, waar Patrick en Lois in het roze neonlicht van Times Square zaten. Ondanks de mist in mijn hoofd was ik volkomen van de kaart. Alle stukjes van de puzzel vielen... nee, dónderden... op hun plaats. Patrick was homoseksueel. Natuurlijk. Patrick was homoseksueel... natuurlijk, natuurlijk. Wat stom dat ik daar niet eerder achter was gekomen, maar in Weekeepeemie was het gewoon niet iets wat je over mensen dacht. En hij had tegen me gezegd dat hij van me hield, toch? Ik had moeten begrijpen dat hij iets anders bedoelde, dat hij nooit op díé manier van me kon houden.

Die avondjes in onze pyjama's, tegen elkaar aan genesteld naar de televisie kijkend, was het enige wat ooit tussen ons zou gebeuren. En het was echt iets voor hem om niets tegen me te zeggen. Hoe kon hij het mij vertellen? Waarschijnlijk was hij er zelf nu pas achter. En bovendien, het laatste wat hij wilde was mijn hart breken.

Ik ademde diep in, mezelf vermannend. Ik was dronken, ja. Straalbezopen. En ik was verliefd op een jongen die nooit verliefd op mij zou kunnen zijn. Ik keek Patrick aan en hief mijn glas. De tranen stonden in mijn ogen, maar het kon me niets schelen.

'Ik hou van je,' zei ik.

'Ik hou ook van jou,' antwoordde hij.

Kathryn keek naar ons, met haviksogen.

We proostten met zijn allen.

'Een toast,' zei Lois, met een beetje dubbele tong. 'Op jullie drieën, mooie kinderen. Jullie zullen sterren worden, stuk voor stuk.'

'Ach, hou toch op,' zei Patrick.

'Nee, echt waar,' zei Lois. 'Ik wed om honderd dollar dat jullie drie voor het eind van het eerste jaar een eigen werkplek hebben.'

Waarin Richard het verder schopt in de wereld of, Het strand

De Hamptons, de Hamptons. Ach, wat kun je over de Hamptons vertellen? Tja, om te beginnen, niemand die daar werkelijk kwam (lees: een huis had, niet huurde, en niet alleen een huis had maar het al minstens twee generaties in de familie had, en die kon zeggen dat hij er als kind de zomer doorbracht), noemde het de Hamptons. Zoveel wist ik al. Blijkbaar viel je vreselijk door de mand als je de landtong aan de oostzijde van Long Island de Hamptons noemde; een teken dat je bij de nouveaux riches hoorde, de arrivisten, zoals klanten graag zeiden. Iemand een arriviste noemen was de ergste belediging. Het betekende dat ze niets voorstelde; iemand die je als een vlo met je vingers van je gebruinde, glanzende schouder op het strand van The Maidstone Club kon wegschieten.

De echte ingewijden (of degenen die heel erg goed konden doen alsof) refereerden slechts met *de oostkant* aan de Hamptons. Of gewoon met *het strand*. Dus daar waren we dan, op weg naar het strand, reizend met de Hampton Pendelbus, de laatste toevlucht voor degenen die geen privé-vliegtuig, helikopter of supergave cabriolet tot hun beschikking hadden. De pendelbus was een soort kruising tussen een limousine, een vrijgezellenbar op wielen, en de veredelde Greyhoundbus die het in werkelijkheid was. Een meisje in een korte short en een haltertop – het was augustus – liep door het gangpad met de gratis jus d'orange, flesjes water en een exemplaar van het tijdschrift *Hampton*, waar je recht op had met je buskaartje van zesentwintig dollar.

Patrick, Kathryn en ik waren op weg naar Southampton. Hoewel ik er nooit was geweest, had ik van klanten begrepen dat elke Hampton zijn eigen stijl had. In East Hampton kwamen de filmmensen. In Sagaponack, dat naast East Hampton lag, stikte het van de tijdschriftenuitgevers en televisiemensen; er was daar zelfs een strand dat de bijnaam mediastrand had en waar spottend over gesproken werd door degenen die daar als kind de zomer hadden doorgebracht, voordat de media daar neerstreken. Het enige wat nog deugde aan het mediastrand was het feit dat je er een glimp van een Kennedy kon opvangen. Zelfs in de blasé wereld van Jean-Luc was een glimp van JFK junior – vooral een glimp van een JFK junior met ontbloot bovenlijf – iets om bij weg te zwijmelen. Dan had je Bridgehampton nog, waar honderden moderne monstruositeiten (dat was de term die de klanten gebruikten) op aardappelvelden waren gebouwd – alsof er ruimteschepen waren geland – die het uitzicht bedierven. Sag Harbor was voor de schrijvers en kunstenaars want het was betaalbaar, althans volgens de normen van Hampton. En als laatste was er Southampton. De thuishaven van de roze met groene pakjes. Van het verbleekte LaCoste-shirt en de afgetrapte bootschoenen, en de privé-club waar je alleen lid van kunt worden als je Muffy, Binky of Buffy heet, net zoals je moeder en je grootmoeder en... nou ja, je snapt het wel zo'n beetje.
In de salon luisterde ik dag in dag uit naar klanten die over de Hamptons spraken. (Ik noem het de Hamptons, oké? Waarom doen alsof?)
'Suki Singers feest in Lily Pond Lane is dit weekend,' had een klant net de dag daarvoor verteld. Ik knikte bemoedigend en nam me in gedachten voor erachter te komen wie Suki Singer was, aangezien het duidelijk was dat ik verondersteld werd dat te weten.
'Het is een wit feest,' ging de klant verder.
Ik wist ook niet wat dat betekende. Ik vreesde dat het zou kunnen inhouden dat gekleurde mensen niet welkom waren.
'Misschien trek ik de minirok van Dolce aan met alleen maar een

simpel haltertopje,' mijmerde ze. 'Als ik mijn witte Gucci-broek aantrek komen er grasvlekken op.'
Het kaartje voor de pendelbus zou onze enige uitgave zijn dat Labor Day-weekend, want we waren uitgenodigd door Roxanne Middlebury, derde echtgenote van Edgar Middlebury, mij alleen bekend van de zwartwitfoto's van zijn glimmende kale hoofd op de societypagina's van *The New York Times*. Roxanne was, op een of andere manier, klant van ons allemaal. Kathryn gaf haar het sexy, in laagjes geknipte bobkapsel waar ze de voorkeur aan gaf, ik gaf haar honingblonde highlights en Patrick föhnde haar prachtige lange haar regelmatig in een sluike, glanzende volmaakte coupe.
We hadden het gemaakt, Patrick, Kathryn en ik; als dominostenen waren we een voor een, ogenschijnlijk zonder veel moeite en – zoals Lois had voorspeld – heel snel, op de werkvloer van Salon Jean-Luc terechtgekomen, waar we elk al snel een aanhang opbouwden. Patrick had in 'Best Bets' van het tijdschrift *New York* gestaan als de beste haarföhner van de stad. *W* had Kathryn 'een jonge styliste om in de gaten te houden' genoemd. En hoewel er over mij nog moest worden geschreven in een landelijk tijdschrift, was er iets gebeurd wat nog geweldiger was... voor mij in elk geval. Faith Honeycomb had me onder haar hoede genomen. Ze vond mijn werk goed, en ze was haar klanten naar mij door gaan sturen, want ze had er meer dan ze aankon. Ik had Sweetie, de receptionist, mij door de telefoon tegen een klant zelfs 'Faiths protégee' horen noemen.
'Denken jullie dat Roxanne ons komt ophalen?' vroeg Patrick. Hij zag er bijzonder adembenemend uit, een tikkeltje sjofel, met een baard van drie dagen en een honkbalpet van de New York Yankees (gekregen van de echtgenote van de manager van de club die een klant was) diep over zijn ogen getrokken. Ik bekeek zijn schoonheid met een zekere reserve, een met moeite verworven afstandelijkheid die ik me had aangeleerd om het verdriet dat ik in de buurt van Patrick voelde op afstand te houden. *Waarom?* klonk het altijd vanbinnen, een onhoorbaar gejammer. *Waarom moet je toch op jongens vallen?*
'Geen schijn van kans,' zei ik. 'Ze zal het dienstmeisje wel sturen.'

'Of de chauffeur,' zei Kathryn. 'Het dienstmeisje kan waarschijnlijk niet autorijden.'
'Daar zeg je me wat.'
'Weet je, ze vertelde dat haar huis een cottage was,' zei ik. 'Ze zijn zo rijk... het kan absoluut niet dat ze in een cottage wonen, toch?'
Kathryn lachte. 'Hier in het oosten betekent cottage iets anders,' zei ze. 'Je zult wel zien.'
Kathryn voelde zich duidelijk meer op haar gemak in de wereld van de klanten dan Patrick of ik. Ze wist hoe ze moest doen alsof ze een van hen was. Ze had veel liefdadigheidsevenementen bezocht aan de arm van Jean-Luc, en beschikte over de ietwat nonchalante houding van een meisje dat een canapé te veel heeft gezien.
'Hé, moet je Esme zien!' zei Patrick, hij bleef steken bij een bladzijde van *Hampton* waar hij vluchtig in had zitten bladeren. 'Wat hebben ze met haar haren gedaan?'
Esme, een model van Ford, natuurlijk een klant, had de hoofdrol in een modereportage die een eerbetoon leek te zijn aan Bo Derek in '10'. Ze lag uitgestrekt op een rotsachtig strandje in Montauk, met haar haar in talloze rijen vlechtjes gebonden.
'Die look staat gewoon niet bij een blanke vrouw,' zei Kathryn afkeurend. 'Maar het lichaam is geweldig.'
'Ja, en de lippen,' zei Patrick.
Het was me opgevallen dat iedereen in de salon, inclusief ikzelf, op deze manier over klanten, modellen vooral, spraken. Het gezicht. Het lichaam. De neus. De lippen. Alsof elk onderdeel gescheiden en los van de persoon was.
'Dokter Taylor,' zei Kathryn. Ze leek echt alles te weten.
'Collageen?' vroeg Patrick.
'Collageen,' zei Kathryn.
'Jullie nemen me in de maling! Hoe oud zou ze zijn... twintig?' zei ik.
'Je kunt er niet jong genoeg mee beginnen, volgens dokter Manfred Taylor,' zei Kathryn. Zij kon het weten. Manfred Taylor – kortweg Manny – was een klant van Kathryn (voorheen van

Jean-Luc) die 's morgens vroeg de salon binnenglipte om een centimeter van de paar resterende grijze haren op zijn hoofd te laten afknippen en ze donkerbruin te laten verven.
'Southampton,' kondigde de chauffeur van het pendelbusje aan toen we een teleurstellend klein parkeerterrein van een winkelcentrum opreden, waar alles Hampton genoemd werd: een sportschool: Sports Hampton, een stomerij: Clean Hampton, en een kleine delicatessenzaak: Food Hampton.
Samen met een heleboel andere passagiers stapten we uit de bus. Het was de vrijdagmiddag van het Labor Day-weekend en te oordelen naar het verkeer op de Long Island Expressway, was er niemand meer in de stad. Gebruinde, vitale mannen van in de dertig met gezichten die ouder leken, met dure sportshirts in kleuren waarin je een man uit New Hampshire nooit zou zien (lichtroze, fleurig lavendel) zetten hun zonnebril met spiegelglazen op en keken op hun Rolex, zich afvragend waarom hun vrouw niet in hun Mercedes station op hen stond te wachten. Meisjes van ongeveer onze leeftijd leken zich in groepen te verzamelen, zo nu en dan het soort hoge kreet slakend waardoor je je geneerde bij hetzelfde geslacht te horen.
'Groep-sharing,' zei Kathryn.
'Wat?'
'Nou, je weet wel. Ze zoeken met elkaar een huis... nooit een van de goede huizen... voor dertig-veertigduizend...'
'Dollar?' viel Patrick haar in de rede.
'Ja. En dan komen ze hier elk weekend om te proberen een rijke echtgenoot aan de haak te slaan.'
'Ik zou die daar graag onder handen nemen,' zei ik, wijzend naar een geblondeerde kroeskop.
Op dat moment kwam een zwarte Range Rover het parkeerterrein oprijden. De getinte ruit aan de chauffeurszijde ging naar beneden en Roxanne Middlebury in hoogsteigen persoon kwam tevoorschijn.
'Joehoe!' riep ze, zwaaiend met een hand waaraan een diamant schitterde die zo groot was dat hij er in de middagzon uitzag als

nep. Het was me opgevallen dat de meeste vrouwen die klant waren bij Jean-Luc in twee categorieën konden worden opgedeeld: degenen bij wie echte juwelen en haute couture er op de een of andere manier... tja, er is maar één woord voor: 'goedkoop' uitzagen; en degenen, die bij een broek van een ontwerper een geweldige top konden dragen, en als je hen dan vroeg waar ze die hadden gekocht, noemden ze met een geslepen glimlachje een of ander goedkoop warenhuis. Bij deze vrouwen zagen namaakjuwelen die ze in Soho of in een of andere exotische bazaar in het buitenland hadden gekocht eruit als het echte spul.

Maar helaas, Roxanne Middlebury behoorde niet tot de laatsten.

'Joehoe!' riep ze nog eens, ons gebarend naar haar toe te komen. 'Staan jullie al lang te wachten?'

We klauterden in haar auto, die naar nieuw leer rook en – ondanks de peutertweeling van Roxanne – min of meer brandschoon was.

'Sorry,' zei ze, terwijl ze handig achteruitreed om vervolgens met piepende banden rechts af te slaan, Route 27 op. 'Carlos, dat is onze chauffeur, moest Nicky en Nora ophalen in Wainscott waar ze bij een vriendje aan het spelen waren, en Rosa kan niet autorijden, en ik moest eerst mijn Pilatesles afmaken, anders had mijn trainer me vermoord!'

'We hebben nauwelijks staan wachten...' mompelde Kathryn.

'Maar ik ga het goedmaken met jullie,' zei Roxanne. Vanaf de achterbank kon ik een paar minuscule putjes zien waar haar verder prachtige dijen op de leren bekleding rustten. Ze zou het afschuwelijk gevonden hebben, als voormalig aerobicslerares, en onmiddellijk een afspraak voor liposuctie hebben gemaakt.

'We vinden het zo geweldig hier te zijn, Roxanne,' zei Patrick. 'Je hoeft niet...'

'Ik heb drie extra kaartjes voor het liefdadigheidsfeest van morgen!'

Patrick stootte me even aan met zijn been. We hadden min of meer een rustig dagje aan het strand gepland. Ik had niet eens iets moois meegenomen om aan te trekken.

'Wat voor liefdadigheid?' vroeg Kathryn, een geeuw onderdrukkend. 'Sorry, er was te weinig zuurstof in het pendelbusje.'
'Le Chic Chien,' zei Roxanne, terwijl ze de snelweg afreed en een zonbespikkelde straat met mooie, bescheiden huizen in sloeg.
'Wat is dat?'
'Le Chic Chien,' zei Roxanne nog eens, alsof we daar natuurlijk allemaal van gehoord hadden.
'De chique hond?' vroeg Patrick.
'Ja, is het niet enig? Het is een modeshow voor honden!'
Buiten de getinte ruiten begonnen de huizen groter te worden, de grasvelden uitgestrekter, vlak gemaaid en groen.
'Ik trek Fang een Burberry-regenjas aan,' zei Roxanne. Ik had foto's van Fang gezien in de salon; een klein wit Maltezertje met een roze snuit. Roxanne had me op een dag Fangs foto laten zien toen ze in de stad was om haar portret te laten maken... samen met haar hond.
'Wauw,' zei ik. Wat moest ik anders zeggen? Thuis in New Hampshire hadden honden meestal een doel: jagen, beschermen, blinden geleiden, noem maar op. Oké, pluizige witte honden die niet groter waren dan een buidelrat kregen dus kleren aan die ik mezelf niet eens kon permitteren. 'Zijn er ook hondjes die Calvin Klein dragen?' vroeg ik, een beetje lacherig.
'Tja, Calvins hond, denk ik,' zei Roxanne bedachtzaam. 'Maar zou het geen giller zijn als Calvin zijn hond in, laten we zeggen, Marc Jacobs liet lopen?'
Ze knipte haar richtingaanwijzer uit en reed een wat ik dacht andere straat in, totdat de hekken die achter ons dichtgingen me duidelijk maakten dat het haar oprijlaan was.
'Daar zijn we dan,' jubelde ze.
Patrick stootte nog harder tegen mijn been aan. Begrijp me niet verkeerd. We vonden Roxanne Middlebury aardig. In een salon vol vrouwen met kapsones, vrouwen die kapsones hadden en ons behandelden alsof we bedienden waren, was Roxanne echt. Ze was gewoon zichzelf. Wat om precies te zijn; betekende een ex-aerobics-instructrice die het geluk had (heel onverwachts, moet

ik erbij zeggen) de ongelooflijk lucratieve positie van derde echtgenote – en tweede echtgenote als trofee – van Edgar Middlebury te veroveren. Met name Edgar Middlebury van dé Middlebury's, die al zo lang geld in de familie hadden dat het zich alleen maar hoefde te vermenigvuldigen.

Maar eerlijk gezegd hadden we geen idee gehad. Niet echt. Want als je foto's van landgoederen in tijdschriften ziet, heb je geen benul van de onmetelijkheid of schaal ervan. We reden onder een hoge heg door die in de vorm van een soort brug was geknipt, en langs zwanen die in een vijver dreven. Een tuinman reed over een enorm grasveld op een grasmaaier met de afmetingen van een kleine tractor.

Cottage, zeg dat wel.

Roxanne hield stil, eindelijk, voor de met houtsnijwerk versierde deuren van een huis dat me deed denken aan een Frans kasteel.

'Wie woont daar?' vroeg ik, wijzend naar een ander, even prachtig huis dat, gezien de schaal van alles, nogal dichtbij leek te staan.... wat gewoon betekende dat ik het kon zien.

'O, dat is het gastenverblijf,' zei Roxanne. 'Daar logeren jullie.'

Ik haalde mijn weekendtas – een zwarte Le Sportsac die heel leuk had geleken toen ik hem bij Bloomingdale's had gekocht – achter uit de Range Rover. Nu zag hij er zielig uit, misplaatst tegen de achtergrond van de grote stenen trappen van Château Middlebury.

'Carlos zal jullie spullen naar het gastenverblijf brengen,' zei Roxanne. 'Kom binnen. Dan geef ik jullie een rondleiding.'

De koude lucht van de airconditioning overspoelde ons toen Roxanne de deuren opendeed en ons naar binnen dirigeerde. De hakken van haar bronskleurige muiltjes tikten over de zwart-witte marmeren vloer.

'Mooi huis,' zei Kathryn. Ik zag haar ogen over een enorme prent van Marilyn Monroe glijden, die de hal domineerde. Hij zag er bekend uit, alsof ik er misschien een foto van had gezien in een boek over kunst.

'Andy Warhol,' zei Roxanne.

'Ongelooflijk,' zei Patrick.
'Dit is de bibliotheek,' zei Roxanne, terwijl ze een ovaalvormig vertrek met glazen plafond binnen klikklakte. 'We hebben het gebouwd naar het voorbeeld van de Tempel van Dendur. Je weet wel, in het Metropolitan Museum?'
We knikten, maar alleen Kathryn leek zo'n beetje te weten waar ze het over had. Een tempel? Ik wist niet dat de Middlebury's joods waren.
De wanden van de bibliotheek waren bedekt, van de vloer tot aan het plafond, met in leer gebonden boeken. Dit maakte – meer dan het schilderij van Marilyn Monroe – grote indruk op me. Er stonden genoeg boeken voor een heel leven. Nee, meerdere levens. Ik stelde me generaties van Middlebury's voor, gezeten in hun bibliotheek in oude leren fauteuils voor een knapperend haardvuur, die deze boeken aan hun kinderen en kleinkinderen doorgaven. Ik liet een hand langs de boeken glijden en begon er een uit te trekken, maar er kwam geen beweging in.
'Neeee!' gilde Roxanne.
Ik bleef geschrokken staan, mijn vingers verstijfd in de lucht. Wat had ik gedaan? Had ik een of andere afgrijselijke blunder begaan? Ik pijnigde mijn hersenen voor iets wat ik misschien in *A Debutante's Guide to Life* had gelezen over het niet aanraken van boeken.
'Ze zijn niet echt!' zei Roxanne, zichtbaar geschokt.
'Hoe bedoel je?'
'Het zijn alleen maar – hoe noem je dat? – de banden,' zei Roxanne. 'Onze binnenhuisarchitect vond de hele bibliotheek ergens in Engeland, maar we wilden al die boeken hier niet naartoe laten sturen... stel je voor wat dat zou kosten! Dus in plaats daarvan hebben we de banden eraf laten halen.'
We keken haar aan, verbijsterd.
'Het is niet erg,' zei Roxanne, met één hand tegen haar weelderige boezem. 'Er is niets ergs gebeurd. Kom... laten we de rest van het huis bekijken.'
De rondleiding door het huis duurde ruim een uur. Je had de

openbare vertrekken, natuurlijk: het bleek dat de bibliotheek, de woonkamer en de grote hal de openbare vertrekken van de openbare vertrekken waren, bedoeld voor de vele evenementen die de Middlebury's, gezien hun sociale positie, verplicht waren te organiseren. Er was een aparte keuken speciaal voor deze vertrekken, en terwijl Roxanne er middenin stond, was het me duidelijk dat ze bijna nooit in deze keuken kwam. Waarschijnlijk had ze niet eens iets met de cateraars te maken. Ik herinnerde me dat, toen de uitnodiging kwam om het weekend bij de Middlebury's door te brengen, dit via Roxannes persoonlijke assistent ging.
'Ik vind de gordijnen in de woonkamer prachtig,' zei Kathryn.
'Wat?' Roxanne was even van haar stuk gebracht. 'O, je bedoelt de raamarrangementen. Jad is geniaal, vind je niet?'
'Jad?' vroeg Patrick.
'O, je kent Jad toch wel,' zei Roxanne. Roxanne was blijkbaar een van die mensen die dachten dat alle homoseksuelen elkaar kenden. 'Jad Michaels?' voegde ze er behulpzaam aan toe. 'Hij heette eigenlijk Michael Wasserman, voordat hij zijn naam veranderde.'
'Het zegt me niets,' zei Patrick.
'Nou ja, hij komt morgen ook bij het liefdadigheidsevenement,' zei Roxanne.
We liepen achter Roxanne aan naar de familievleugel van Château Middlebury. Nog een woonkamer en een bibliotheek, hoewel deze bibliotheek leek te zijn uitgerust met echte boeken. Ik was er niet helemaal zeker van... maar ik zou niet proberen erachter te komen. Op de planken van de bibliotheek, evenals op de verspreid staande bijzettafeltjes met ingelegd mozaïek, die eeuwenoud leken, stonden souvenirs van de familie Middlebury uitgestald. Hier, een foto van Edgar Middlebury met zijn arm om een in smoking gestoken Ronald Reagan heen. Daar, een recentere foto van Edgar en Roxanne dansend met Barbra Streisand en Ted Kennedy. Ik wist niet precies waar ik ze wat politiek betreft moest plaatsen. Waren de Middlebury's republikeinen? Democraten? Of gewoon vrienden van de beroemdheden? En, als klap op de vuurpijl, een ingelijste foto van Eddie Murphy geflankeerd

door de peuters Middlebury, die recht boven de barokke gebeeldhouwde open haard hing.

We liepen de enorme woonkamer in.

'Dat was Edgars eerste antieke stuk.' Roxanne wees naar een mahoniehouten bijzetmeubel. 'Hij kocht het toen hij eenentwintig was. Vijfenzeventigduizend dollar, en hij bewaarde er zijn boxershorts in. Kun je het je voorstellen?'

We schudden ons hoofd. Dit was in elk geval waar. We konden het ons niet voorstellen. Ik liep achter Roxanne aan de trap op, bang dat mijn versleten sandalen sporen zouden achterlaten in het weelderige roomkleurige tapijt; het was zo gestofzuigd dat onze stappen indrukken achterlieten, alsof we op pasgevallen sneeuw liepen. Roxanne liep te praten, en hoewel ik bleef knikken en deed alsof ik luisterde, was ik met mijn gedachten zeshonderd kilometer noordelijker. Ik wenste dat ik een verborgen camera had – of in elk geval een taperecorder – zodat ik dit met Doreen kon delen. Ik bedoel, dit zou ze nooit geloven. Ik had haar de vorige dag gebeld om haar te vertellen dat ik dit weekend bij een klant thuis was uitgenodigd.

'Welke Roxanne?' had Doreen gevraagd. Mijn moeder las de glamourpagina's nooit. Zij las veel liever de politieberichten in de *Weekeepeemie Register.*

'Middlebury,' zei ik. 'Roxanne Middlebury. Een van de oudste families in New York.'

'Niet om het een of ander, maar waarom nodigen ze jou uit voor het weekend?' vroeg Doreen.

'Hoe bedoel je? Ze vindt ons aardig.'

'Hmm,' zei Doreen vaag. 'Nou, vertel me er maandag alles maar over.'

Terwijl Roxanne voor ons uit de grote trap opliep, zag ik een enorme staande klok die op de overloop stond. Volgens de gouden wijzers van filigrein was het kwart over vijf. Doreen was waarschijnlijk bezig met haar laatste klanten van die dag. De oude mevrouw Appleby? Of misschien Jane Clark, die regelmatig op vrijdag kwam voor wassen en een watergolf die het hele weekend zou houden. Even voelde ik me eenzaam, een kille scherpe pijn tussen mijn schouderbladen. De lucht in het huis van de Middlebury's voelde te schoon. Het was gezogen, gestoft, gepoetst en gewreven tot er niets meer over was van het vlees en bloed dat hier had gewoond.

Na de slaapkamers (hemelbedden, gesteven wit linnen met als monogram het familiewapen van de Middlebury's), de kinderkamers (muurschilderingen van boerderijdieren, compleet met echte antieke schuurdeuren die als je ze opende nog een muurschildering lieten zien van de dakspanten en de koeien), de ouderbadkamer (twee bidets) en een gastenvleugel die – omdat er een gastenverblijf was – nooit was gebruikt, voorzover Roxanne wist, stonden we weer buiten, en liepen we voorzichtig over een grasveld dat zo glad was gemaaid, dat het wel kunstgras leek.

Roxannes hakjes lieten kleine gaatjes achter in het gras, alsof er golftees in waren gestoken. Terwijl we achter haar wiegende heupen aan naar het gastenverblijf liepen, vroeg ik me af of haar bruine kleur echt was. Zou ze uit ijdelheid het risico nemen haar huid voortijdig te laten verouderen? Of was er een zelfbruiner die zo'n goudbruin en natuurlijk resultaat gaf?

'Mijn masseuse komt om zes uur,' zei ze over haar schouder, 'als jullie ook een massage willen als ik klaar ben, dan kan dat.'

Ze schoof de zware glazen deuren op de begane grond van het gastenverblijf open – of liever, het minilandgoed voor de gasten – en we betraden een professionele fitnessruimte die zo groot was en zo goed uitgerust dat het een professionele sportschool leek.

'Dit heeft Edgar voor me laten bouwen,' zei ze.

Ze drukte op een knop naast de deur en er klonk muzak door het vertrek.

'Dit is het mooiste van alles,' zei ze en ze leidde ons naar een beslagen glazen deur. Patrick deed hem open en zelfs de mond van Kathryn viel open. Binnen was een zwembad – misschien wel van olympische afmetingen – met daarboven een glazen plafond in de vorm van een schelp, dat open kon.

'Als je wil zwemmen en de sauna in wil, ga je gang,' zei Roxanne.

Door de vochtigheid van het overdekte zwembad was haar steil geföhnde haar een beetje gaan pluizen. 'Jullie hebben toch wel zwemkleding meegenomen? Anders heb ik genoeg.'
Het was onmogelijk Roxanne niet aardig te vinden, of haar iets van haar geluk te misgunnen. Ze was gewoon een groot blij kind dat in de snoepwinkel van haar dromen was beland. En ze wilde delen. Met ons. Ze was gul van aard, die Roxanne. Ik voelde me gezegend en een geluksvogel, het eerdere gevoel van eenzaamheid ebde weg.
'Trouwens,' zei Roxanne. 'Ik zou het bijna vergeten. Morgen? Voor het liefdadigheidsfeest? Denken jullie dat je iets kunt met deze oude bos haar van me?' Ze vertoonde een glimlach waar elke tandarts aan Park Avenue trots op zou zijn. 'Wat dachten jullie van morgenochtend elf uur?'
'Dat is goed,' zei Patrick. Had hij dit verwacht?
'Elf uur, afgesproken,' zei Kathryn. Natuurlijk, dit hadden ze allebei aan zien komen.
'Georgia?' Roxanne keek me aan. 'Denk je dat je me een of twee flinke highlights van die geheime formule van je kunt geven?'
'Natuurlijk,' stamelde ik. 'Absoluut.'
Ze knipoogde naar me. 'Ik wíst dat die formule in die grote nylontas van je zat.'
Ik glimlachte en hoopte dat ik er niet zo bang uitzag als ik me voelde. Ik had geen idee wat ik moest doen.

De bovenverdieping van het gastenverblijf van de Middlebury's was net zo goed uitgerust als een viersterrenhotel. Niet dat ik ooit in een viersterrenhotel geweest was, maar ik had een paar van de kamers gezien in *Lifestyles of the Rich and Famous*. Drie slaapkamers met een eigen badkamer waren identiek ingericht, maar elk in een andere kleur. Op de deur van elke slaapkamer hing een keramieken bordje waarop stond DE ROZE KAMER, DE PAARSE KAMER en DE RODE KAMER.
Patrick wilde de paarse kamer hebben, Kathryn was de roze kamer ingelopen en voor mij bleef de rode kamer over. Ik deed de deur

achter me dicht en ging op de rood met rode sprei zitten en staarde naar het rode brokaat dat voor de ramen hing. Ik ging op mijn rug op het bed liggen en keek naar de rode franje van de hemel boven het bed. Ik had het gevoel alsof ik in een bordeel was. Of misschien in iemands ingewanden. De kleur was genadeloos, onmogelijk. Ik deed mijn ogen dicht en zag nog steeds overal rood.

Kathryn klopte op mijn deur en deed hem toen op een kiertje.

'Hé, kan ik met je ruilen?' vroeg ze. Maar toen keek ze om zich heen. 'O. Laat maar zitten.'

'Tja.'

Ze liet zich naast me op het bed vallen. 'Wauw. Het lijkt wel bloed,' zei ze. 'Mijn kamer lijkt net braaksel. Dit is absoluut erger.'

'Wist je dat ze dat van plan was?' vroeg ik.

'Wat?'

'Dat ze ons zou vragen...'

'Waarom denk je dat ik mijn schaar heb meegenomen?'

'Ik wist het niet.'

'Wat dacht je dan?' vroeg Kathryn, ze beet op de nagel van haar duim. 'Dat ze ons... haar kappers... zomaar uitnodigde tijdens een van de belangrijkste weekendjes van de zomer?'

'Ik denk het. Ik weet het niet. Ik weet niet wat ik dacht.' Ik deed mijn ogen weer dicht. 'Waarom heb je het niet tegen me gezegd?'

'Ik dacht dat je het wist,' zei Kathryn.

Ik rekte me uit en zuchtte. Telkens als ik ergens kwam waar ik dacht dat ik wilde zijn, leken er geheime signalen te zijn, dubbele boodschappen; een ingewikkelde code die ik nog steeds niet had gekraakt. Misschien was het net zoiets als skiën. Of tennis. Of een van de andere sporten waar de klanten hun kinderen op deden als ze drie of vier jaar oud waren. Misschien was ik gewoon te laat met het spel begonnen om het nog te leren.

'Tja, je kunt voor morgenochtend elf uur maar beter iets verzinnen,' zei Kathryn. 'En anders kun je je biezen pakken.'

'Bedoel je dat ze me eruit zal schoppen?'

'O, daar is ze waarschijnlijk te beleefd voor,' zei Kathryn. 'Maar ze zou ongelooflijk pissig zijn.'

'Hou op,' kreunde ik. 'Oké, oké. Ik ga even een eindje om.'
'Dan mis je je massage.'
'Ja zeg, alsof ik nu op een tafel kan liggen en me ontspannen.'
'Waar ga je naartoe?'
'Naar hèt dorp.'
'Dat is minstens anderhalve kilometer verderop!'
'Ik kom uit New Hampshire,' zei ik. 'Ik denk dat ik dat wel aankan.'

De drogisterij in Southampton bleek elke mogelijke haarkleur op voorraad te hebben. Planken vol doosjes waarop blonde, bruine, en roodharige modellen stonden. De verschillende merken stonden naast elkaar, bijna identieke kleuren, alleen verschillend van naam: korenblond, honingblond, zomerblond, koperglans, ravenzwart. Ik wist zeker dat de modellen die voor deze verpakkingen poseerden de middelen nog nooit hadden gebruikt. Ik had persoonlijk de highlights gedaan bij de blondine op een van de doosjes en had daarvoor heel wat anders gebruikt.
Ik bleef langs de planken lopen. Onder de tl-buizen van de winkel zagen de mensen in Southampton er net zo uit als andere mensen. Nou ja, bijna alle andere mensen. De twee magere meisjes met dezelfde Fendi-handtasjes, met haar dat zo blond was dat het bijna wit leek, hadden allebei een yorkshireterriër in hun armen met bijpassende roze strikjes in hun vacht. Ik vroeg me af of ze van plan waren de volgende dag naar Le Chic Chien te komen. Maar over het algemeen vond ik de drogisterij geruststellend. Ik had met mijn ogen kunnen knipperen om me weer in New Hampshire te wanen, tussen de Head 'n Shoulders-shampoo, voordeelpakken Pampers en rijen tijdschriften die meer van het kaliber van *The National Enquirer* waren dan van de *Vogue*.
Ik dwaalde door de gangpaden, me verloren en alleen voelend, om maar te zwijgen van hopeloos stom en naïef. Wat had ik verwacht? Dat een vrouw als Roxanne een gediplomeerde schoonheidsspecialiste uit Weekeepeemie onder haar hoede zou nemen? Dat ze me echt áárdig vond? Nee. Ze had me nodig. Ik was net zo

belangrijk voor haar als haar nieuwste perfecte highlight. En dus zwierf ik doelloos door de drogisterij tot ik precies datgene vond wat ik zocht. Een blauw met wit doosje blonderingscrème. Het was bedoeld voor kleinere klusjes – wenkbrauwen, bovenlip – maar het zou volstaan. Ik had meer aan dit product – waarvan ik de werking kon controleren – dan aan de andere haarkleurmiddelen die, gezien de hoeveelheid highlights die Roxanne Middlebury al in haar haar had, rampzalige gevolgen konden hebben. Een paar flinke highlights is wat ze wilde, en die zou ze krijgen. Behalve de blonderingscrème kocht ik een plastic flesje waar ik het scherp ruikende blondeermiddel in wilde doen. Ik stopte het pakje onder in mijn rugzak en bad vurig dat Roxanne er nooit achter zou komen.

De volgende dag was het warm en vochtig weer, en het terrein van High Bridge Farm lag in de middagzon te zinderen. Vochtig was het juiste woord. Vochtig. De vloek van zowel kappers als klanten. Eigenlijk was het hopeloos. Hoe volmaakt gehighlight (de blonderingscrème had zijn wonder verricht), hoe sluik geföhnd en glanzend het ook was, Roxanne Middlebury's haar zou meer op dat van een schapendoes lijken dan op dat van een fotomodel. Vandaar de hoed: roze, met een brede rand, gemaakt van het mooiste gevlochten stro, die ze als een vliegende schotel boven op haar hoofd had. En Roxanne was niet de enige. Terwijl we van haar auto naar de tent liepen, waarin honden en inwoners van de Hamptons stikten van de hitte, zag ik tientallen pastelkleurige hoeden, met daaronder slechts een minimale hoeveelheid haar – een randje van een pony, een slaphangend lokje – dat aan de elementen werd blootgesteld.

'Waarom?' jammerde Roxanne. 'Waarom, o waarom moet het nu zo heet zijn?' Door haar zuidelijke accent klonk het waarom als het gejammer van een baby.

Ze zweeg even toen een andere vrouw met een hoed op bleef staan om gedag te zeggen. Hun hoeden botsten met de randen tegen elkaar toen ze probeerden elkaar de drie kussen op de wang te geven die dit seizoen in de mode waren.

'Schat! Je ziet er fantastisch uit,' zei Roxanne tegen de betreffende dame, die er allesbehalve fantastisch uitzag. Ze was een gedrongen vrouw met een plat gezicht wier miniatuur mopshond aan zijn Hermès-riem stond te rukken. Degene die beweerde dat honden en eigenaars op elkaar lijken kan wel eens een ontdekking hebben gedaan.

'Ariana, mag ik je aan mijn kleurspecialiste Georgia voorstellen,' zei Roxanne. 'En mijn styliste, Kathryn. Ze zijn van Jean-Luc.'

De vrouw glimlachte kil, haar ogen dwaalden onmiddellijk af naar boven ons hoofd. Toen wankelde ze weg, de hakken van haar Manolo's verdwenen in het zachte groene gras. Roxanne greep mijn arm en kneep er even in.

'Ariana Arianopolis,' fluisterde ze.

Ik keek haar wezenloos aan.

'Reders,' legde ze uit, alsof ze tegen een kleuter sprak. 'Gríékse reders.'

'Natuurlijk,' zei Kathryn.

In scherp contrast met de dames op het liefdadigheidsevenement was het Kathryn op de een of andere manier gelukt er koel uit te zien. Ze droeg een eenvoudige strakke jurk in de kleur van bananenslagroomtaart, waarbij haar lichtblonde haar volmaakt afstak. Zoals veel kappers had Kathryn haar waar je bijna niets aan hoefde te doen. Het was niet geverfd (hoewel ze tegen klanten die het vroegen zei dat ze highlights had) en zelfs op een vreselijke dag als deze bleef het glad en sluik. Ze droeg slippers aan haar gebruinde voeten en slaagde er op de een of andere manier in ze supertrendy te doen lijken.

'Picknickmandchic,' mompelde Patrick toen we de tent binnengingen. De muziek die klonk – het kon niet waar zijn – was de soundtrack uit *101 Dalmatiërs*. Patrick wees met zijn kin naar een schare vrouwen van veertig plus die op een kluitje stonden, met rokken van precies dezelfde lengte, hun ouder wordende, gebruinde knieën nog net zichtbaar. Ze hadden allemaal een tas bij zich die op een picknickmand leek: van riet, voorzien van felgekleurde tropische prints.

We liepen naar het buffet, waar hondenvoerbakken met kipsalade en crackers in de vorm van een bot op ons stonden te wachten.
'Ik zie jullie straks weer,' zei Roxanne, terwijl ze abrupt in de menigte verdween. Ik zag hoe ze naar het plankier liep, waar de honden werden verzameld. Zou ze Fang echt bij een temperatuur van 33 °C in een Burberryjasje steken?
'Tjonge, ze kon niet wachten om van ons af te komen,' zei Patrick die kauwde op een hondencracker. 'Ik denk dat we niet meer nodig zijn.'
'Tja, het is cool om met je stylist om te gaan, maar tot op zekere hoogte,' zei Kathryn. 'Ze zou het nu niet eens merken als we gewoon vertrokken en met de volgende pendelbus naar huis gingen.'
We zagen hoe Roxanne in de lucht kuste bij een graatmager lid van de beau monde met glanzend witte tanden.
'O, mijn god,' flapte ik er plotseling uit.
'Wat is er?' Ze draaiden zich alletwee naar me om.
'Is dat niet...'
'O, mijn god,' echode Patrick.
Op slechts zes meter afstand van ons stond Richard. Hij droeg een ivoorkleurige linnen broek en een volmaakt passend zwart T-shirt. Hij droeg zijn haar in de voor hem kenmerkende platinablonde paardenstaart en je kon zijn diamanten oorknopje zien, zelfs vanaf waar wij bij de canapés stonden.
'Wat doet hij hier in godsnaam?' vroeg Kathryn.
'Ik heb geen idee,' zei Patrick.
'Misschien doet zijn hond mee aan de show?' stelde ik voor.
'Ja, hoor.'
Op dat moment kwam de reden voor Richards aanwezigheid bij Le Chien Chic, het antwoord op onze vraag, het missende stukje van de puzzel, vanachter de bruisende persoonlijkheid van Richard tevoorschijn en werd zichtbaar.
'Nee...' zei Kathryn geschokt.
'Onmogelijk.'
Jane Cooke. Oftewel, Jane Huffington Cooke, de op vier na rijk-

ste vrouw van Amerika, volgens *Forbes* en de roddelpagina's van *Women's Wear Daily*. Ik wist dit, want om een topkleurspecialist in New York te zijn was het van cruciaal belang om te weten wie rijk, beroemd of op enigerlei andere manier belangrijk was (als iemand al een belangrijk iemand kon zijn zonder dat hij rijk of beroemd was) en ik bestudeerde nu de pagina's met financieel nieuws en nieuws van de hogere kringen, zoals ik ooit het tijdschrift *People* bestudeerde. Hoe dan ook, Jane Cooke hing aan Richards arm, of misschien kun je beter zeggen dat hij aan haar hing, als een sieraad, een glimmend, onmogelijk over het hoofd te zien, schitterend opzichtig geval dat de gonzende menigte – al was het maar voor een fractie van een seconde – het zwijgen oplegde, om vervolgens als een zwerm opgewonden bijen nog luider te gonzen.

'Maar hij is homo,' zei ik. Mijn naïviteit ten opzichte van homoseksuele mannen was eindelijk verdwenen, samen met mijn hoop en dromen als het ging om Patrick. Ik had de indruk dat elke man in de schoonheidsindustrie homoseksueel was.

Kathryn keek me aan met een blik die zowel meelevend als verbaasd was.

'Ja?' zei ze. 'En?'

Richard zag ons vanaf zijn plek aan de zijkant van de tent en trok één wenkbrauw op, terwijl hij ons de rug toedraaide en Jane Huffington Cooke heel behoedzaam in de richting van de bar leidde. Ze was – er is geen enkele manier om dit vriendelijk te zeggen – ronduit alledaags. Geen opknapbeurt kon iets voor haar doen. Haar chique, gehighlighte bob, haar Chanel-zonnejurk en kolossale, schildpadzonnebril verergerden het alleen maar, want het leek alsof het allemaal bij een heel andere vrouw hoorde en op de een of andere manier per vergissing op haar brede, vlezige lichaam was terechtgekomen.

'We moeten hem even gedag gaan zeggen,' zei Kathryn.

'Ben je gek geworden?'

'Nee, dat moeten we echt gaan doen,' zei Patrick, met een ondeugend glimlachje.

We liepen zigzaggend tussen de dames met de hoeden door, hun gezichten glommen, zweetdruppeltjes ontsnapten vanonder lagen zorgvuldig aangebrachte foundation en compactpoeder. Diverse dames (en een paar van de transpirerende heren) waren klant van de salon, maar als ze ons herkenden dan lieten ze dat niet merken. Hun blikken gleden over ons heen, koeltjes beoordelend, geen moment de stroom van badinerende opmerkingen onderbrekend. *Heb je het in zijn privé-filmzaal gezien?* Ik wrong me voorbij een vrouw die drie keer per week bij Jean-Luc kwam. En nog één. *We sturen Alice naar Genève om de middelbare school af te maken. De scholen hier zijn achteruitgegaan, vind ik. Veel parvenu's.* Eindelijk bevonden we ons vlak achter Richard, zo dichtbij dat ik de citrusgeur van zijn aftershave kon ruiken.
'Dames en heren,' kondigde een vrouw in een gestreepte jurk met een bijpassende gestreepte hoed plotseling vanaf het U-vormige plankier aan, alsof we in Bryant Park zaten. 'Ik stel u de spectaculaire honden van Le Chic Chien voor, samen met hun even spectaculaire eigenaars!'
De microfoon krijste toen ze opzij stapte en plaatsmaakte voor de hondenparade. Een briard gehuld in het knalrood van Azzedine Alaia liep voorop. Een bijon volgde daarna in een zwierige gele regenjas uit de nieuwe collectie van Marc Jacobs. Een bruine middelgrote poedel drentelde over het plankier met een zijden gewaad van La Perla rond zijn (haar) middel geknoopt. De baasjes namen de modeshow duidelijk heel serieus. Ze behandelden hun dieren als beroepsmodellen, alsof dit zo'n beetje de Westminster Hondenshow was. Roxanne verscheen met Fang in zijn Burberry, zijn roze tongetje hing uit zijn bek en ik hoopte maar dat het geen teken van uitdroging was.
Kathryn tikte Richard op zijn perfect getrainde biceps. Hij deed net alsof hij het niet merkte, dus ze tikte nog eens. Hij draaide zich naar ons om, samen met Jane Cooke.
'O, hallo,' zei hij gladjes. 'Bonjour.'
'Wat een verrassing,' zei Kathryn, 'om jou hier te zien!' Ze was onbevreesd; ze had hier gewoon lol in.

'Eigenlijk,' zei Richard, 'is het een behóórlijke verrassing júllie bij dit evenement te zien.'
'We zijn hier met Roxanne Middlebury,' zei ik. Ik wist niet dat ik het in me had. Roxanne was van Richard op mij overgestapt en ik wist dat hij het vreselijk vond.
Zijn ogen schitterden. 'Schat,' zei hij tegen Jane Cooke. 'Ik wil je graag voorstellen aan een paar... personeelsleden... van de salon.'
'We zijn niet bepaald...'
'Patrick, Kathryn, Georgia,' zei Richard. 'Mag ik jullie mijn verloofde, Jane, voorstellen.'
Ze drukte zich nog dichter tegen hem aan. Van dichtbij kon ik de verraderlijke gladheid van haar spiegelgladde voorhoofd zien. Ze had een ooglift gehad. Daardoor had ze een voortdurend verbaasde blik.
'Nee, maar!' zei Kathryn. Het was de eerste en de laatste keer dat ik haar ooit met stomheid geslagen heb gezien. 'Nou! Wanneer is dit... we zouden het toch gelezen moeten hebben...'
'Net gisteravond,' zei een blozende Jane Cooke.
'Gefeliciteerd,' zei Patrick.
'Ja, ja. Gefeliciteerd.'
'Ah,' zei Richard en zijn ogen gleden over onze hoofden heen. 'Schat, daar heb je C.Z. en Cornelia.'
'Guest? Cornelia Guest?' zei ik.
'Excuseer ons, alsjeblieft,' mompelde Jane toen ze in de wervelende draaikolk van de menigte verdwenen.

Doreen komt op bezoek

Er was een jaar voorbijgegaan. Toen nog een, en misschien nog een. In de wereld van Jean-Luc gingen de dagen in elkaar over, de weken losten op in een waas van haardrogers, chemicaliën, Franse popmuziek en het ritme van de dames, de eindeloze parade van dames die de deuren van de salon binnenkwamen. De trend veranderde met het seizoen (rood is het nieuwe blond! Pony's zijn in! Krullen zijn uit!) en een nieuwe generatie klanten verscheen toen moeders hun dertienjarige dochters meenamen.

Een bezoek aan de salon leek een overgangsrite te zijn die overeenstemde met de bar mitswa of de communieplechtigheid. Die meisjes zaten in onze stoelen, een en al slungelige, gladde ledematen, wangen zonder acné (dankzij de dermatologen), met voor het eerst folie en chemicaliën in hun maagdelijke haar, terwijl hun moeders straalden van trots onder de warmtelampen, waar ook zij hun kleur lieten bijwerken. Ik bedoel, waarom zou je niet meerdere dingen tegelijk doen als je de kans kreeg? Hier kon de klant a) kwaliteitstijd aan haar dochter besteden, b) haar eigen haar laten doen, en c) haar haarkleur zoveel mogelijk op die van haar dochter doen lijken. *Georgia, schat? Zie je hoe Zoe's haar die contrasten heeft tussen die donkerblonde en lichtere, blonde plukken? Kun je dat bij mij ook doen?*

Maar voor het overgrote deel, terwijl de jaren voorbijgleden als de bladzijden van een kalender, veranderde de salon geen haar (als je het zo wilt zeggen). Zo nu en dan, tijdens een personeelsvergadering, kwam een ongelukkig schepsel met een nieuw idee. Wat dachten jullie van gordijnen tussen de werkplekken, voor de privacy? Is het een idee om de salon eens een andere kleur te geven? 'Idioot!' brulde Jean-Luc dan. Het woord klonk zoveel mooier met een Frans accent – zowel minder grof als beledigender dan zijn Engelse tegenhanger. 'Als iets het goed doet, waarom zou je het dan willen veranderen?'

Het zou zwak zijn uitgedrukt om te zeggen dat de salon het goed deed. Hij bloeide, barstte bijna uit zijn voegen. Jean-Luc had het bijna onmogelijke voor elkaar gekregen: hij had een salon geschapen die zowel exclusief als enorm populair was. De populariteit had niets afgedaan aan zijn aantrekkingskracht op snobs. De dames vonden het enig om elkaar tegen te komen in hun wijnrode gewaden, hun natte hoofd in een handdoek gewikkeld. Wat Jean-Luc ontdekt had was iets wat mijn moeder, thuis in New Hampshire, altijd al had geweten: de schoonheidssalon was een club, het equivalent van een avondje poker met de mannen. Er werden zaken gedaan, contacten bij particuliere scholen uitgewisseld, zoons aan dochters gekoppeld, binnenhuisarchitecten aanbevolen. Waar anders zouden Muffie Von Hoven en Tamara Stein-Hertz naast elkaar op het muurbankje zitten terwijl hun nagels droogden? Muffie, uit het oosten van de stad, Tamara uit het westen. Muffie – behoeft het toelichting? – een typische Amerikaanse uit Old Greenwich. Tamara, een joodse uit Short Hills. Deze twee dames – het is nu bijna een historische gebeurtenis – ontmoetten elkaar, kregen een band, wisselden telefoonnummers uit (thuis, kantoor van hun echtgenoot, mobiel, buitenhuis) en binnen enkele maanden hadden ze Von Hoven-Hertz opgezet, een snelgroeiend productiebedrijf van decoupage-artikelen voor in huis dat weldra een miljoenenbedrijf zou zijn.

Ze kwamen vaak samen de salon binnen, en zaten brainstormend naast elkaar onder de warmtelampen.

'Vuilnisbakken,' zei Muffie, 'die eruitzien als een aquarium.'

'Briljant,' zei Tamara, die een licht Brits accent had ontwikkeld voor bij haar geweldige zakensucces.

'Tissuedozen,' zei Tamara, 'waar... wacht, ik heb het... langs de zijkanten tranen stromen.'
'Misschien is dat prut,' zei Muffie, die als haar veertienjarige dochter klonk. Muffie was vale spijkerbroeken gaan dragen, werkschoenen van Robert Clergerie en nauwsluitende T-shirts waarin haar gespierde armen goed uitkwamen. Je kon altijd zien wanneer een klant op een grote verandering in haar leven afkoerste. Muffie, die al heel lang bij voorkeur gedistingeerde pakjes van Chanel droeg, maakte absoluut een grote verandering door. Dus het was niet zo'n grote schok toen we, later dat jaar, ontdekten dat Muffie en Tamara hun echtgenoot hadden verlaten en – samen – een duplexwoning aan Central Park West hadden betrokken.
Veel ondernemingen zoals Von Hoven-Hertz Decoupage begonnen bij Jean-Luc, tijdens de loze uurtjes van het inwerken van de kleur, het drogen van de nagels – kortom, de uurtjes van het wachten. En terwijl het leven in de salon onverschrokken doorging, was het leven van een aantal van de personeelsleden nogal dramatisch veranderd tijdens die beginjaren van Salon Jean-Luc.
1. Richard was inderdaad getrouwd met Jane Huffington Cooke, en tot verbijstering van iedereen die hem kende, had hij bij Jane Huffington Cooke een kind verwekt... een beeldschoon meisje genaamd... tja, Huffington Cooke. Kortweg, Huffie. Richard werkte nog steeds in de salon, hoewel hij (waar hij ons bij elke gelegenheid aan herinnerde) zijn hele leven natuurlijk nooit meer een dag werk hoefde te verrichten. Hij was – als dat al mogelijk was – nog homoseksueler. Het diamanten knopje in zijn linkeroor was een smetteloze twee karaats diamant, en hij liep als een sierlijke kat, van klant naar klant door de salon sluipend, alsof hij er gewoon op wachtte geaaid te worden. En, hoewel ik het niet graag toegeef, ik had een soort zwak voor Richard gekregen. Hij was niet zo slecht. Hij was een stuk milder geworden sinds hij met Jane was getrouwd en voorafgaand aan het huwelijk een contract had getekend waardoor hij naar verluidt voor elk jaar dat ze getrouwd bleven tien miljoen dollar kreeg.

2. Kathryn. Als favoriet van Jean-Luc had ze de top van de piramide van stylisten bereikt, vlak onder Jean-Luc zelf. In de meeste gevallen van zo'n pijlsnelle carrière zou er sprake zijn van talent... grote emmers vol talent. En hoewel ik bang ben dat ik van valsheid beschuldigd zal worden, of rivaliteit of doodgewoon jaloezie, moet ik zeggen dat Kathryn haar glanzende carrière louter en alleen te danken had aan het feit dat ze de perfecte manier had gevonden om Jean-Luc blind van begeerte te maken. Het leek alsof ze de enige vrouw op de planeet was die weigerde met hem naar bed te gaan. Afwijzing was zo vreemd voor Jean-Luc, zo bijzonder en onmogelijk, dat het hem veranderde in een pasgeboren hondje. Deed het er iets toe dat Kathryn letterlijk geen haar recht kon knippen? Dat ze vaker naar zichzelf keek in de spiegel dan naar haar klant? Absoluut niet. Kathryn was gezalfd door Jean-Luc, en werd dus gezalfd door heel New York. Ze was, zoals ik al heb verteld, buitengewoon aantrekkelijk. En zoals zo veel buitengewoon aantrekkelijke vrouwen leek ze over aangeboren klasse te beschikken... klasse en schoonheid die misschien oversprongen op degene die toevallig in haar stoel zat. En als de klanten naar huis gingen, hun haren wasten en ontdekten dat die aan de achterkant op een niet zo flatteuze manier opbolden, of dat ze links langer waren dan rechts, gingen ze ervan uit dat het op de een of andere manier hun eigen schuld was.

Het is waar. Ik was Kathryn gaan haten.

3. Patrick... mijn liefste Patrick. Ik hield nog steeds van hem. Ik kon er niets aan doen. Ik wist dat we nooit samen zouden zijn – ik miste het essentiële ingrediënt – en geloof me, ik had er vrede mee gekregen. Doreen had me altijd verteld dat mannen je teleurstellen en tot nu toe had ze gelijk gehad. Elke dag werkten Patrick en ik zij aan zij, net zoals we op de opleiding hadden gedaan. We waren een perfect team. Hij bedacht de kapsels voor de klanten en ik deed de kleur, en ergens tussen de 14 en 22 keer per dag veranderden we iemands uiterlijk – en daarmee het innerlijk – in zijn of haar voordeel. Hoeveel mensen kunnen dat aan het einde van hun werkdag zeggen?

Patrick hield zijn liefdesleven buiten de salon. Ik weet niet of hij dat deed omdat hij zo verstandig was werk en privé gescheiden te houden, of omdat hij wist dat het pijnlijk voor mij zou zijn. Maar hoe dan ook, we hadden eindelijk het punt bereikt waarop we erover konden praten.

'Wat ga je vanavond doen?' vroeg ik.

'Een leuk afspraakje.'

'Ja? Met wie?'

'Een jongen van Warren-Trichomi,' zei hij, de naam van een salon verderop in de straat noemend.

'Kun je geen afspraakje maken met een leuke arts of advocaat?' grapte ik. En Patrick keek me geschokt aan, ook al wist hij dat ik een grapje maakte. Geen van ons ging ooit uit met een arts, advocaat, bankier, accountant, en ga zo maar door. Die mensen waren klanten. En, begrijp me niet verkeerd, hoewel we dol waren op onze klanten, gingen we niet met ze om. Bovendien was ik er allang achter, sinds het weekend met Roxanne Middlebury, dat ze ook niet echt met ons wilden omgaan. Nee. We gingen alleen met elkaar om. In elke salon in de hele stad was sprake van kruisbestuiving. Deze stylist ging uit met die kleurspecialist. Die kleurspecialist had een geheime relatie met die leuke assistente. En ga zo maar door, van de Upper East Side tot de kinderhoofdjes in de straten van Soho. Met uitzondering van mijzelf.

4. Ik. Georgia Marie Watkins. Er was veel met me gebeurd, als je mijn liefdesleven buiten beschouwing hield. Dat gedeelte was... tja, ik zal het maar meteen zeggen: dat gedeelte was een hopeloze chaos. Dit was het patroon. Ik pijnigde keer op keer mijn hersenen, maar het kwam altijd op hetzelfde neer. Mensen die in salons werkten gingen alleen uit met mensen die ook in een salon werkten. Alle mannen die in een salon werkten waren homoseksueel, met als enige uitzondering Jean-Luc. Dus als ik een liefdesleven wilde moest ik a) verliefd worden op een homoseksuele man, wat ik al had geprobeerd, of b) mezelf buiten de wereld der schoonheid begeven, wat ik ook had geprobeerd... beide met uitgesproken onbevredigend resultaat. Ik bedoel, ik weet dat mijn

klanten het goed bedoelden als ze een afspraakje voor me regelden met hun neef, zwager of studievriend. Maar die afspraakjes waren tijdverspilling. Wat had ik te vertellen aan een man die in aandelen handelde, of, in een ander geval, galblazen verwijderde? En wat had hij míj te vertellen? *Nou*, denk je waarschijnlijk, *je hebt het gewoon niet echt geprobeerd*. Nou, dan weet je niet waar je over praat. Mensen die een relatie hebben moeten dingen gemeenschappelijk hebben. Waar moeten ze anders aan het eind van de dag over praten? En dus stond mijn liefdesleven in de wacht. Voor lange tijd. Die hoorn lag naast de haak.

En over klanten gesproken, ik begon de wereld van de salon en de dames die er kwamen eindelijk te begrijpen. We waren niet uit hetzelfde hout gesneden en dat zou ook nooit gebeuren. Deze dames kwamen niet uit stadjes als Weekeepeemie. En de paar die een armoedige jeugd hadden gehad en een heel rijke man hadden getrouwd, tja... die wilden er nooit meer aan herinnerd worden waar ze vandaan kwamen. Dus als de klanten mij uitnodigden voor feesten, openingen of om het weekend in hun huis op het strand of het platteland door te brengen, ging ik daar meestal niet op in... tenzij het aanbod natuurlijk te mooi was om waar te zijn.

Zoals, bijvoorbeeld, goede zitplaatsen bij een wedstrijd van de Knicks. Maar ik wist dat er altijd een prijs op stond. Ze wilden er iets voor terug. Meer aandacht. Speciale gunsten. Ik had misschien niet gestudeerd, maar ik was niet dom en ik had mijn lesje geleerd in Southampton.

Maar ik moet zeggen dat het geweldigste wat mij in die jaren is overkomen, is dat ik een vooraanstaande kleurspecialiste was geworden. Ik had veel aan Faith Honeycomb te danken... zij heeft me echt op de kaart gezet. Als *Elle* of *Vogue* haar belden voor een uitspraak over hoe klanten hun haar in dezelfde kleur als hun bontjas lieten verven, of hoe rood te rood was, verwees ze hen altijd door naar mij. *Praat maar met Georgia*, zei ze dan. *Ze is jong en trendy, net zoals jullie lezers.* Ik herinner me de dag nog dat ik me realiseerde dat ik het echt had gemaakt. Ik had een nieuwe klant

– een Greenwich in de nieuwste designerjeans en een blouse van Roberto Cavalli die rechtstreeks uit de *W* van die maand kwam – en die haalde een knipsel uit haar Prada-tas. Het was een postzegelgrote foto van mij uit een van de damesbladen waarin ik de beste kleurspecialist van dat jaar werd genoemd. De Greenwich vertelde me dat ze drie maanden op een afspraak had gewacht. En ik dacht bij mezelf: een Greenwich wacht nóóit drie maanden ergens op.
Dus was ik eindelijk goed geld gaan verdienen. Patrick en ik waren uit het kleine rotappartementje dat Ursula ons had helpen vinden vertrokken, en hadden ieder een geweldig, chic appartement betrokken. Mijn appartement zonder lift bevond zich op de tweede verdieping boven een Franse kledingzaak aan de noordkant van Madison; Patrick zat iets zuidelijker in Chelsea in een appartement met twee slaapkamers. Niet dat het geld binnenstroomde, in elk geval niet naar de norm van onze klanten. Maar voor het eerst in mijn leven bevond ik me in een financieel paradijs. Ik had nooit extra geld gehad; nooit eerder had ik mijn centen niet hoeven tellen. En nu kon ik elke maand minstens duizend dollar naar huis sturen, naar Doreen en Melodie. Mel had elk semester aan de Universiteit van Boston uitgeblonken, en ook al had ze een volledige beurs, ze had nog steeds geld nodig voor boeken. Ik was zo trots op haar. Mijn malle zusje zou iets belangrijks met haar leven gaan doen... ik wist het gewoon. Zij beschikte over boekenwijsheid en ik was wereldwijs. En als mijn wereldwijsheid mijn moeder en zusje kon helpen, tja, dan was dat het enige wat ik wilde. Wat Doreen betreft, ze had een lening afgesloten om haar zaak draaiende te houden en was nu eindelijk in staat hem terug te betalen. Doreens salon liep goed. Ze had zelfs de inrichting gemoderniseerd, de oude (en ik moet toegeven, hopeloos ouderwetse) foto's van modellen met lelijke make-up en piekerige kapsels van de wand gehaald en enkele reproducties van museumkunstwerken opgehangen. Ze gooide de doorgezakte sofa die ze voor in de zaak had staan eruit en kocht een stel chique, nieuwe tweezitsbankjes van nepleer. En ze nam

abonnementen op alle nieuwe tijdschriften. De klanten waren tevreden, en zoals we allemaal weten: tevreden klanten komen vaker, ook al hebben ze geen knipbeurt of kleurbehandeling nodig, ze vinden het gewoon leuk te komen en vertroeteld te worden.

Het was mijn derde herfst bij Jean-Luc toen Doreen eindelijk de moed had verzameld me in New York te bezoeken. Ik was heel vaak in Weekeepeemie terug geweest, voor bruiloften van mijn vrienden van de middelbare school en voor de doop van hun kinderen, en om Mel en Doreen te bezoeken. Maar Doreen was nooit naar de stad gekomen. Ik wist dat dit niets zei over hoe erg ze me miste. Ze was een meisje van het platteland, dat was het gewoon. En ik denk dat ze niet naar New York dúrfde te komen, hoewel ze het nooit zou hebben toegegeven.

Elf uur, dinsdagochtend. Normaal zou dit een relatief rustig moment van de dag zijn geweest in de salon. Maar ik had er niet aan gedacht dat dit de dinsdag voor Thanksgiving was, wat betekende dat de dames van Jean-Luc in volledige staat van paniek verkeerden om luxeproblemen. De schoonfamilie kwam op bezoek, er zou even een trip naar Londen worden gemaakt of de speciaal bestelde uitschuifbladen voor de eetkamertafel waren in Duitsland zoekgeraakt. Het deed er niet toe. Wat de crisis ook was, er was maar één manier om erop te reageren. Als ze werden geconfronteerd met buitengewone omstandigheden die ze niet onder controle hadden, drukten de dames op het verkorte kiesnummer van Jean-Luc. Pedicure, manicure, harsen... de hele mikmak. Het haar was de finishing touch, de *coup de grâce* (zoals Jean-Luc graag zei), maar alle andere verrichtingen, die onzichtbaar zouden zijn in schoenen en nauwsluitende broeken – waren eigenlijk datgene wat de dames van Jean-Luc het gevoel gaf dat ze controle over hun leven hadden. De schoonfamilie zou zich gedragen. De trip naar Londen zou vlekkeloos verlopen. De bladen voor de eettafel zouden gevonden en afgeleverd worden, net op tijd, door FedEx. Dit allemaal omdat de dames rondliepen met gladde, onthaarde

en gebruinde benen (om maar te zwijgen van de bikinilijn) en hun teennagels lichtroze waren gelakt.
Het was tijdens deze storm, dit gekkenhuis, dat Doreen binnen kwam lopen – een paar uur te vroeg – omdat ze een betere busverbinding had gehad dan ze had verwacht. Ik zag haar niet toen ze de salon inkwam, omdat ik met mijn vijfde klant van die dag bij de wasbakken stond, maar ik wist dat ze was gearriveerd, want ik hoorde het onmiskenbare geluid van Sweetie boven de tonen van de vioolmuziek uit waar Jean-Luc 's morgens de voorkeur aan gaf.
'Nee, maar! Allemachtig! Neem me niet kwalijk als ik hier ter plekke doodblijf!'
Ik sloot mijn ogen. Hoewel ik de laatste chemicaliën uit het natte haar van mijn klant waste, probeerde ik diep in te ademen. Doreen was er. Bij Jean-Luc. Mijn verleden en mijn heden knalden als bekkens tegen elkaar aan. Ik wierp een snelle blik op het muurbankje. Zes van mijn klanten zaten te wachten. Ik had geen idee wat ik moest doen.
Ik liet mijn klant met haar hoofd boven de wasbak en blondeercrème op haar wenkbrauwen zitten, deed een schietgebedje en liep snel naar de receptieruimte, waar nog tientallen klanten zaten te wachten. Sommigen zaten de tijdschriften van die week door te bladeren en anderen keken met onverholen nieuwsgierigheid toe hoe de beroemde hoofdreceptioniste van de salon, Sweetie, Doreen op de theatrale wijze van een travestiet in zijn armen sloot.
'Nee maar! Ik dacht dat ik het nooit mee zou maken!' riep Sweetie uit. 'Georgia Watkins heeft een moeder!'
Boven Sweeties in rood satijn gehulde biceps wierp mijn moeder me een smekende blik toe. Ik vreesde dat Sweetie haar bloedtoevoer zou afknellen.
'Ach, lieverd... je bent toch zo...' Sweetie kon geen woorden vinden. Hij hield Doreen op armlengte afstand, haar zo nauwkeurig van top tot teen opnemend dat het onbeleefd zou zijn geweest als dit buiten de salon van Jean-Luc was gebeurd. '... je bent als een ongeschonden kunstwerk,' besloot Sweetie.

Ik keek naar mijn moeder, leunde naar haar over en gaf haar een dikke kus. Het was zo vreemd haar hier te zien. En het was waar wat Sweetie had gezegd. Ze was ongeschonden. En dat was het enige wat we hier in de salon nooit, maar dan ook nooit zagen. Vanaf het moment dat moeders hun dochters op dertienjarige leeftijd meenamen voor highlights en om hun wenkbrauwen te laten harsen, was er gewoon geen sprake meer van natuurlijke, puur natuurlijke, schoonheid.

Er zoemde iets achter in mijn hoofd, alsof er iets was wat ik vergat te doen en waar ik niet precies op kon komen. Ik keek naar mijn mooie moeder met haar dat tot op haar rug viel, haar dat nooit met chemicaliën in aanraking was geweest, en haar glanzende gezicht zonder make-up, dure crème of zelfs maar een wenkbrauwpotlood... en daar was het weer, dat gezoem.

O, mijn god! Wenkbrauwen! Ik sloeg geschrokken mijn hand voor mijn mond. Ik had mijn klant bij de wasbak achtergelaten met blondeercrème op haar wenkbrauwen!

'Excuseer me even,' zei ik en ik holde terug naar de wasbakken. Daar was ze. Hoe heette ze ook alweer? Ze pakte een exemplaar van de Franse *Elle* op en bladerde het nonchalant door.

'Ik zal even naar die wenkbrauwen kijken,' zei ik kalm, terwijl ik de blondeercrème snel met een in alcohol gedrenkt wattenschijfje verwijderde. En vervolgens slaakte ik een zucht van opluchting. De beschermheilige van de kleurspecialisten moest me gunstig gezind zijn geweest. Het was in orde. Haar wenkbrauwen hadden precies de juiste blonde tint. Een minuut langer en ze zouden oranje geworden zijn.

Ik hielp de vrouw, die echt geluk had gehad, uit haar stoel.

'Shen zal uw haar föhnen,' zei ik, en ik bracht haar naar een van de nieuwe assistenten.

De zes klanten zaten nog steeds op het muurbankje te wachten, plus de twee die al in de stoelen op mijn werkplek zaten. Ook al lieten ze bijna nooit hun ergernis blijken, er was een grens. En die had ik bijna bereikt. Ik kon de spanning in hun perfect over elkaar geslagen benen zien stijgen, hoge hakken wiebelend als ongeduldige kindervoeten. Enkele discrete blikken op horloges. Ik bevond me op glad ijs.

'Mam?' Ik liep terug naar de receptieruime, waar Doreen de glimmende zwartwitfoto's bekeek van modellen wier kapsel door Jean-Luc was bedacht. Cindy Crawfords donkere krullen die over haar naakte schouders vielen. Claudia Schiffer die je vanonder haar lange, plukkerige pony aankeek. Naomi Campbell met haar haren glad naar achteren. Doreen leek er geheel door in beslag genomen te zijn, gehypnotiseerd. Of misschien verkeerde ze gewoon in shock.

'Mam?'

Ze draaide zich met een ruk om, geschrokken. En het dunne, harde laagje rond mijn hart, dat ik nodig had om in de wereld van Jean-Luc te overleven... dat laagje barstte en viel uiteen. Mijn moeder zag er precies zoals altijd uit, hoewel ik me realiseerde dat ze haar mooiste nette kleren had aangetrokken; de kleren die ze droeg tijdens de zeldzame keren dat ze naar Portsmouth of Boston ging. De bruine broek van Marshall's, het twinset dat ze uit de catalogus van The Company Store had besteld, armbanden rond haar polsen en – praktisch als altijd – sportschoenen. Ik was heel blij haar te zien. Zo ontzettend blij dat ik mijn best moest doen om niet midden op de mozaïekvloer van de receptieruimte een dansje te maken.

'Moet je jezelf eens zien,' zei mijn moeder met een prachtige, brede glimlach. Het soort glimlach dat je in New York gewoon nooit ziet, in elk geval niet in het New York dat ik kende. Er verschenen tientallen lijntjes en rimpeltjes in haar gezicht... het góéde soort rimpeltjes (die volgens de dames van Jean-Luc niet bestonden) die veroorzaakt werden door een leven van... tja... leven.

'Je ziet er zo volwassen uit,' zei Doreen. Ze bekeek me van top tot teen, niet met de *fashionista*-blik van iemand die in één oogwenk de ontwerpers en de prijzen optelt, maar op de manier zoals alleen een moeder kan doen. Ze kende me door en door en controleerde of alles er nog was.

'Mam, ik moet...'
'Nee maar, wat een mooi horloge,' zei Doreen, ze pakte mijn hand en bekeek mijn pols. Ik bloosde, gegeneerd. Het horloge was een cadeau aan mezelf geweest na mijn eerste belangrijke promotie bij de salon. Het was een model van Cartier: eenvoudig, elegant en heel duur. Plotseling had ik het gevoel dat ik het niet voor mezelf had moeten kopen. Ik hoopte maar dat mijn moeder geen idee had hoe duur het was geweest.
'Dank je. Hoor eens, ik loop nogal achter. Ik wist niet dat we het vandaag zo druk zouden hebben... misschien moet ik je maar de sleutels van mijn...'
'Nonsens!' hoorde ik plotseling Jean-Lucs stem achter me. Hij kwam naast me staan en pakte toen Doreens hand. 'Mag ik me even voorstellen, madame.' Jean-Luc richtte zich in zijn volle lengte op, hij leek nog langer door zijn golvende, van brillantine glanzende haar. Toch kwam hij niet verder dan de neus van Doreen.
'Ik weet wie u bent,' mompelde mijn moeder. 'U bent Georgia's baas.'
'Oui,' zei Jean-Luc met een buiginkje. Hij hield nog steeds haar hand vast en boog zich er nu overheen om hem te kussen. '*Enchanté*. U heeft een zeer getalenteerde dochter, madame.'
'Dank u,' zei Doreen. 'Dat vind ik ook. Haar stem klonk kleiner, zachter dan gewoonlijk, en met een licht misselijkmakende schok realiseerde ik me dat mijn moeder onder de indruk was. Ik had nog nooit, werkelijk nooit gezien dat ze door iemand geïntimideerd werd, en het stond me helemaal niet aan.
'Voor u,' zei Jean-Luc, 'een volledige behandeling! U blijft de hele middag hier in de salon.' Hij knipte met zijn vingers, alsof hij verwachtte dat er een leger van personeel zou klaarstaan. '*Le manicure, le pedicure*, harsen. *Baliage*. En natuurlijk een knipbeurt... bij ondergetekende.'
'O, ik kan onmogelijk...'
'Maar ik sta erop!' Jean-Luc zwaaide met zijn hand. 'Kom mee. Ik zal u in een jas laten helpen.'

Ik wierp een nerveuze blik in de richting van het muurbankje. Het was een ramp. Mijn klanten zagen er nu ronduit geïrriteerd uit, erger nog, ze zaten met elkaar te praten. Als ik niets deed, zou er een revolutie uitbreken. Jean-Luc leidde Doreen al aan de elleboog weg. Mijn keiharde moeder was zo gedwee als een kind.
Zo kalm als maar mogelijk was vroeg ik: 'Mam... wil je dit wel?'
Ze was tenslotte, zoals Sweetie had gezegd, ongeschonden. En zo had ze het altijd gewild. Ze draaide zich om en grijnsde naar me. Haar ogen schitterden. 'Wat dacht jij dan? Ik ben in de zevende hemel,' zei ze.

Ik had geen idee hoeveel uren voorbij waren gegaan voordat ik Doreen weer zag. Ik handelde de ene geïrriteerde klant na de andere klant af, mijn vingers brandden van de aanhoudende inspanning. Dit vertelt niemand je op de opleiding: de pijn die erbij hoort. Ik wist het omdat ik als kind Doreen had zien thuiskomen en haar handen in warm water had zien weken, maar dat was ik gemakshalve vergeten. Op dagen dat ik zonder pauze de ene klant na de andere had, waren mijn handen stijf, bijna reumatisch, en ik vroeg me af hoe een oudere vrouw als Faith Honeycomb met die hoeveelheid klanten omging, in het genadeloze tempo waar we in de salon mee te maken hadden.
Baliage, enkele kleurbehandeling, folies, *lowlights*, dubbele kleurbehandeling, de een na de ander. En, het lot had bepaald dat ik niet één, maar twee nachtmerries van klanten op het programma had staan. De eerste was een vrouw die we in de salon simpelweg de helse redactrice noemden. De HR stond net niet helemaal aan de top van een van de chicste vrouwentijdschriften en ze verwachtte als een koningin behandeld te worden. En zoals het een koningin betaamd, had ze geen geld bij zich, want ze was eraan gewend geraakt nooit voor iets te hoeven betalen. Tijdschriftredactrices hoeven dat over het algemeen niet. Niet voor hun maaltijden, of hun huurauto, of hun reizen, of – in het geval van degenen die nog machtiger zijn – hun kleding. Maar het beleid bij Jean-Luc was dat tijdschriftredactrices dat wél de-

den. We gaven ze dertig procent korting, en Jean-Luc vond dat meer dan genoeg. Maar de HR kwam altijd gewoon binnen voor highlights en een knipbeurt, en liep vervolgens gewoon de deur uit. Het was al tientallen keren gebeurd en Jean-Luc had er genoeg van.

Deze keer vroeg hij me er absoluut zeker van te zijn dat de HR haar rekening voldeed. Hoe moest ik dat voor elkaar krijgen? Ze zat in mijn stoel in haar perfect gesneden zwarte pantalon (Costume National of Prada, ik wist niet zeker welke het was) en zwarte truitje (de HR weigerde altijd een jas aan te trekken en deed hem in plaats daarvan losjes om zich heen, wat me altijd nerveus maakte, want één spettertje blondeercrème op dat truitje zou een kleine tragedie zijn) en kletste aan één stuk door over dé shows. Ze was net terug uit Milaan. Zo saai, zo vreselijk om altijd mooi gekleed te zijn, om het hof te worden gemaakt door de inkopers van warenhuizen! Vol walging trok ze haar mooie bovenlip op.

Ik besteedde nauwelijks aandacht aan één woord dat ze zei, hoewel ik heel vaak knikte terwijl ik de baliage door haar blonde haar vlocht, de lagen met krimpfolie scheidend. Ik vroeg me af hoe het met mijn moeder ging, en ook wat Jean-Luc me zou aandoen als de HR nog eens zonder te betalen de salon uitliep. Ik had Sweetie, bij de receptie, opdracht gegeven haar tegen te houden.

Ik was al drie klanten verder toen ik de opschudding hoorde.

'Dat doe ik niet! Absoluut niet! Dit is belachelijk!'

De HR kwam naar mijn werkplek gemarcheerd, haar Hermès-tas als een schild voor haar borst houdend. Sweetie kwam haar achternalopen.

'Ik betaal niet voor mijn haar,' zei ze tegen mij.

'Het spijt me, maar Jean-Luc staat erop,' zei ik. 'Tijdschriften krijgen korting, waar je natuurlijk volledig recht...'

'Ik betaal niet voor mijn haar,' herhaalde de HR. 'Ik betaal niet bij Christophe in Parijs. Ik betaal niet bij Privé in Los Angeles. Ik betaal niet bij John Frieda in Londen.'

'Tja, hier moet je wel betalen,' zei ik zo vriendelijk als maar mogelijk was. God, wat had ik een hekel aan dit mens.
'We accepteren Visa, Mastercard en American Express,' zei Sweetie behulpzaam.
'Ik heb mijn portefeuille niet bij me,' zei de HR. Ik keek naar haar enorme Hermès-tas. Zeker weten dat ze daar een portefeuille in had zitten.
'Er is een pinautomaat verderop in de straat,' zei Sweetie. Tjonge, deze travestiet had ballen.
De HR keek ons beiden woedend aan. De klant in mijn stoel – vriendelijke handelaarster op Wall Street – zat alles te bekijken, haar hoofd flitste tussen mij en de HR heen en weer alsof ze naar een partijtje tennis zat te kijken.
'Ik laat jullie door mijn secretaresse bellen als ik terug op kantoor ben,' zei de HR. 'Maar jullie zullen er spijt van krijgen. Ik kom hier nooit meer terug!'
Ik moest op mijn lip bijten om haar niet te vertellen hoe vreselijk spijtig ik het vond dat te horen. Maar voordat ik zelfs maar iets kon zeggen had ze zich op één hak omgedraaid en stormde weg.

Vervolgens, het was nauwelijks te geloven, stond Claudia G. op mijn programma. Het was gewoon te veel om de HR, Claudia G. en mijn moeder op hetzelfde moment in de salon te hebben. Waar had ik dit aan verdiend? Claudia G. stond, in de salon, simpelweg bekend als de diva, kortweg de dief. Zoals in: o mijn god, alsjeblieft, zeg me dat het niet waar is, alsjeblieft, alsjeblieft, alsjeblieft, laat de dief vandaag niet op mijn programma staan. Maar daar was ze. Mijn stemming had meteen een dieptepunt bereikt. Verdorie, misschien was mijn hele week nu wel meteen verpest. Claudia G. was een menselijke sloopkogel. Als ze niet bezig was zelf een zenuwinzinking te krijgen, bezorgde ze er een ander wel één.
Voor degenen onder jullie die Claudia G. niet kennen van de partypagina's uit de style-bijlage van de *Sunday New York Times* (ove-

rigens de enige partypagina's die er iets toe doen): Claudia G. was een ster aan het firmament van de beau monde van Upper East Side. Claudia, met het voor haar typerende haar tot aan haar middel, exact dezelfde kleur als een zilvervos. (Claudia had zelfs haar jas van zilvervos meegenomen naar de salon en me om dezelfde kleur gevraagd.) Meestal stond ze, op die foto's, naast haar rijke en beroemde echtgenoot, Tommy G., die een van de grootste waarborgfondsen van Wall Street had opgericht, om het na tien jaar te laten voor wat het was en een tweede, even lucratieve carrière te beginnen als beeldhouwer van veelgevraagde granieten rotsblokken, waar de gazons van de landgoederen van de zeer rijken vol mee stonden.

Daar kwam ze aan, de salon binnenstormend alsof ze er de baas was. Claudia was een van onze weinige klanten met een huisrekening. Jean-Luc was min of meer gedwongen er een voor haar te openen, aangezien ze – net zoals de HR – nooit een portefeuille, geld of zelfs maar een creditcard bij zich had. Waarom zou ze? Ze zoefde Manhattan rond in haar Mercedes met chauffeur. Hij stond bij de stoep te wachten waar ze maar naar binnen ging... en ze ging nooit ergens heen waar ze niet al bekend was. Ik had vaak fantasieën over het ontvoeren van Claudia G. om haar, in haar eentje, voorbij Fourteenth Street af te zetten. Wat zou ze doen? Hoe zou ze ooit thuiskomen?

'Georgia!' Ze wuifde met haar vingertoppen terwijl ze langs de andere klanten liep die op me zaten te wachten.

Ik had de haargoden gesmeekt dat ze haar afspraak zou afzeggen of gewoon niet zou komen opdagen. Maar het zag ernaar uit dat de goden me al genoeg gunsten hadden verleend voor vandaag, met die klant van de wenkbrauwen. Claudia liet zich bevallig in een lege stoel naast mijn werkplek vallen. Met haar dunne armen tilde ze haar haren op en liet ze toen in een zilveren waterval om haar heen vallen.

Ik liep naar haar toe, boog voor haar als voor een koningin en drukte een zoen op haar wang. Ze rook duur. Ze had een buitengewoon zuivere bloemengeur op die je niet in een winkel kunt

kopen. Ik herinnerde me vaag dat ze iets over een particuliere parfumeur had gezegd die haar flesjes uit Parijs stuurde.
'Ik kom bij je zodra ik kan, Claudia,' zei ik met een naar wat ik hoopte met-mij-valt-niet-te-spotten-glimlach.
'Wat versta je onder zodra,' zei ze, mijn glimlach beantwoordend. Haar met-mij-valt-niet-te-spotten-glimlach deed die van mij als een muis over de vloer van de salon wegschieten.
'Vijftien minuten,' zei ik. Wat bezielde me? Ik kon onmogelijk over vijftien minuten klaar zijn met twee klanten voor een hoofd vol highlights. Maar ik had geen minuut langer dan een kwartier tegen de diva kunnen zeggen. Toen ik naar mijn klant terugliep en snel mijn kam door haar haren vlocht, om laagjes met folie te maken, vervloekte ik Claudia. Ik vervloekte het hele bevoorrechte stel. Toen, plotseling, dacht ik aan mijn moeder. Ik had al in geen uren meer aan haar gedacht. Doreen! Ze was in de draaikolk van Jean-Luc terechtgekomen.
Richard zat op de werkplek naast me en gaf een van Jane Huffington Cooke's vriendinnen een baliage.
'Richard?'
Hij draaide zich om, zijn smalle heupen gedraaid.
'Oui?'
'Heb je mijn...' toen zweeg ik. Hoe minder mensen wisten dat Doreen in de salon was, hoe beter. Vanuit mijn ooghoek zag ik Patrick een klant met een korte kastanjebruine bob föhnen.
'Patrick,' siste ik boven het geluid van de haardrogers uit. 'Hé!'
Hij zag mijn blik en keek me vragend aan. Toen excuseerde hij zich bij zijn klant en kwam naar mijn werkplek toe. Hij keek om zich heen naar Claudia G. , mijn verwoed vlechtende kam, naar mijn andere wachtende klant, en overzag de situatie met één blik. Hij schudde bijna onmerkbaar zijn hoofd. Ik wist niet of hij zou lachen, huilen of me helpen. *Heeeelp*! smeekte ik hem in stilte.
'Claudia, schat!' riep hij, alsof hij de diva nu pas zag zitten... alsof niet alles en iedereen in de salon haar grootse entree had gezien. 'Je ziet er oogverblindend uit!'

Patrick was goed in het vleien van de klanten, maar hij zei net als ik nooit iets wat niet waar was. Claudia zag er inderdaad oogverblindend uit, op de haute-namaak-bohémienneachtige manier die sommige vrouwen kunnen hebben. Haar zilveren manen, de kunstmatig versleten en toch boterzachte leren laarzen, de Levi's, de armen vol armbanden met turkoois. Bij een andere vrouw zou het een kostuum geleken hebben, maar Claudia was iemand die iets modieus máákte. Ze droeg van die overdreven kleding en vond het waarschijnlijk heerlijk (stiekem, natuurlijk) als andere, minder modieuze vrouwen haar voorbeeld volgden.

Nu was het zo dat Patrick eigenlijk niets kon doen om me te helpen. Hij kon de highlights van mijn klanten niet van me overnemen, en Claudia, te oordelen naar de manier waarop ze nummers op haar mobiel intoetste, was niet in de stemming voor vleierij.

'Hoe gaat het met Doreen?' vroeg ik Patrick.

'Jean-Luc heeft haar onder handen,' zei hij duister. Het grootste geheim van de salon was dat veel van ons, jongere stylisten, niet dol waren op Jean-Lucs creatieve visie. Begrijp me niet verkeerd, hij kon ontzettend goed knippen. Zijn kapsels waren volmaakt. Dat was het probleem. Ze waren vaak te volmaakt. Je kon een Jean-Luc-kapsel van een kilometer afstand herkennen. Het leek een beetje op een... nou ja, een helm.

'Maar gelukkig zal Massimo haar föhnen,' zei Patrick.

'Dat is goed.'

'Ze is al bij Alicia geweest voor harsen, manicure en pedicure,' vervolgde Patrick. 'En bij Faith voor haar kleur.'

'Heeft Faith haar kleur gedaan? Waarom weet ik dat niet?'

'Jean-Luc heeft haar het privé-kamertje laten gebruiken,' zei Patrick. We hadden één apart kamertje in de salon, exclusief gereserveerd voor filmsterren die zo beroemd waren dat ze hier echt niet gezien wilden worden.

'Waarom?'

'Ik heb geen idee.'

Ondertussen was ik als een razende highlights aan het maken, blij dat mijn klant dun haar had. Hoeveel minuten waren er voorbijgegaan? Elke seconde die Claudia G. moest wachten leek wel een eeuwigheid.
'Georgia, ik heb maar één highlight nodig, hier,' zei Claudia, naar een pluk haar vlak bij haar gezicht wijzend. 'Kun je niet snel even één doen?'
'Nog een paar minuten, Claudia... dat beloof ik je,' zei ik, de vraag ontwijkend. Want in theorie kon ik (en zou ik) echt wel één highlight doen terwijl ik mijn andere klanten die voor haar waren liet wachten. Maar Claudia was een uniek geval. Je moest haar hand vasthouden. En ik bedoel écht vasthouden. Claudia had als kind een kapperstrauma opgelopen en was er nooit overheen gekomen. Haar moeder had haar toen ze tien jaar oud was meegesleurd naar een kapper en haar daar achtergelaten, waar een heel gemene man al haar haren had afgeknipt. Vandaar het trauma. En dus waren er voor Claudia G. vanaf dat moment twee waarheden. De eerste: geen enkele schaar knipte ooit meer dan een centimeter van haar haren af, nooit. En de tweede: als ze highlights kreeg – al was het er maar één – stond ze erop dat ik bij haar bleef en haar hand vasthield.
Op drukke dagen was dat een ramp. Vandaag was dat zeker zo en ik vroeg me af wat ik had gedaan om zo gestraft te worden.
'Ik ga wel even bij Doreen kijken,' zei Patrick, blij dat hij van mijn overspannen werkplekje weg kon. 'Zodra ik met mijn klant klaar ben.'

Als door een wonder was Claudia G. nog heel tegen de tijd dat ik mijn twee hoofden met highlights klaar had. Ik was niet in staat geweest mezelf ertoe te zetten op mijn horloge te kijken, maar ik wist dat er meer dan vijftien minuten verstreken waren.
Een van de assistenten had Claudia's kleur al gemengd en hij stond op een tafeltje naast haar stoel op me te wachten. Met mijn kam pakte ik precies de juiste hoeveelheid haar op, die er inderdaad beter zou uitzien met een enkele highlight, en ik smeerde

de kleur erop, Claudia's hoofdhuid met een wattenbolletje beschermend. Terwijl het mengsel zijn werk deed zat ik naast haar, haar frêle hand vasthoudend.
Claudia's hele humeur veranderde zodra ik het mengsel had opgebracht, als een drugsverslaafde die eindelijk haar shot had gekregen. Haar hand ontspande zich in de mijne en ik voelde haar hartslag vertragen. Haar mondhoeken gingen langzaam omhoog. Wat gemakkelijk was het eigenlijk, om haar gelukkig te maken! Tommy G. zou er misschien goed aan doen een pot met mijn mengsel in huis te halen, voor de zekerheid.
'Morgen is Sydney jarig,' zei ze op de voor haar typerende vertrouwelijke fluistertoon.
Wie was Sydney ook alweer? Claudia en Tommy hadden drie dochters, van bijna dezelfde leeftijd. Tien, elf en twaalf, als ik het goed onthouden had. Sydney, Sophie en Scarlet verschenen nu zelf ook op de partypagina's, met hun ouders bij Bridgehampton Polo, of het jaarlijkse kerstfeest dat door een van hun vrienden die de ijsbaan in Central Park verhuurde werd gegeven.
'Georgia?'
Ik keek op van Claudia's hand. Ik was in een soort droomtoestand geraakt, me opeens afvragend hoe ze haar huid zo zacht hield, en hoe het was om haar dochter te zijn.
Ik snakte naar adem. Ik wenste onmiddellijk dat ik het niet had gedaan, maar ik kon er niets aan doen. Voor me stond een vrouw die iets weg had van Doreen, van Doreen die op chirurgische ingrepen na, in alle opzichten anders was. Kon een oermoeder uit Weekeepeemie getransformeerd zijn in een Barbie van Madison Avenue? Het antwoord – hoewel ik het niet voor mogelijk had gehouden – was helaas: ja. Ja! O, jezus. Ik wist niet wat ik zeggen moest. Ik deed mijn mond open, en toen weer dicht.
'Nou...' ze maakte een pirouette, 'wat vind je ervan?'
'Neem me niet kwalijk,' zei Claudia, 'maar ik zit midden in een verh...'
'Eén momentje, Claudia,' lukte het me uit te brengen.
Mijn moeders lange blonde haar hing nu tot op haar schouders.

Ze had een strenge, dikke pony op haar voorhoofd, die net over haar wenkbrauwen viel. En haar kleur... een donker, glanzend kastanjebruin dat ik bij ieder ander zou hebben bewonderd. Met haar gerimpelde blote New Hampshire-gezicht leek het net alsof ze een pruik op had. Een slechte pruik.

'Ziet ze er niet magnifiek uit?' Jean-Luc kwam achter haar tevoorschijn. Die man sloop altijd rond. 'We hebben alles op haar losgelaten.'

'Párdon,' zei Claudia G.

'Eén momentje!' zei ik, misschien iets te fel. Echt, het kon me niets schelen of ik Claudia G. ooit terugzag.

'Wie bent u?' wilde Claudia van mijn moeder weten.

'Doreen Watkins,' antwoordde mijn moeder. Ze stak haar hand uit. Mijn god, ze wilde beleefd zijn en Claudia G. de hand schudden.

Claudia snoof even en gaf Doreen haar slappe, met juwelen versierde vingers. Ik kon haar gedachten lezen alsof ze in een gedachtewolkje boven haar hoofd zweefden. *Waarom krijg jij in hemelsnaam al die aandacht?* vroeg ze zich af.

'Nou?' vroeg Doreen. Haar wenkbrauwen waren ook gedaan, realiseerde ik me geschrokken. Ze waren getemd tot een perfecte boog.

'Je ziet er...' begon ik vaag. Ze keken me allemaal verwachtingsvol aan. En toen realiseerde ik me plotseling – net op tijd – dat mijn moeder zich, voor het eerst zolang ik me kon herinneren, een mooie vrouw voelde.

'Verbijsterend,' zei ik. 'Je ziet er verbijsterend uit.' Toen stond ik op, nog steeds hand in hand met Claudia G. en bracht haar naar de wasbak om haar highlight uit te spoelen.

Doreen hing de rest van de middag in de salon rond, deels omdat ze niet in haar eentje door de stad durfde te dwalen, en deels omdat ze genoot van alles... in het bijzonder van het kijken naar mij. Ik vond het niet erg, helemaal niet. Ik had het vak bij Doreen geleerd, voortdurend haar ogen op me gericht gevoeld, kijkend, oordelend, ervoor zorgend dat ik het goed deed. Die voortdurend kritische blik had waarschijnlijk iets te maken gehad met mijn succes bij Jean-Luc. Je moest het niet vervelend vinden om in de gaten te worden gehouden, als je daar wilde overleven. Iedereen hield iedereen altijd in de smiezen, en niet noodzakelijkerwijs op een vriendelijke manier. Het had allemaal te maken met vergelijken en afgunst, en het was werkelijk een kunst om het subtiel te doen, zonder dat je het merkte in de talloze spiegels die alles wat er gebeurde genadeloos weerspiegelden.

Maar Doreens blik was zacht, vriendelijk. Zelfs met haar nieuwe kapsel zag ze eruit als een verdwaalde engel, zittend op het muurbankje, met haar hopeloos ouderwetse handtas op haar schoot. De meeste klanten in de salon kregen een plastic zak, zo'n hersluitbaar zakje, om hun tas te beschermen tegen de uiterst kleine kans van gemorste conditioner of spettertjes blondeercrème. Dit was een uitvinding van Jean-Luc, nadat in een andere salon een klant een aanklacht had ingediend vanwege een beschadigde Hermès-tas. Maar Doreen, zag ik, had geen plastic zak gekregen. Wat maar goed was ook, want ze zou waarschijnlijk in lachen zijn uitgebarsten.

Ik kon haar nu in de gaten houden, nu ze klaar was met alles wat maar uit naam der schoonheid met een vrouw kan worden gedaan. Ze zat te kijken, geamuseerd, hoe klanten de salon in- en uitliepen. Het was een goede dag om naar mensen te kijken: Susan Sarandon was geweest voor Faith, en nog een paar herkenbare maar niet heel erg beroemde actrices, zoals degene die met Richard Gere was getrouwd. Een supermodel dat lid was van de Engelse koninklijke familie zat in haar Levi's en strakke haltertop op het muurbankje, een dikke bos jongensachtig, bruin haar hing voor haar ogen. En dan, natuurlijk, was er het gebruikelijke stel van de machtige New Yorkse media-elite. Lynn Mendelson, de beruchte Hollywood-publiciste, wankelde voorbij op haar tien centimeter hoge hakken. Ze had me eens verteld dat publicisten eenvoudigweg langer moeten zijn dan hun klanten. Het bruine krullenkopje van haar poedeltje stak uit haar aktetas.

Om het geheel compleet te maken liepen er drie onhandelbare jongetjes rond in de salon... hun moeder had hen meegenomen om geknipt te worden. Ze gilden en schreeuwden, de slippen van hun overhemdjes kwamen onder de blauwe blazer van hun schooluniform uit. Hun haar was zo lichtblond dat het roze van hun hoofdhuid erdoorheen schemerde. De moeder liet ondertussen haar nagels doen, zich niet bewust van de boze blikken die ze kreeg van de vrouwen die juist naar de salon kwamen om aan het geluid van schreeuwende kinderen te ontsnappen. Maar wat konden we eraan doen? Voor negentig dollar per knipbeurt was Jean-Luc niet van plan ze als klant te weigeren.
'Kun je niets aan die rotkinderen doen?' siste een van de klanten. Ik wist toevallig dat ze drie kinderen had die op een internaat zaten.
'Wie is de moeder?' vroeg een andere klant, en ze keek zo geïrriteerd dat ik het haar niet durfde te zeggen. Er waren heel wat scherpe voorwerpen in de salon: scharen, puntkammen.
Ik had nog vier klanten en dan zou ik klaar zijn voor die dag. Ik had grote plannen met Doreen. Een dineetje, daarna kaartjes voor de nieuwste, drukbezochte, theatervoorstelling op Broadway, die ik had gekregen van een klant die producer was. Ik had voor de volgende dag mijn naam uit het afsprakenboek geschrapt, in verband met het bezoek van Doreen. We zouden een privé-rondleiding krijgen in het Vrijheidsbeeld (de vriendin van de burgemeester was een van onze klanten), lunchen bij Côte Basque (de vrouw van de eigenaar was een klant) en dan, tot slot, een paar uur gaan winkelen in Madison Avenue (alle winkeleigenaars waren... nou ja, je begrijpt het wel). Ik wilde niets liever dan mijn moeder een leuke tijd bezorgen. Ook – en ik vind het vreselijk om dit toe te geven – ik wilde haar laten zien hoe goed het met me ging. Ik wilde dat ze trots op me was.

'Nou, nou, nou.' Doreen stak haar arm door de mijne toen we aan het einde van de dag eindelijk uit de salon konden ontsnappen. 'Nou, nou, nou, nou.'
Ze gooide haar hoofd met het vertrouwde gebaar in haar nek,

maar nu haar lange blonde haar verdwenen was, was er eigenlijk niets meer om achterover te gooien. We liepen Madison Avenue in, waar de winkels net gingen sluiten. Het was al donker buiten... een nieuw, winterachtig duister. Ik was er nog steeds niet aan gewend dat de klok enkele weken eerder een uur terug was gezet.
'Is het elke dag zo?' vroeg ze.
'Min of meer.'
'Ongelooflijk.'
'Ja.' Ik zweeg even. 'Nou ja, misschien was het wat chaotischer dan normaal. In verband met de feestdagen en zo.'
'En wie was die vrouw?'
'Welke?'
'Met het lange grijze haar en de..'
'O, je bedoelt vast Claudia G.,' zei ik.
'Is ze iemand die belangrijk is?'
We wachtten tot het licht op de hoek van Sixty-Third en Madison op groen sprong. Damp van het hotdogstalletje verderop in de straat werd in onze richting geblazen.
'Ze zijn allemaal belangrijk,' zei ik.
Doreen wierp haar hoofd weer in haar nek. Ik kon er nog steeds niet aan wennen als ik naar haar keek. Het klopte gewoon niet. Ze was altijd precies hetzelfde geweest. Nu leek het alsof ze deed of ze totaal iemand anders was: iemand die bij Bergdorf's winkelde, lunchte bij La Goulue en haar haar bij Jean-Luc liet doen. Iemand met twee huishoudsters, een buitenhuis en stapels kasjmieren dekens in haar logeerkamer.
Doreen betrapte me erop dat ik naar haar keek.
'Je vindt het niet echt mooi, hè,' zei ze.
'Het is verbazingwekkend werk,' antwoordde ik laf.
Ik zocht naar woorden om iets te zeggen dat zowel een compliment als de waarheid was.
'Het is geweldig geföhnd,' zei ik.
Doreen glimlachte.
'Ik vond hem... hoe heet hij ook alweer? Die vreselijk aantrekkelijke Italiaanse man die mijn haar heeft geföhnd?'

'Massimo.'
'Ja. Massimo. Ik vond hem heel erg aardig.'
'Hij is behoorlijk goed. Iedereen vindt dat hij degene met het meeste talent is.'
'Zeker, hij heeft talent,' zei Doreen. 'Jullie hebben allemaal talent.'
Er was iets aan de manier waarop ze het woord uitsprak; alsof talent en haar föhnen niet echt iets met elkaar te maken hadden. Talent en pianospelen, of talent en algebra, of talent en beeldhouwen... ik wist dat dat dingen waren die duidelijk voor haar waren. Mijn hele leven had ze me voorgehouden dat wat ze deed een vak was, geen kunst. Maar wij bij Jean-Luc beschouwden het als kunst. Waarom zouden klanten anders bereid zijn duizenden dollars per jaar aan hun haar te besteden?
'Hij lijkt me... bescheiden,' zei Doreen. Toen zweeg ze. 'Is hij...'
'Wat?'
'Je weet wel.'
'O.' Ik moest lachen. Ik was vergeten hoe ver verwijderd Weekeepeemie van Madison Avenue was. 'Je bedoelt: is hij homo?'
Ze knikte.
'Vast wel,' zei ik. 'Dat zijn ze allemaal.'
We liepen zwijgend een eind verder. Er hing iets tussen ons in de lucht, iets wat niet uitgesproken werd, maar ik had geen idee wat het was. Ik waagde de sprong.
'Nou... wat vind je ervan?'
'Waarvan?'
'Van de salon... en mij, dat ik daar werk... je weet wel, wat vínd je ervan?' vroeg ik, op die speciale jengelende toon die dochters overal ter wereld uitsluitend voor hun moeder reserveren, hoe volwassen ze in andere opzichten misschien ook zijn.
Doreen ging langzamer lopen en wikkelde haar sjaal steviger om haar nek.
'Ik denk dat het een geweldige kans voor je is,' zei ze. En daar was het weer: dat onuitgesprokene. Ik voelde het overduidelijk, alsof zich een lichaam tussen ons bevond.
'Wát?' vroeg ik.

'Het is alleen... ik begrijp verdomme niet hoe je het voor elkaar krijgt,' zei Doreen. Ik was enigszins van mijn stuk gebracht. Doreen vloekte nooit.

'Wat?'

'Die vrouwen...' haar stem stierf weg.

'De klanten?'

'Mijn god, Georgia. Ik heb nog nooit zo veel mensen gezien die zo allemachtig vol zijn van zichzelf...'

'Ze zijn niet allemaal zo,' viel ik haar in de rede. Wat deed ik nou? Waarom verdedigde ik de klanten, tegen mijn moeder notabene?'

'Ik wil alleen maar dat je gelukkig bent, lieverd.'

'Ik ben gelukkig.'

Plotseling, zomaar ineens, stond ik op het punt in tranen uit te barsten. Ik keek strak naar de etalage van een juwelier, diamanten schitterden rond de hals van bruin suède etalagepoppen, en ik moest mezelf dwingen niet te gaan huilen.

'Weet je hoeveel geld ik er verdien?' flapte ik eruit. 'Ik heb vandaag vijfhonderd dollar verdiend, alleen al aan fóóien.'

Doreen sloeg haar arm om me heen.

'Dat is geweldig, lieverd. Je doet het ongelooflijk goed. Ik ben zo trots op je... dat weet je.'

Bij die magische woorden stroomden de tranen die ik had tegengehouden over mijn wangen. Verdomme. Ik veegde ze snel weg.

'Hé, wat is dat nou? Wat is er aan de hand?' Doreen trok me dichter tegen zich aan. We liepen langs een coffeeshop. Heerlijke romige taartjes draaiden langzaam rond in het neonlicht van de etalage.

'Laten we hier naar binnen gaan,' zei ik. Want het was me duidelijk dat het laatste wat mijn moeder wilde – en eigenlijk ik ook – in een chic restaurant dineren was en tussen het krioelende publiek van een Broadway-show te zitten. En dus lieten we ons op een rode kunstleren bank ploffen, die leek op de honderden rode kunstleren banken in cafetaria's in New Hampshire, en bestelden een cheeseburger, patat en cola met vanillesmaak. De geur van hete olie, het geluid van de metalen bakspanen die over de grillplaat schraapten, het gesis van hamburgers die werden gebakken, het deed me allemaal aan Weekeepeemie denken.

'Je kunt altijd weer thuiskomen, hoor,' zei Doreen. 'Je zou mijn partner kunnen worden.'

Het brok in mijn keel wilde gewoon niet weggaan. Ik wist dat ik nooit zou ophouden bepaalde dingen van Weekeepeemie te missen, maar ik wist ook dat ik nooit terug zou gaan.

'Dit is nu mijn thuis,' zei ik zachtjes.

Doreen knikte, pakte toen over de tafel heen mijn hand en aaide mijn vingers, zoals ze had gedaan toen ik klein was en ze me hielp om in slaap te vallen.

'Praat met me, lieverd. Vertel me wat er aan de hand is,' zei ze.

'Ach, altijd weer hetzelfde liedje,' zei ik, wat helaas maar al te waar was. Mijn dagen waren een waas van klanten, en mijn nachten een waas van uitputting en televisie. Ik wilde echt liever over iets anders praten.

'Is er nog iets gebeurd in Weekeepeemie?' vroeg ik.

Doreen knipperde met haar ogen. Ik kon de radertjes in haar hoofd bijna zien draaien toen ze besloot of ze me al dan niet zou laten wegkomen met het ontwijken van haar vraag.

'Nou,' begon ze langzaam. 'Ann Cutbill heeft net haar vierde kind gekregen.'

'Haar vierde?'

'Ze hebben allemaal drie, vier kinderen,' zei Doreen.

'Hoe kunnen ze het zich permitteren?'

Ze haalde haar schouders op. 'Je weet hoe de mensen in Weekeepeemie zijn. We denken meestal niet zo ver vooruit.'

'Vrouwen in New York krijgen nog niet eens hun eerste voordat ze, zeg maar, vijfendertig zijn,' zei ik.

'Ik denk dat ze het te druk hebben met alles in te passen,' zei Doreen. Het klonk niet als een compliment.

Onze cheeseburgers waren klaar en we zaten zwijgend te kauwen. Ik wist dat Doreen me alle intieme, belangrijke vragen die een moeder voor een dochter heeft wilde stellen, vragen over geluk, voldoening en liefde. Ook al had ze me grootgebracht om onafhankelijk te zijn en mijn eigen weg te vinden, onder de felle verlichting van de cafetaria begreep ik het: mijn moeder was trots op wat ik had gedaan, wat mijn carrière betreft, maar ze wilde dat ik iets had wat zij niet had: een man om alles mee te delen.

Buiten blèrden claxons in Madison Avenue, maar in de cafetaria zaten mijn moeder en ik in ons eigen kleine vacuüm. We hadden overal kunnen zitten.

'Waar moet ik die verdomme vinden, mam?' flapte ik eruit.

Ze wist precies waar ik het over had. Natuurlijk wist ze dat.

'Maak je geen zorgen,' zei ze na een grote slok van haar vanillecola. 'Je vindt hem wel.'

De kappersbeurs

'Dames en heren, hier zijn... de wereldberoemde J. Sisters!'
De stem van de omroeper weergalmde door het Jacob Javits Center, waar duizenden mensen bijeen waren gekomen voor de kappersbeurs van New York. Jean-Luc, Kathryn, Patrick, Massimo en ik stonden voor een witte canvastent.
Uit de flappen van de tent stak een massagetafel, en op de massagetafel lag de onderhelft van een naakt vrouwenlichaam, op een kleine, en ik bedoel echt piepkleine, papieren string na. Een zwaargebouwde donkerharige vrouw in een professionele witte jas tilde een van de blote benen op en smeerde er dampend warme, lichtgroene hars op. We bleven staan, als aan de grond genageld, toen de dame een doek tegen de harslaag drukte en – sneller dan je 'klootzak' kon zeggen – weer van het been scheurde, een glanzende en haarloze huid achterlatend.
'Deze beroemde Braziliaanse zussen zijn over de hele wereld bekend om hun Braziliaanse harsmethode voor de bikinilijn!' donderde de stem van de aankondiger. 'Er blijft geen haartje achter!'
De vrouw legde het been nu over haar schouder en smeerde de hars op de binnenkant van de dij van het anonieme been. Door de wijkende, papieren string werd er werkelijk niets aan de verbeelding overgelaten.
'Au!' grimaste Massimo. 'Dat moet wel pijn doen.'
'Laten we doorlopen,' zei Kathryn koeltjes. 'Het lijkt alsof de echte actie daar is.' Ze wees naar de steeds groter wordende menigte

die zich nog een behoorlijk eind verderop bevond.
Overal waar ik keek zag je haar. Daar bedoel ik mee: veel haar. Getoupeerd en met lak bespoten haar. Haar dat in de jaren tachtig was blijven steken. Er waren knalroze lippen en met kohl omlijnde ogen, oren doorboord met tientallen knopjes met glittersteentjes en – neem me niet kwalijk als ik snobistisch klink – schoenen met plateauzolen en broeken die al dan niet van leer waren, maar er in elk geval verdacht veel als kunstleer uitzagen. Veel van de mensen die er rondliepen deden me aan mijn oude vrienden van de opleiding denken. Dat waren de mensen die bij een van de kappersketens voor de massa werkten.
En waarom waren wij hier? Waarom, zul je je misschien redelijkerwijs afvragen, hadden we ervoor gekozen een prachtige zaterdag in de muffe, koude lucht van het Javits Center door te brengen? Omdat we een speciale opdracht hadden. Jean-Luc had besloten dat het tijd was een lijn met producten op de markt te brengen. Vidal Sassoon had een productlijn. Frederik Fekkai had een productlijn. Het was tijd voor Jean-Luc-shampoo, -conditioner, -haarmasker, -gel, -spray en -mousse. En wij – zijn entourage – waren hier om ideetjes op te doen. Om te spioneren en te snuffelen, om te zien wie wat deed.
Maar er was een nog belangrijker reden waarom we hier waren, waarom het zo belangrijk was tot Jean-Lucs vertrouwelingen te behoren. Jean-Luc was begonnen losse opmerkingen te maken over een mogelijke uitbreiding.
Jean-Luc Los Angeles.
Jean-Luc Chicago.
Jean-Luc Washington.
En hoewel hij nog geen beloften had gedaan, hadden we het gevoel dat we van deze ondernemingen misschien een graantje konden meepikken. Ik kon het niet geloven. Ik bedoel, ik had het letterlijk... niet precies in een oogwenk, maar toch... van meisje dat het haar aanveegde tot een van Jean-Lucs uitverkorenen gebracht. De meeste mensen werken hun hele leven zonder dat hun zoiets ooit overkomt. Ik moest er steeds aan denken. Waarom ik?

Ik wist dat het iets te maken had met talent – Doreen had altijd gezegd dat een goede kleurspecialist zijn afhing van het in de vingers hebben – maar er waren veel getalenteerde mensen. Ik had geluk. Ik had goede vingers en een oog voor kleur, maar ik bevond me ook op het juiste moment op de juiste plek. Ik was zo'n bofkont.

We dwaalden met zijn vijven als een verdwaalde groep toeristen over de beurs. Er was een eindeloze rij gangpaden met verkopers. Bij het stalletje van Conair demonstreerden diverse verkoopsters de verschillende snelheden van hun föhns. Ernaast stond een stalletje dat helemaal aan wasbakken gewijd was. Tangen om haar steil mee te maken, krultangen, kappersstoelen en warmtelampen. Ik begon naar de J. Sisters terug te verlangen.

'Dit is gewoon tijdverspilling,' mopperde Jean-Luc. 'We kunnen hier niets leren. We moeten gewoon bij het begin beginnen... uitvinden in plaats van kopiëren...' Hij zwaaide met een arm alsof hij iedereen in het Javits Center als een zwerm lastige vliegen wilde verdrijven.

'Tja, misschien is dit gewoon een les in wat je niet moet doen,' zei Patrick. Hij bekeek alles altijd van de zonnige kant.

'Ik heb geen lesje nodig in wat ik níét moet doen!' barstte Jean-Luc uit.

Patrick keek me aan. We kenden elkaar zo goed dat ik precies wist wat er door zijn hoofd ging. Patrick werd gek van Jean-Luc. Massimo kon Jean-Luc schouderophalend afdoen, Kathryn kon hem bezweren, en ik was gewoon blij dat ik door hem uitverkoren was. Maar hij werkte Patrick echt op de zenuwen.

'Weet je wat?' zei Patrick zachtjes. 'Ik heb helemaal geen zin in dit gezeik.' Hij keerde ons abrupt de rug toe en liep een ander gangpad in. 'Ik zie jullie straks wel,' riep hij over zijn schouder.

'Wat denkt hij...' begon Jean-Luc.

Kathryn raakte zijn arm even aan.

'Laat hem maar,' zei ze.

Aan de overzijde van het auditorium konden we eindelijk zien waar alle drukte om was. Met fluwelen koorden was een speciale ruimte afgezet en kaartjesverkopers stonden voor een enorm, schitterend uithangbord.
'O, néé,' zei Kathryn geschrokken.
HIROSHI – ONZE SPECIALE STERGAST, stond er op het bord.
'Och hemel,' mompelde Massimo.
We keken allemaal naar Jean-Luc, die stokstijf was blijven staan. Zijn lippen waren wit weggetrokken en je hoorde hem ademen.
'Wat is dit?' vroeg hij zacht. Te zacht. Als Jean-Luc zacht ging praten wist je dat de hel zou losbarsten.
'Kom, Jean-Luc. Het stelt niets voor,' zei Kathryn, opnieuw zijn arm aanrakend.
'Natuurlijk stelt het wel iets voor,' sputterde Jean-Luc. 'Hiroshi? Hiroshi?' herhaalde hij, zijn stem klonk als een luid vraagteken. Verschillende mensen die in de rij stonden te wachten keken ons kwaad aan. Het zat namelijk als volgt: Jean-Luc had de eerste twaalf jaar van zijn carrière voor Hiroshi gewerkt, totdat hij Hiroshi liet zitten en voor zichzelf begon. En ook al was Jean-Luc enorm succesvol geworden, wij van de salon wisten dat hij nog steeds op een eigenaardige manier jaloers was. Want ook al was Jean-Luc een begrip geworden (nou ja, bij degenen die gewend waren 300 dollar voor een knipbeurt te betalen), Hiroshi werd beschouwd als superster. Hij knipte de coolste mensen. Mick Jagger bezocht hem als hij in de stad was. Sheryl Crow liet hem overvliegen als ze clips opnam. En er deed een hardnekkig gerucht de ronde dat een Air Force One op de startbaan moest blijven staan omdat Hiroshi het haar van de president aan het knippen was.
Jean-Luc wendde zich, plotseling, woedend, tot Massimo.
'Ik zou daar moeten staan,' zei hij. 'Niet dat Japanse mannetje. Waarom wisten onze publicisten hier niets van?'
'Omdat het een stomme beurs is,' zei Massimo. 'Het kan niemand iets schelen.'
'Mij wel!' schreeuwde Jean-Luc.

'Natuurlijk,' zei Kathryn sussend.
'Behandel me verdomme niet als een kind!' schreeuwde Jean-Luc.
'Laten we naar binnen gaan om te kijken,' zei Massimo.
'Ben je gek geworden?' vroeg Kathryn.
'Nee, maar ik ben eigenlijk wel nieuwsgierig,' zei Massimo. 'Ik heb Hiroshi al een hele poos niet gezien.'
Ik wierp een blik op Massimo. Wat was hij aan het doen? Dit zou Jean-Luc nog woedender maken.
'Laten we hier weggaan.' Kathryn trok aan Jean-Lucs arm.
'Nee, nee, nee,' zei Jean-Luc, zijn stem zwaar van sarcasme. 'Natuurlijk moeten we naar de geweldige Hiroshi gaan kijken. Misschien kunnen we nog iets leren.'
We glipten naar binnen zonder dat iemand ons naar een toegangsbewijs vroeg... godzijdank, want het enige wat erger was dan Hiroshi's aanwezigheid hier, was dat we voor hem hadden moeten betalen. Binnen, op een podium, stond Hiroshi, die ik alleen op foto's had gezien. Ik herkende hem aan zijn typerende kapsel: ravenzwart haar met een geelbruine gloed dat in botte laagjes langs zijn gezicht viel, perfect als dat van een popster. Hij droeg een vale spijkerbroek, laag over zijn heupen, en een zwart T-shirt. Hiroshi liep om een model heen, dat op een klapstoel voor hem op het podium zat. Hij bekeek haar van alle kanten.
'Wat een aanstellerij,' mompelde Jean-Luc.
Vervolgens begon Hiroshi te knippen. Ik herinnerde me dat ik had gelezen dat hij het haar het liefst droog knipte. Het haar van het model was heel steil geföhnd. Hij knipte krachtige hoeken, waardoor haar jukbeenderen er onmiddellijk uit sprongen. In een wereldje waar het woord geniaal duizenden keren per dag wordt gebruikt, was de man werkelijk geniaal. Massimo stond naast me, nauwlettend te kijken.
Naast het podium stonden tientallen vrouwen. Ze stonden te wachten, als zeehonden, op het visje dat Hiroshi was. Ze wilden als zijn volgende model gekozen worden. Waar anders kon je gratis een knipbeurt van driehonderd dollar krijgen?

Ik wierp een steelse blik op Jean-Luc. Hij had zijn handen tot vuisten gebald en er trilde een spiertje in zijn slaap. Hij ademde snel. Ik was even bezorgd dat hij misschien een beroerte zou krijgen. Ik zag de koppen in de *New York Post* van de volgende dag al: 'De Slag om het Haar! Beroemde Fransman valt flauw!'
'Ik denk dat we genoeg gezien hebben,' zei Kathryn. Ze vlocht haar vingers door die van Jean-Luc en gaf even een rukje aan hem. Dus zo stonden de zaken ervoor, ze waren een setje, daar bestond geen twijfel over.
'Ik stel je hier persoonlijk verantwoordelijk voor,' zei Jean-Luc tegen Massimo. Kathryn stond naast hem, roerloos als een standbeeld.
'Wat bedoel je?' antwoordde Massimo. Ik had hem nooit eerder geïrriteerd gezien. 'Het is niet mijn schuld dat...'
'Ik vertel je wel wat wel en niet je schuld is!' donderde Jean-Luc. Massimo deed een stap achteruit. Hiroshi bleef even stilstaan, schaar in de lucht, en tuurde de duisternis in om te zien waar de drukte over was. Zonder erbij na te denken ging ik dichter bij Massimo staan.
'Je bent ontslagen!' schreeuwde Jean-Luc.
'Meneer, u zult moeten vertrekken,' verkondigde een beveiligingsman.
Jean-Luc richtte zich in zijn volle één meter zeventig op.
'Weet je wel wie ik ben?'
'Hoorde ik hem dat echt zeggen?' fluisterde Massimo.
Ik hield mijn lachen in, maar Jean-Luc had het al gezien.
Hij sloeg de arm van de beveiligingsman van zich af. De hand van de man ging naar zijn riem en ik vroeg me af of hij een pistool had.
'Maak je geen zorgen. Ik ga weg,' zei Jean-Luc met alle grandeur die hij maar kon opbrengen. 'Ik verdwijn uit deze ellendige tent en kom nooit meer terug.'
De menigte, die alle aandacht van Hiroshi naar Jean-Luc had verplaatst, juichte bij deze woorden. Jean-Lucs gewoonlijk olijfkleurige tint was donkerrood geworden.

'Kom, chérie,' zei hij tegen Kathryn. En toen, bijna alsof hem plotseling iets te binnen schoot, zei hij over zijn schouder. 'En jij ook, Georgia Watkins... jij en Massimo zijn ontslagen. Ontslagen!'

'Hij meent het niet,' zei Massimo, terwijl hij me een derde glas wijn inschonk. We hadden gelopen (eerst hadden we de rode BMW-cabriolet van Jean-Luc met piepende banden van zijn parkeerplekje op Eleventh Avenue zien wegscheuren) tot we bij een kleine Franse bistro vlak bij het centrum van de stad kwamen.
'Moet het Frans zijn?' kreunde Massimo. 'Ik heb voor vandaag genoeg van alles wat Frans is.'
'Het is niet anders. We zijn moe. En ik heb een borrel nodig,' zei ik.
En daar zaten we dus. Het laatste restje wijn uit de karaf wervelde op de bodem van mijn glas rond.
'Natuurlijk meent hij het wel,' zei ik. Ik stelde mij mezelf al voor terug in Weekeepeemie, folies in mevrouw Foti's haar makend. Ze noemden het daar niet eens highlights. Ze noemden het coupe soleil... en dat was het eigenlijk ook. Het was net zo geraffineerd en subtiel als haar dat lichter was geworden door de zon. Nou ja, ik had het geprobeerd. Ik had succes gehad. Jaren van ervaring opgedaan bij een van de beroemdste salons ter wereld, om maar te zwijgen van het geldbedrag dat ik op de bank had staan. Het had erger kunnen zijn.
'Waar denk je aan?' vroeg Massimo. Zijn donkere ogen keken me over de rand van zijn wijnglas doordringend aan.
'Ik denk dat ik zal eindigen waar ik vandaan kom,' zei ik. 'Weekeepeemie. New Hampshire. Inwonertal 3871. Tenminste, als meneer Miller nog niet dood is. Als hij dood is komt het op 3870.'
Ik was een beetje dronken, voelde me een beetje ongedurig. Niets geeft je zo het gevoel dat je niets te verliezen hebt als ontslagen worden.
'En jij?' vroeg ik aan Massimo, ellebogen op het verweerde, houten tafeltje. 'Wat ga jij doen? Heb je een vriendje?'
Ik flapte het er gewoon uit. Het sloeg natuurlijk nergens op. Wat had dat ermee te maken?

Er speelde een glimlach rond Massimo's lippen.
'Je veronderstelt wel heel veel dingen,' zei hij.
'Wat?'
'Nou, ten eerste ga je ervan uit dat we echt ontslagen zijn, wat, kan ik je verzekeren, niet het geval is. Hij heeft ons veel te hard nodig.'
'Maar hij...'
Massimo boog zich over het tafeltje heen en legde een vinger tegen mijn lippen, een gebaar dat zo intiem was dat ik van schrik zweeg.
'Ten tweede, jij en ik zouden bij elke salon in deze stad een baan kunnen krijgen. We hebben het maar voor het uitzoeken. Dat weet je toch wel, hè?'
Een donkere krul viel over Massimo's prachtige voorhoofd en hij veegde hem weg. Hij gebaarde de ober om nog een karaf.
'En ten derde, waarom denk je dat ik een vriendje heb?'
'Ik dacht gewoon... ik bedoel, je bent zo mooi en zo, en alle jongens moeten...' Ik zweeg. Ik voelde de hitte naar mijn wangen stijgen. Niets valt zo op als een blondine die bloost. Massimo bleef me alleen maar aankijken met dat glimlachje en die warme, intens bruine ogen.
'Ik heb geen vriendje,' zei hij, uiteindelijk. En toen boog hij zich ver over het tafeltje heen en kuste me zachtjes op mijn mond.

In de lente zijn er in New York altijd een paar perfecte avonden: de roze avondlucht boven het grijsblauw van de Hudson, de schoongespoelde trottoirs, de lucht die zo licht is dat je hem niet voelt, alsof het totaal geen moeite kost je te bewegen. De avond dat Massimo en ik verliefd op elkaar werden... en echt, we vielen als een blok voor elkaar, hoewel Massimo zou beweren dat hij al veel eerder verliefd was geworden en dat hij gewoon zijn tijd afwachtte... was zo'n avond. Na de tweede karaf wijn liepen we verder het centrum in, naar de West Village, waar Massimo woonde. Het leek wel alsof alle mensen in New York buiten waren. Ouders zaten op bankjes bij de speeltuin in Bleeker Street, het laatste beetje zonneschijn van die dag meepikkend terwijl hun kinderen op klimrekken klauterden en van glijbanen gleden. Massimo hield mijn hand voorzichtig vast toen we erlangs liepen, met precies de juiste hoeveelheid kracht... niet trekkend of rukkend zoals de jongens in Weekeepeemie hadden gedaan, maar mijn vingers omsloten door die van hem, gewoon, beschermend, alsof hij wilde zeggen *je bent van mij*.

'Ik blijf altijd staan om naar ze te kijken, naar de kinderen,' zei Massimo. 'Deze kinderen, ze kunnen in New York of in Italië of in China zijn... het doet er niet toe. Ze hebben een universele taal. Vol blijdschap.'

We liepen langs een bakkerij waar zich voor de deur een rij mensen had gevormd, die tot halverwege de straat liep.

'Waar wachten ze op?' vroeg ik. Ik kende dit gedeelte van de stad helemaal niet. Ik had het altijd te druk met werken in de salon om op verkenning uit te gaan.

'Cakejes.'

'Je meent het. Cakejes?'

'Die bakkerij... dat is de Jean-Luc van de cakejes,' zei Massimo. 'De mensen staan eeuwig te wachten, ze weten niet eens waarop.'

Bij het noemen van Jean-Luc werd ik weer zenuwachtig. Waar was Patrick? Was hij ook ontslagen?

'Misschien moeten we even bellen...'

Massimo leidde me bij mijn elleboog de brede stenen trap van een herenhuis op.

'Ik heb een beter idee,' zei hij. Hij keek op zijn horloge. 'Hoe lang is het geleden? Drie uur? Ik wed dat Jean-Luc ons al heeft gebeld.'

'Onmogelijk.'

'Waar wil je om wedden?'

'Ik geloof niet in weddenschappen.'

'Weet je wat,' zei Massimo terwijl hij de voordeur openmaakte. 'Als ik gelijk heb ga je volgend weekend met mij uit.'

Ik verbeet een glimlach. Ik was niet zo'n gokker, maar die weddenschap kon ik nauwelijks verliezen. *Al die tijd bevond je je vlak*

voor mijn neus, dacht ik. Grappig zoals de dingen kunnen lopen.
Massimo knipte het licht in zijn appartement aan, waarmee hij een vervallen grote kamer onthulde in de stijl van een NewYorkse salon. Het plafond was hoog, met sierlijke ornamenten die zo vaak overgeschilderd waren dat het net dikke slagroom leek. Er hing een oude, ijzeren kroonluchter in het midden van het plafond, die de kamer in een schemerige oranje gloed hulde. Een versleten fluwelen bank bedekt met zachte kleedjes stond tegenover een enorme marmeren schouw. Een vergulde spiegel stond tegen de verste muur.
'Wat een prachtige woning,' zei ik.
Hij glimlachte. 'Ik woon al zo lang zo ver van huis dat ik een thuis voor mezelf moest maken... begrijp je dat?'
Ik knikte. Ik begreep het inderdaad, ook al had ik precies het tegenovergestelde gedaan. Mijn huis had er altijd uitgezien alsof ik elk moment kon inpakken, om naar New Hampshire terug te keren, als de zaken niet goed verliepen.
Maar Massimo's appartement was zo huiselijk... ik wist eigenlijk niet wat ik ervan moest denken. Als ik het appartement voor die middag zou hebben gezien, zou ik er nog meer van overtuigd zijn geweest dat Massimo een homo was. Welke heteroman in zijn eentje zou zo wonen? Niemand die ik kende. Dat is zeker. Heteromannen die ik kende hadden geen belangstelling voor hun uiterlijk of hun omgeving. Ze lieten de vuile borden op het aanrecht opstapelen, natte handdoeken op de vloer van de badkamer liggen en lege bierflesjes in hun vensterbanken staan.
'Aha, het antwoordapparaat knippert,' zei Massimo terwijl hij me uit mijn jasje hielp. 'Zullen we eens kijken wie het is?'
Ik liet me op de fluwelen bank zakken. Op de schoorsteenmantel stonden foto's van knappe mensen met donkere ogen op een strand, in een restaurant, lachend met hun hoofd naar achteren geworpen. Massimo's familie.
'Mijn moeder en vader, en mijn twee zussen,' zei Massimo. Ik herkende de klank van zijn stem. Hij miste zijn familie.
Pieiep. Massimo drukte op het knopje van zijn antwoordapparaat.

'Hallo? Massimo? Bonjour? Is er iemand thuis?' Jean-Lucs stem weerkaatste tegen het hoge plafond van Massimo's salon. 'Hallo?' Een lange stilte. 'Merde... luister eens... bel me, alsjeblieft?' Vervolgens het geluid van de hoorn die werd neergelegd, en een klikje. Massimo schudde medelijdend zijn hoofd.
'Net iets voor hem,' zei hij.
'Wat?'
'Hij kan zich er niet toe zetten gewoon te zeggen dat het hem spijt.'
'Hoe weet je dat het hem spijt?'
'Hij heeft spijt, dat is zeker. Niet omdat hij zich als een stomme, neem me niet kwalijk, klootzak heeft gedragen, maar omdat hij de rest van de dag heeft zitten rekenen hoeveel geld het hem zal kosten als jij en ik allebei weg zijn.'
Ik trok mijn laarzen uit. Mijn voeten deden pijn van al dat lopen. Hoe was het mogelijk dat ik me meteen zo op mijn gemak voelde?
'Dus, mia bella...' Massimo trok me tegen zich aan. Ik nestelde mijn hoofd tegen zijn schouder en met zijn andere hand streelde hij mijn wang. 'Ik denk dat ik onze weddenschap gewonnen heb.'
'Ik denk het ook,' lachte ik. Technisch gezien had hij natuurlijk niet helemaal gewonnen. Maar wie was ik om hem tegen te spreken? En dat deed ik dus niet. Ik sprak Massimo niet tegen toen hij een vuur in de haard aanstak op die koele lenteavond, of toen hij voor me neerknielde en langzaam, heel bewust mijn bloes losknoopte, mijn beha losmaakte, mijn broek openritste en zijn prachtige mond over mijn hele lichaam liet dwalen.
'Hoe lang weet je het al?' mompelde ik. Hij ging heel doelbewust te werk, alsof hij al jaren wist dat dit zou gebeuren.
'Heel lang,' zei hij. Toen kuste hij mijn dij. 'Heel lang, heb ik gewacht.'
Ik dacht niet na over of dit wel goed was, of niet te snel, of wat er morgen zou gebeuren. Ik strekte mijn armen naar hem uit, zijn armspieren gespannen onder zijn spierwitte shirt, en langzaam vervaagde de wereld om me heen. Er was geen Jean-Luc, geen

angst, geen onzekerheid, geen wantrouwen. Alleen maar het knapperende haardvuur, de gemompelde Italiaanse woorden *molto bella, cara mia,* de mist van vingers, tongen en ledematen, alleen wij twee zwevend in de ruimte die we ons plotseling, tot onze verbazing, hadden toegeëigend.

De volgende dag, toen we bij de salon kwamen, gedroeg Jean-Luc zich als een berouwvolle jonge hond. Ik zou het niet van hem verwacht hebben. En trouwens, zoals je je kunt voorstellen, mijn gedachten waren elders toen ik zwevend de eerste van mijn twintig klanten onder handen nam, mijn kam bewoog alsof hij een eigen leven leidde. Ik was uitzinnig van geluk, bevond me op een roze wolk.
Mijn tweede klant arriveerde met haar jas van Mongools lam... je weet wel, het soort vacht waarbij de plukken haar alle kanten op staan.
'Georgia, lieverd... denk je dat je een paar highlights in mijn jas zou kunnen maken?' vroeg ze. 'De kleur is wat saai geworden.'
Het was een van de vreemdste verzoeken die ik ooit had gekregen, dat was zeker, en op een andere dag zou ik ervan uit mijn humeur zijn geraakt... maar die dag niet, niets kon me uit mijn humeur brengen. Ik nam de jas van haar aan, hing hem over de rug van mijn stoel en liet mijn assistent wat blondeercrème mengen.
Massimo! Ik hield hem binnen mijn gezichtsveld – waar hij zich altijd al had bevonden – en voelde me zowel gerustgesteld als opgewonden door zijn aanwezigheid. Het is overbodig te zeggen dat we de nacht ervoor niet veel geslapen hadden, en we hadden in elk geval niet gereageerd op een van de zes telefoontjes van Jean-Luc.
'Massimo! Allo? Allo? Waar ben je? Bel me, hè? Zodra je kunt – tout de suite!' *Klik.*
'Mon ami, het... het spijt me,' zei Jean-Luc uiteindelijk tegen het antwoordapparaat. 'Alsjeblieft, ik ben een idioot. Ik zie je morgenochtend, oui?'

Massimo grinnikte, zijn naakte borst ging onder mijn wang op en neer. 'Arme kerel,' zei hij. 'Hij is waarschijnlijk aan het bedenken wat hij morgenochtend tegen al onze klanten moet zeggen. Stel je voor hoeveel gratis manicurebeurten hij moet uitdelen om hen gelukkig te maken!'
'Nou, ik denk dat hij opgelucht zal zijn als we binnen komen lopen,' zei ik, me dichter tegen Massimo's borst aan nestelend.
Hij kwam op één elleboog overeind. 'Waarom denk je dat we dat doen?' vroeg hij.
'Natuurlijk doen we dat,' zei ik. Maakte hij een geintje? Het was mijn báán.
'Oké, oké,' zuchtte hij.
Dus waren we er weer. Massimo knipte het haar van een van de omroepsters van een ochtendprogramma op de tv, ik wist niet precies welke. Ze had het kapsel van een omroepster: schouderlengte, in lichte laagjes, met een ronde pony. Ik keek hoe hij zorgvuldig een halve centimeter van haar pony afknipte. Ze glimlachte naar hem, druk gebarend, en haar gezicht was een en al beweging, op één deel na: haar voorhoofd dat superstrak stond. Het was verbazingwekkend... het was me gaan opvallen bij bepaalde klanten uit de filmwereld... maar er was een nieuwe injectie op de markt waarmee de gezichtsspieren werden verlamd, rimpels voorkomen, maar waardoor je gezicht ook geen enkele uitdrukking meer had. Het werd Botox genoemd, en het verving ooglifts en facelifts, of in elk geval konden ze erdoor worden uitgesteld. Het voorhoofd van de omroepster was zo glad als een ijsbaan.
'Wat gaan we vandaag doen?' vroeg mijn klant, waardoor ik opschrok uit mijn roze Massimo-wolk. Ze was al heel lang mijn klant, een handelaarster van Wall Street die op hakken van tien centimeter rondliep met een attachékoffertje van Hermès. De afgelopen vijf jaar had ik steeds precies hetzelfde met haar haar gedaan: subtiele, goudblonde highlights om wat leven te brengen in haar muisbruine haar.
'Wat zou je willen?' vroeg ik.

Ze haalde haar schouders op. 'Ik heb behoefte aan verandering.'
Ik keek naar mijn karretje. Mijn assistente had het gebruikelijke mengsel al klaargezet. Toen bekeek ik mijn klant eens wat nauwkeuriger. Hoe heette ze? Alice? Alison? Ik vergat nooit een gezicht of een hoofd met haar, of de details van hun privé-leven waarover mijn klanten me altijd vertelden. Maar wat namen betreft was ik niet zo goed. Hoe dan ook, wat haar naam ook was, ze zag er niet zo geweldig uit. Ze was te mager geworden, ze had de grens tussen chic dun en uitgemergeld overschreden. En zo spiegelglad en sereen als het gezicht van de omroepster was, zo afgepeigerd zag deze vrouw eruit, ik had persoonlijk Botox voor haar willen halen.
'Wat is er aan de hand?' vroeg ik.
'Niets. Gewoon een slechte dag.'
'Wil je blonder worden?' vroeg ik. Blonder was vaak de oplossing. Er waren zo veel soorten blond. Champagneblond. Honingblond. Goudblond. Maar terwijl ik haar teint bestudeerde om de kleur blond te bepalen, flapte ze er plotseling uit: 'Rood!'
'Rood?'
'Ja,' zei ze. 'Laten we dat doen.'
'Luister eens,' ik wierp een steelse blik op haar klantenkaart, 'Amanda. Ik denk niet dat rood zo'n goed idee is. Misschien kunnen we koperblond doen, een paar plukken langs je gezicht...'
'Nee,' zei ze. 'Ik wil echt rood. Rood.' Ik zag een traan uit haar ooghoek lopen.
'Luister eens,' zei ik vriendelijk. 'Wat er ook met je aan de hand is, dit is niet het moment om een grote verandering te ondergaan. Als je over een maand nog steeds iets drastischs wilt, kom dan terug en dan praten we erover. Maar je zult alles wat ik vandaag met je haar doe vreselijk vinden... dat weet ik gewoon... en uiteindelijk zul je mij vreselijk gaan vinden en zal ik je kwijtraken als klant.'
Ze begon langzaam te knikken en veegde met de rug van haar hand langs haar wang.
'Dus ga iets duurs voor jezelf kopen wat je niet nodig hebt,' zei ik,

in de richting van Fifty-Seventh Street gebarend. 'Dan kun je het in elk geval nog terugbrengen als het je niet bevalt.'

Ze – Amanda – stond op uit haar stoel en drukte een kus op mijn wang.

'Dank je,' zei ze zachtjes. 'Je hebt gelijk. Ik weet dat je gelijk hebt.'

'Ik hoop dat je je beter voelt,' zei ik.

Toen ze vertrok zag ik Massimo naar me kijken. Hoe lang had hij al staan kijken? Hij knikte even en blies me een kus toe. Toen, in de eindeloze rij spiegels, zag ik dat Patrick ons had gezien. Hij keek me aan, met opgetrokken wenkbrauwen, en begon toen breeduit te grijnzen.

De rest van de dag gedroeg iedereen zich eigenaardig in Salon Jean-Luc. Patrick en ik giechelden steeds als we elkaar aankeken, Massimo en ik kusten elkaar tijdens onze pauze stiekem in het washok, en Jean-Luc – arme kerel – ik had bijna medelijden met hem. Hij had geen idee wat er aan de hand was.

Uitbreiding, of de vakantieperiode

Het geheim van Jean-Lucs succes was zijn brandende, pure ambitie. Daarom werd hij gek van kerels als Hiroshi, John Sahag en Oscar Blandi. Je kon het in zijn ogen zien, zijn behoefte – groter dan alles, inclusief seks en slaap – om aan de top te staan. Dus het kwam eigenlijk niet als een verrassing toen Jean-Luc in alle ernst over uitbreiding begon te praten. Het was niet genoeg voor hem dat de salon een enorm succes was, dat hij bijna elke maand in *Vogue, Bazaar* en *W* werd genoemd. Het was niet genoeg dat hij en Kathryn – ze waren nu officieel een stel – overal werden uitgenodigd; van het jaarlijkse galafeest van het Metropolitan Museum tot de chicste openingen van kunstgaleries, en filmpremières.

Nee. Niets van dit alles was genoeg voor Jean-Luc, want, zoals mijn moeder me langgeleden had ingeprent, jaloezie en hebzucht waren machtige zaken en konden iemand ertoe aanzetten zo'n beetje tot alles in staat te zijn. *Ze noemen het niet voor niets het groene monster*, zei ze altijd. En, steeds als ik naar Jean-Luc keek, was dat wat ik zag: een groen monster vol gezwellen met stukjes brioche tussen zijn tanden.

Het was op een donderdag voor de kerst toen de uitnodigingen in het personeelspostvakje van Massimo, Patrick en van mij lagen. (Kathryn had hem waarschijnlijk persoonlijk in ontvangst genomen.) De uitnodiging was op zwaar, naar vanille geurend papier in Jean-Lucs onmiskenbare, elegante handschrift geschreven: *Wees zo vriendelijk een borrel met me te drinken in het Carlyle,*

stond er. *Vanavond om zeven uur.* Er stond geen telefoonnummer bij vermeld voor als je wilde reageren. Hadden de Fransen het r.s.v.p. niet uitgevonden? En het was natuurlijk op het laatste moment. Vlak voor de feestdagen. Geheel in overstemming met de veronderstelling van Jean-Luc – die altijd juist was geweest – dat een uitnodiging van hem alle andere zou overschaduwen.
'Wat denk je dat dit te betekenen heeft?' vroeg Patrick. Hij, Massimo en ik stonden in het personeelskamertje, snel een kop koffie drinkend voor de eerste klanten kwamen.
'Ik ben ervan overtuigd dat hij ons op een borrel wil trakteren om ons duidelijk te maken hoe blij hij is met ons uitstekende werk,' zei ik.
'Ha, ha, ha,' zei Patrick droog.
'Ik denk dat ik het weet,' zei Massimo. 'Maar ik wil het niet zeggen. We zullen wel zien, hè...' hij keek op zijn horloge, '... over tien uur.'
Het personeelskamertje was bijna leeg, op een paar kale tafels na waar we snel onze lunch gebruikten. Je zou niet zeggen dat de feestdagen op komst waren. Er was geen versiering... niet eens een kerstkrans of een sok voor de kerstman, laat staan een kerstboom. Het enige teken van leven bestond uit de verspreid liggende rugzakken en plastic tasjes die daar aan het begin van de dag door het personeel werden neergezet. De koelkast stond propvol etenswaren in Tupperwarebakjes met een etiket erop, dat de assistenten en de shampoomeisjes die zich de afhaalprijzen van Fifty-Seventh Street niet konden permitteren van huis, uit Brooklyn of Astoria, meenamen.
Maar in de salon was het kerst! Langs de ramen van Jean-Luc zaten twinkelende witte lampjes, een kerstboom met antieke kerstversieringen uit de Provence stond in de hoek bij de warmtelampen, en uit respect voor onze vele joodse klanten brandde er een elektrische menora op de balie van de receptie. Kerstliedjes klonken uit de geluidsboxen. Vaak betrapte ik mezelf erop dat ik het wijsje van 'Jingle Bells' meeneuriede, maar dan met de woordjes: *geld, geld, geld. Geld, geld, geld...*

En overal cadeautjes. Veel klanten gaven ons inderdaad geld... honderd hier, tweehonderd daar, en een enkele keer, krankzinnig, een biljet van duizend dollar... maar een behoorlijk aantal klanten gaf ons liever een echt cadeautje. Anderhalveliterflessen champagne, kilo's Belgische bonbons, kasjmieren sjaals en truien, en mijn favoriete cadeautje, dat ik elk jaar kon verwachten en dat ik net de dag ervoor in ontvangst had genomen: een tasje van Tiffany met dertig gram luchtdicht verpakte hasjiesj, in een oranjebruin doosje van Hermès dat met een bruinfluwelen lintje was dichtgebonden. Mijn klant, een platenbaas, gaf me altijd precies hetzelfde, in verschillende maar even chique verpakkingen. Ik rookte het spul niet eens! Ik wilde dat ik het op de een of andere manier in geld kon omzetten, maar Massimo herinnerde me eraan dat ik dan in drugs zou handelen.

Kerstgulheid tierde welig... het leek bijna een epidemie. De avond ervoor was ons personeels-kerstfeest geweest, dat altijd in de meest trendy club van de stad werd gehouden. Dit jaar was het feest in een club genaamd Edge geweest, die nog niet eens geopend was. De manager was een vriend van Sweetie. Sweetie, natuurlijk de meest glamourvolle travestiet in New York, was dé gids van hippe, trendy tenten.

Iedereen dronk champagne en de dansvloer van Edge lag bezaaid met cadeaupapier toen het personeel geschenken had uitgewisseld. Gedurende een korte periode had geld niets te betekenen... er was gewoon zo verdomde veel van. De eerste stylisten hadden geld bij elkaar gelegd om de twee Filippijnse shampoomeisjes een reis naar hun familie in hun thuisland te laten maken (niet tegelijkertijd, natuurlijk). Leren jasjes, Burberry-dassen, Tag Heuer-horloges, krokodillenleren riemen van Ralph Lauren (600 dollar bij Bergdorf's, maar grátis met een cadeaubon) werden uitgedeeld. De muziek – een van de tweede assistenten die was begonnen als gitarist was de discjockey – denderde en iedereen danste.

'Hey, pretty girl!'

'Shake it, baby!'

'Gimme some love!'

Probeer je een heel stel mensen voor te stellen... mensen die voor uiterlijke schoonheid en mode leven... die elke werkdag van hun leven een zwarte broek en een wit hemd moeten dragen. Stel je die mensen voor op een vrije avond, met genoeg geld om over de balk te smijten, in een club waar ze zonder problemen hun meest extravagante kleding kunnen dragen. Aan het eind van de avond was de club een waas van glanzende, volmaakt afgetrainde lichamen. Oogverblindende mensen die, alleen die avond, hun meest oogverblindende zelf mochten zijn. Ik moet toegeven, zelfs Jean-Luc ging uit zijn dak.

De volgende dag moesten we er natuurlijk voor boeten. We hadden een gigantische collectieve kater. De dag kroop voorbij. Ik had tweeëntwintig hoofden (waaronder Claudia G. en zij telde voor vijf extra klanten) en ongeveer elk uur belde er een klant met een noodgeval voor de feestdagen. Nan Babtkis moest voor kerst haar uitgroei laten bijkleuren... kon ik haar ergens tussen proppen? Nina Jenkins was naar een andere kleurspecialiste geweest... en ze had er zo'n vreselijke spijt van want nu was haar haar een ramp, of ik er iets aan kon doen? Vandaag? De drie zwaarste weken in de geschiedenis van een salon aan de Upper East Side zijn: de week voor joods nieuwjaar, de week voor Thanksgiving en de week voor kerst. Ik vond dat ik mijn klanten niet kon weigeren, dus ik werkte gewoon steeds sneller, mijn kam ging als een razende tekeer. Massimo had geprobeerd me ervan te overtuigen iets minder hard te werken. *Bella mia, het is maar haar,* zei hij na afloop van dagen zoals deze, terwijl hij mijn droge, gebarsten handen met crème insmeerde.
En natuurlijk, het was maar haar. Dat wist ik. Maar het was een soort ziekte, of zoiets. Ik moest mezelf helemaal kapot werken anders had ik niet het gevoel dat ik mijn geluk verdiende. Dus hier stond ik. Tweeëntwintig, nee, eigenlijk drieëntwintig klanten. Want ik was helemaal vergeten dat ik Ursula had beloofd die dag haar haar te doen. Ik gaf Ursula nu al jaren een combinatie van goudblonde en donkerkastanje highlights, maar ik kon

nooit, maar dan ook nooit geld van haar aannemen... ik bedoel, het was Úrsula... en dus liet ik haar nooit via de balie afspraken maken. Ze kwam tijdens haar lunchpauze binnen walsen, mij overvallend.

'Georgia-lief!'

Ik probeerde niet wanhopig te kijken. Ik kon niet geloven dat ik het vergeten was. Hoe moest ik haar er in godsnaam tussen proppen? Maar als ze ook maar even het gevoel had dat ze me voor het blok zette, zou ze ervandoor zijn gegaan. Vanaf het eerste moment had ik haar moeten dwingen om zelfs maar naar me toe te komen. *Ik wil er geen misbruik van maken*, had ze gezegd. Ik had tegen haar gezegd dat ik beledigd zou zijn als ze mij niet haar kleur liet doen en Patrick haar haar liet knippen. Dat was de druppel. Haar grote bos, pluizig, uitgedroogd haar transformeerde tot een sluik, glanzend, goudkastanjebruin kapsel. En het was verbijsterend, maar daarna had ze drie keer promotie gekregen, bing, bing, bing, en nu was ze de secretaresse van de hoogste bankdirecteur. Geweldig kapsel, dat verzeker ik je. Niet dat ik met de eer wil gaan strijken of zoiets.

'Moet je jezelf eens zien,' zei Ursula. 'Altijd als ik je zie ben ik waanzinnig trots.'

Ik wilde niet dat ze dat zei. Het was gênant. Ik bedoel, op een gegeven moment is het gewoon je leven. Ik begreep sommige klanten wel, de echtgenotes van rijke mannen die als stewardess of aerobicslerares waren begonnen: op een gegeven moment wilden ze er gewoon niet meer aan herinnerd worden.

Maar vervolgens was er een Bedford, die vlak naast Ursula zat.

'Ik zag dat artikel over je in *New York Magazine*!' zei de Bedford.

'Wat? Wat was dat? Hoe kan ik dat gemist hebben?' vroeg Ursula.

'Het was gewoon een artikel,' zei ik snel. 'Ik werd alleen maar genoemd.'

'Moet je haar horen,' zei Ursula. 'Alleen maar genoemd.'

Ik was klaar met Ursula's highlights en omhelsde haar voordat ik haar naar Patrick bracht. Ze rook nog steeds precies hetzelfde – *Jean Nate, Jean Nate* – en toen ik haar geur inademde was ik weer even acht en zag ik hoe ze in Weekeepeemie een diepvriesmaaltijd voor me klaarmaakte.

Ik gluurde naar Massimo terwijl ik met een baliage bij Jessie Adams bezig was. Jessie was een aankomend sterretje dat door haar agent naar me toe was gestuurd, van wie ik ook het haar deed.

Massimo zwaaide met een envelop naar me en wenkte me met zijn vinger. Wat kon er zo belangrijk zijn?

'Excuseer me even,' zei ik tegen Jessie, die trouwens met haar neus in het decembernummer van *Allure* zat; ze bestudeerde een foto van een sterretje dat net iets meer had bereikt dan zij. Ik liep snel naar Massimo.

Hij gaf me de envelop.

'Moet je dit eens zien,' glimlachte hij geheimzinnig.

Uit de envelop gleden twee vliegtickets – eerste klas, viel me op – en enkele foto's van de buitenkant van een imposant uitziend gebouw. Ik begreep eerst niet wat het voorstelde, dus ik keek nog eens naar de tickets. New York-JFK naar Parijs-Charles de Gaulle.

'Voor ons,' zei Massimo. 'Van... je zult het nooit geloven... Claudia en Tommy G.'

'Je meent het. Ik zie haar later vandaag nog.'

'Ze liet dit door haar chauffeur brengen.'

Het was in de salon inmiddels algemeen bekend, zowel bij het personeel als bij de klanten, dat Massimo en ik een stel waren. We hadden altijd veel klanten gemeenschappelijk gehad, en Claudia was daar een van, evenals Tommy, die op onverwachte tijdstippen binnenglipte om zijn haar te laten verven.

'Maar ze heeft geen greintje gulheid in haar lijf,' zei ik.

'Ssst,' zei Massimo. 'Dat lijkt ze vergeten te zijn.'

'Dus dit is haar appartement?'

'Ja. Op Avenue Montaigne. Waar ze, helaas voor hen, deze feestdagen geen gebruik van kunnen maken.'

Hij sprak het adres eerbiedig uit, maar hij had elke Parijse straat

kunnen noemen die voor mij dezelfde betekenis zou hebben gehad. Ik was nooit in Europa geweest. Ik was nauwelijks ergens anders dan aan de oostkust geweest.
Ik was met stomheid geslagen.
'Voor wanneer?' Ik bekeek het ticket. 'Wacht eens... dat is voor volgende week!'
'De dag na kerst,' zei Massimo.
'Maar...'
'Waarom zeg je altijd "maar"?'
'Maar we kunnen niet gewoon...'
'Nou doe je het weer!'
Ik lachte en keek naar Jessie Adams, die de *Allure* uit had en nu met één lang, slank been zat te wiebelen.
'Ik moet weer aan het werk,' zei ik.
'Ik heb mijn laatste klant om halfzes,' zei Massimo. 'Dus ik zie je in het Carlyle, oké?'
'Oké,' zei ik, en daar was het, die felle steek die ik vanbinnen voelde als Massimo iets onverwachts zei of deed. Waar ging hij heen? Wat ging hij doen? Ik vroeg me af of er ooit een moment zou komen dat ik niet bang was dat hij zou verdwijnen.
'Ik moet wat dingen kopen voor onze reis,' zei Massimo, alsof hij mijn gedachten had gelezen. 'Want de dag na kerst gaan we naar Parijs, toch?'
Er vlogen allerlei dingen door mijn hoofd: Weekeepeemie, Doreen, Melodie, hun teleurstelling als ik niet naar huis zou komen.
'Ja,' zei ik. Het was alsof ik in het diepe viel. Een enkel woord... ja... het moeilijkste gedeelte. En de rest was aan de krachten der natuur.
Ik maakte Jessie Adams' baliage af (waarvoor ze noch betaalde noch een fooi gaf) en was met mijn op drie na laatste klant van die middag bezig toen Claudia G. binnen kwam stevenen.
'Schat!' Ze kuste me op beide wangen, op zijn Frans.
'Claudia, Massimo liet me vanmorgen je ongelooflijk genereuze cadeau zien, en ik kan niet eens...'
Ze wuifde mijn woorden weg.

'Het stelt echt niets voor. Geloof me. Het appartement staat toch leeg, en Tommy krijgt al die gratis vliegtickets...'
'Het stelt wel iets voor,' viel ik haar in de rede. O, mijn god, stond ik daar op het punt in huilen uit te barsten? *Beheers je, Georgia.* Ik was een emotioneel wrak. Misschien moest ik ongesteld worden. Ik probeerde me te vermannen. Weet je, voor Claudia stelde het echt niets voor. Mensen zoals zij leven echt in een wereld waar reisjes naar Parijs als snoepjes konden worden uitgedeeld.
'Nou, je kunt me bedanken door me één highlight te geven. Ze pakte een pluk haar naast haar gezicht. 'Hier.'

Zeven uur. Het Carlyle Hotel. We waren er allemaal op tijd. Dat wil zeggen, Massimo, Patrick, Kathryn en ik. Jean-Luc was te laat. Tien, vijftien, twintig minuten te laat. We zaten op een met kelim beklede bank langs de muur rond een laag tafeltje chips te eten en te wachten.
'Weet jij wat er aan de hand is?' vroeg Patrick, zoals altijd onbevreesd aan Kathryn. 'Neem me niet kwalijk, laat ik het anders zeggen. Natuurlijk weet jij wat er aan de hand is.'
'Natuurlijk,' zei Kathryn welwillend.
Ze wikkelde een zijdezachte lok van haar honingblonde haren rond haar vinger en liet hem toen weer los. Ze sloeg één bloot been onder haar minirok over het andere en nam een slokje van haar *bellini*. Ik merkte dat de andere gasten van het Carlyle Hotel naar ons keken. We vielen op, denk ik, in die omgeving. Blauwbloedige, in blauwe blazers gehulde heren met sneeuwwit haar, keurig gekapte dames met een Kellybag van krokodillenleer en kettingen van zuidzeeparels zaten bevallig op de punt van hun stoel, één nootje tegelijk knabbelend.
'Nou?' vroeg Patrick aan Kathryn. 'Wat is er aan de hand?'
'Zullen we gewoon op Jean-Luc wachten,' zei ze.
Patrick rolde met zijn ogen.
'Waarom doe je zo moeilijk?' Kathryn werd kwaad.
'Ik doe niet moeilijk. Ik doe helemaal niet moeilijk,' zei hij.
Patrick zag er nog fantastischer uit dan gewoonlijk. Elk jaar dat

hij in New York was – het werd nu het zevende – begon hij iets lekkerder in zijn vel te zitten. Waarmee ik bedoel: stond hij het zichzelf toe homoseksueel te zijn, en nu had hij zelfs wat geld. Geef een homo geld, en, geloof me, hij besteedt het aan kleding. Vanavond droeg Patrick een strakke zwartleren broek, een vintage overhemd van zacht katoen en een jas van zachte lamswol, zijn kerstcadeau aan zichzelf dit jaar.

'Waarom zou Jean-Luc deze plek hebben uitgekozen, denk je?' vroeg Massimo zich hardop af. 'Het is nogal... uit de buurt. Vooral na het feestje van gisteravond... we moeten allemaal vroeg naar bed.'

'Het is voor jullie misschien uit de buurt, maar Jean-Luc en ik logeren hier zolang ons appartement wordt gerenoveerd,' zei Kathryn. Ze had de overgang van ondergeschikte assistente tot muze tot officieel vriendinnetje soepel gemaakt, alsof dit alles altijd al een onderdeel was geweest van haar meesterplan. Ze had zelfs – was het mogelijk? – een licht Frans accent ontwikkeld.

Op dat moment arriveerde Jean-Luc, samen met een vlaag koude lucht (want Jean-Luc gebruikte nooit draaideuren, alleen deuren waarop duidelijk stond vermeld NEEM DE ANDERE DEUR), zijn neus en mond waren bedekt met een kasjmieren sjaal.

'Goedenavond, goedenavond,' jubelde hij terwijl hij zijn jas losknoopte. Hij wendde zich tot Kathryn. 'Ik was bij Waterworks,' zei hij, een winkel voor badkamers waar een enkele kraan al meer dan duizend dollar kan kosten, 'om de tegels voor de ouderslaapkamer uit te zoeken.'

Toen wendde hij zich tot ons. 'Het spijt me dat ik te laat ben.'

Patrick en ik wisselden een blik. Het speet hem helemaal niet.

'Zo. Ik zie dat jullie zonder mij begonnen zijn.' Jean-Luc keek naar onze halflege glazen op het tafeltje. 'Een glaasje tegen de kater, zoals jullie zeggen.' Hij knipte met zijn vingers naar een ober. Het was een gewoonte die hij had overgehouden van zijn leven in Frankrijk, waar het om een of andere reden niet onbeschoft werd gevonden op deze manier de aandacht van de ober te trekken. In het Carlyle echter, viel het niet zo in de smaak.

De ober, een man van ver over de zeventig, kwam met een afkeurende blik naar ons tafeltje gelopen.
'Ja, zegt u het maar.'
'Nog een rondje, alstublieft,' zei Jean-Luc. Ik smeekte in stilte dat hij niet weer in zijn vingers zou knippen. 'En voor mij een wodka-martini... *absolut*... met twee olijven.'
Terwijl ik naar Jean-Luc keek, deed ik mijn uiterste best om te begrijpen wat het was dat Kathryn in hem zag. Ik denk dat je kunt zeggen dat hij aantrekkelijk was, als je op ijdele, overdreven verzorgde Fransmannen valt. Maar wat ik sexy vond aan een man... wat sexy was aan Massimo... was eerlijk, diepgeworteld zelfvertrouwen. Massimo was gewoon wie hij was. En alles wat Jean-Luc deed, de hele dag door, was doen alsof. Hij was er heel erg goed in, maar vanaf de eerste dag had ik dwars door hem heen gekeken. Als er iets was dat ik als dochter van Doreen Watkins had geleerd, dan was het hoe ik door mensen heen moest kijken. Daarom was ik waarschijnlijk goed in mijn vak. Het had niet zozeer te maken met hoe ik het haar van de mensen verfde, maar hoe ik ze zag als ze in mijn stoel gingen zitten en wist wat ze wilden.
Jean-Luc zette zijn vingertoppen tegen elkaar, liet zijn kin erop rusten, zijn hoofd een tikkeltje schuin, en keek ons allemaal aan.
'Jullie vragen je vast af waarom ik jullie heb gevraagd vanavond hier te komen.'
We wachtten zwijgend af.
'Ik weet zeker,' vervolgde hij, 'dat jullie je afvroegen wat er zo belangrijk kon zijn dat ik jullie hier, aan het eind van de dag, net voor de kerst, naartoe sleepte.'
De ober arriveerde met een blad met onze drankjes. Hij zette Jean-Lucs martini voor hem neer. Het glas was tot de rand toe vol, maar Jean-Luc pakte het met vaste hand op en nam een grote slok.
'Dat vroegen jullie je af,' hij glimlachte nadrukkelijk, 'oui?'
Geen van ons – zelfs Kathryn niet, leek het – gunde Jean-Luc het genoegen van een reactie.

Hij nam nog een slok van zijn martini.
'Goed dan,' zei hij. 'Ik zal het jullie vertellen.'
Een theatrale stilte. Er klonk muziek, ergens zat een pianist kerstliedjes te improviseren. Een jong stel liep langs ons tafeltje, met hun baby in een draagzak.
'Het is tijd, eindelijk tijd, om uit te breiden,' verklaarde Jean-Luc. Ik wist zeker dat hij onder het tafeltje Kathryns dij streelde. 'Ik heb het juiste moment afgewacht en het is eindelijk gekomen. Ik heb deze plannen al heel lang in mijn hoofd.'
Jean-Luc tikte met één vinger tegen zijn voorhoofd om zijn woorden te illustreren.
'Op welke manier uitbreiden?' vroeg Massimo welwillend.
'Eerst beginnen we met één, fenomenale salon,' zei Jean-Luc. 'Groter en zelfs nog beter dan de Salon Jean-Luc die we nu hebben.'
Het gebruik van het woordje 'we' stond me wel aan.
'En waar komt deze nieuwe salon?' vroeg Kathryn. Waarom stelde ze eigenlijk vragen? Ze wist alle antwoorden. Jean-Luc fluisterde die 's avonds laat in haar oor als ze in hun badkuip van Waterworks lagen te weken.
'Een ding tegelijk, chérie. Wat zei ik ook alweer?' Hij nam nog een slok van zijn drankje. 'O, ja. Eerst de ongelooflijke, nieuwe salon. Een gigantisch fenomeen. Gigantisch! En dan,' hij knipte drie keer in zijn vingers en vanuit mijn ooghoek zag ik onze ober verstijven, 'ret-tet-tet, zullen we in grote steden overal ter wereld een voor een kleinere salons openen. Misschien na verloop van tijd zelfs in kleinere steden. Jean-Luc zal overal zijn!' Hij spreidde zijn armen om zijn woorden kracht bij te zetten, waarbij hij zijn drankje bijna omvergooide. 'Jean-Luc Greenwich! Jean-Luc Scarsdale! Jean-Luc Short Hills, New Jersey!' kraaide hij.
'Wat is onze rol daarin?' vroeg Massimo. Zijn toon was nonchalant, maar natuurlijk stelde hij de vraag die bij ons allemaal op de lippen lag.
'Hoe bedoel je?' vroeg Jean-Luc. Hij hief zijn bijna lege martiniglas als in een toast. 'Jullie zijn mijn téám, n'est-ce pas? Jullie moe-

ten deze salons openen, de juiste locaties ervoor vinden, alles van het begin tot het einde regelen.' Hij zweeg, toen, zoals hij altijd deed net voordat hij een belangrijk nieuwtje vertelde: 'En jullie zijn natuurlijk de eigenaar, voor een deel in elk geval. Jullie zullen stuk voor stuk franchisehouder van een salon zijn.'
'Wauw,' zei Patrick.
'Dat is ongelooflijk edelmoedig van je, schat,' mompelde Kathryn.
'En wanneer beginnen we?' vroeg Massimo, als altijd pragmatisch. 'En waar?'
'Ga je me niet bedanken?' Jean-Lucs ogen schitterden.
'Mijn vriend,' zei Massimo, 'natuurlijk ben ik heel dankbaar.'
Wat mij betreft, ik verkeerde in shock. Hoewel ik al enige tijd het vermoeden had dat Jean-Luc aan uitbreiding dacht, had ik me nooit zoiets gigantisch voorgesteld. En het klonk alsof hij elk van ons er werkelijk in wilde betrekken. Als het waar was, was het het geweldigste wat me ooit was overkomen, op professioneel gebied. Ik greep Massimo's hand onder de tafel en kneep er hard in.
'Wat is de volgende stap?' vroeg Kathryn. Ik zag dat ze haar cocktail in twee grote slokken achterover had geslagen. Dat was niets voor haar. Ik vroeg me af of ze om een of andere reden zenuwachtig was.
'O, ja. De volgende stap,' zei Jean-Luc. 'Ik weet dat het vakantie is, maar ik zou graag locaties willen zoeken voor de volgende prachtige salon, volgende week.'
'Volgende week!' riep Patrick. 'Maar dan is het kerst!'
'Oui,' zei Jean-Luc met een schaapachtig knikje. 'Maar ik hoopte dat je het niet erg zou vinden om...'
'Ik kan niet weg met kerst,' mopperde Patrick.
'Dan het weekend erna, voor nieuwjaar,' zei Jean-Luc schouderophalend. Zijn manier van schouderophalen was een bewust, zorgvuldig uitgevoerd gebeuren. Hij leek het met zijn hele lichaam te doen. Zoals Italianen bekendstaan om het praten met hun handen, zoals Amerikanen over de hele wereld bekendstaan

om hun joviale schouderklopjes en high-fives, zo staan Fransen bekend om hun schouderophalen.
'Jij, Patrick, gaat naar Los Angeles,' zei Jean-Luc. 'Is dat goed?'
'Ik zal het wel regelen,' zei Patrick. Hij was onmiddellijk van toon veranderd. L.A. stond hem wel aan.
'Helaas kunnen Kathryn en ik niet weg,' zei Jean-Luc. 'We moeten de renovatie van ons appartement in de gaten houden.' Hij glimlachte naar Kathryn en zij glimlachte ingetogen terug.
'En Massimo en Georgia, een vogeltje heeft me verteld dat jullie van plan zijn een reisje naar Parijs te maken, is het niet?'
Hoe wist hij dat? Claudia of Tommy G. moest het hem verteld hebben. Ik geloof dat er niet veel bij Salon Jean-Luc geheim bleef.
Massimo trok een wenkbrauw op.
'Hoezo, Jean-Luc? Dacht je bij een volgende locatie aan Parijs?'
Jean-Luc haalde zijn schouders op. 'Het is mogelijk, ja. Ik weet het niet. Maar er is daar een heel goede makelaar die jullie moeten ontmoeten... ik bedoel, als jullie daar toch naartoe gaan... en jij, Massimo... je spreekt erg goed Frans, dus waarom niet?'
Massimo en ik probeerden niet naar elkaar te kijken. Inderdaad, waarom niet?

Kerst in Weekeepeemie. Denk aan kleine huizen die zijn versierd met talloze gekleurde, knipperende lichtjes. Denk aan Rudolf en de andere zeven rendieren die door de voortuin van meneer en mevrouw Appruzzesse huppelen. In het plantsoen voor de crèche in het centrum van het stadje stonden levensgrote replica's van Maria en het kindje Jezus. En dan had je nog de oude boerderij van de Millers, waar zolang ik me kan herinneren elke boom (er waren er honderden) volhing met zilveren sterretjes die glinsterden in het maanlicht. Was het alleen in Weekeepeemie zo, of ook in veel andere onbeduidende stadjes in Amerika, dat hoe minder geld mensen op hun bankrekening hadden, hoe meer ze aan kerst uitgaven? Ondertussen hebben de rijkste mensen in New York op zijn hoogst een bescheiden krans aan hun voordeur hangen.

'Ongelooflijk,' mompelde Massimo.
We waren naar Weekeepeemie gekomen, er op de avond voor kerst naartoe gereden met onze tassen al ingepakt voor Parijs. Het was Massimo's verrassing voor mij. Hij had onze vlucht zo veranderd dat we in plaats van uit New York te vertrekken de dag na kerst 's morgens vroeg vanuit Weekeepeemie naar Boston zouden rijden om daar met de middagvlucht naar Parijs te vliegen.
Dus nu maakten we een lange, koude wandeling door de straten van Weekeepeemie, het diner van tienduizend calorieën verbrandend dat Doreen in elkaar had geflanst toen ze hoorde dat ik met een vriend naar huis zou komen.
'Een vriend?' had ze gevraagd.
'Ja.'
'Wat voor vriend?'
'Hij heet Massimo. Hij...'
'Die leuke Italiaan? Uit de salon?' Toen lachte ze. 'Vraag me niet hoe, maar ik wist het. Ik wist het gewoon.'
'Wat wist je? Er is niets te weten,' zei ik kattig. Dat was precies de reden waarom ik haar niets had verteld.
'Ja, hoor, er is niets te weten,' zei Doreen.
'Als je zo doorgaat neem ik hem niet mee.'
'Oké, oké,' zei mijn moeder.

'Ongelooflijk,' zei Massimo nog eens. Hij keek met grote ogen naar het diorama van Rudolf en de andere rendieren.
'Hou op dat te zeggen!' zei ik. 'Ik kan er niets aan doen... ik ben hier opgegroeid!'
'Georgia... ik bedoelde er niets verkeerds mee,' zei Massimo. Hij sloeg zijn armen om me heen, onze adem maakte wolkjes in de koude lucht. 'Het is op een heel eigen manier prachtig, oké?'
We stonden op de hoek van Elm Street en staarden naar de voortuin van de familie Appruzzesse. Massimo had natuurlijk gelijk. Het was op een bepaalde manier prachtig, maar net zoals alles wat te dichtbij is, te vertrouwd, was het moeilijk het duidelijk te zien. Het was alsof je te lang naar je eigen gezicht in de spiegel kijkt.

'Kookt je moeder altijd zo?' vroeg Massimo. 'Ik dacht dat mijn moeder veel eten maakte met de feestdagen, maar dit...' hij spreidde zijn armen, '... dit was kolossaal!'
Ik lachte. 'Ik denk dat ze het vanwege jou deed. Het is langgeleden dat ze voor een man kon koken.'
'Je moeder is geweldig,' zei Massimo terwijl we verder liepen. 'Ze doet me heel erg aan jou denken.'
'Echt? Hoe dan?'
'Nou, om te beginnen... ze is heel mooi.' Massimo sloeg zijn arm om mijn schouder. 'En, ze is ook heel dapper.'
'Ik vind mezelf niet dapper,' zei ik. 'Of mooi,' voegde ik er bij nader inzien aan toe.
'Dat je naar New York bent verhuisd uit een stadje zoals dit... daar is moed voor nodig,' zei Massimo.
'Of gekte.'
'Dat ook.'
Terwijl we naar Doreen terug sjokten, probeerde ik de laatste twee dagen nog eens voor de geest te halen. We waren net na de lunch uit New York aangekomen, de kleine inrit oprijdend van het huis dat ik niet langer als het mijne beschouwde. Melodie was er al, thuisgekomen van haar laatste collegejaar. Ze wachtte op reacties op haar verzoeken ingeschreven te worden voor een studie medicijnen, maar ik wist al dat ze overal zou kunnen studeren. Wie zou nee zeggen tegen Melodie? En Doreen was natuurlijk nog in haar salon, tot de laatste minuut aan het werk. De dag voor kerst was voor elke salon een drukke dag, ook in Weekeepeemie.
Ik deed de achterdeur open en daar stond mijn zus, die bijna omviel omdat ik haar zo stevig knuffelde. Mijn suffige, bijzondere, griezelig slimme zusje van wie ik hield en die ik meer dan wie ook op de hele wereld wilde beschermen.
Massimo kwam achter me aan binnen. Hij wachtte geduldig tot Melodie en ik klaar waren met knuffelen en gillen en schudde toen met een sierlijk buiginkje haar hand.
'Jij bent Melodie,' zei hij. 'Een prachtige naam. Ik zou je overal herkend hebben. Georgia heeft het altijd over je.'

Melodie werd knalroze, paarsrood eigenlijk. Ik weet niet of het door de aandacht van een knappe man kwam, of gewoon door het idee dat er zomaar een man in ons huis was. Wanneer was dat voor het laatst gebeurd? Ik zocht diep in mijn geheugen, en kon niets bedenken.

Er was echter iets veranderd in huis. Terwijl Massimo en ik onze tassen neerzetten, probeerde ik erachter te komen wat het was. Het duurde even en toen wist ik het: het rook heerlijk in huis; de geur van eten dat werd bereid. Ik snoof de geur op.

'Wat gebeurt er allemaal? Waar is mam?' vroeg ik Melodie.

'In de zaak,' zei ze.

'Dat dacht ik al. Dus hoe komt het dat...'

'Ze begon om vijf uur vanmorgen al te koken. Ze leek wel gek. Ik weet niet wat haar bezielde.'

'Kookt ze niet vaak, jullie moeder?' vroeg Massimo.

'Nooit!' zeiden Mel en ik in koor. Doreens idee van een maaltijd was een diepvriesmaaltijd, of bij speciale gelegenheden een afhaalmaaltijd van Bob's Big Boy. Ze had altijd te hard gewerkt om te kunnen koken.

'Waar moeten we onze tassen neerzetten, denk je?' vroeg ik Mel. Ze zag er goed uit, mijn zusje. Suffe meisjes kunnen op hun eigen, grillige, individuele manier mooi zijn, en dat begon je bij haar te zien. Maar ik zou willen dat ik haar een paar highlights mocht geven.

'Hoe bedoel je?' vroeg Melodie. 'In jouw kamer. Waar anders?'

'Maar waar moet Massimo...' Ik zweeg. Het was duidelijk dat ik hier niet over had nagedacht. Zouden Massimo en ik bij elkaar slapen? Onder het dak van mijn moeder?

'We zijn allemaal volwassen,' zei Melodie. En zo was het. Ik veronderstel dat het zo was. Maar dít wist ik wel: er zou niet gescharreld worden, zoals Doreen zou zeggen. Niet in het huis van mijn moeder.

Toen hoorden we de achterdeur dichtslaan en daar was Doreen. Het was langgeleden dat ik haar had gezien. Eigenlijk niet meer sinds haar bezoek aan New York. Haar haar was weer mooi aan-

gegroeid. Ik wist zeker dat er geen schaar meer was ingezet.
'Lieverd!' Mijn moeder verwelkomde me met een kus.
Massimo maakte voor haar hetzelfde hoffelijke buiginkje als voor Melodie. 'Ik ben Massimo,' zei hij.
'Ik weet nog heel goed wie je bent,' glimlachte Doreen.

Het duurde een hele poos voordat we ons op ons gemak voelden bij elkaar, dat wil zeggen, als je vierentwintig uur een hele poos vindt. Geen van ons was het gewend in Weekeepeemie een man in huis te hebben, laat staan een man die de borden van tafel ruimde en afwaste, en een toetje in elkaar flanste met ingrediënten die mijn moeder al in huis had (door de opwinding van het koken had ze niet aan het dessert gedacht). Maar na dat eerste diner, en een lange nacht van gezonde nachtrust met Massimo, waarbij ik probeerde hem niet aan te raken in mijn smalle meisjesbed, na kerstochtend met cadeautjes en vervolgens Doreens uitgebreide lunch, tegen de tijd dat Massimo en ik onze lange wandeling in de avondschemering maakten om de veelkleurige lichtjes van Weekeepeemie te bewonderen, vormden we ons met zijn vieren tot een hecht gezin.
'Dit is een speciale plek,' zei Massimo tegen me toen we de hoek omgingen bij de oude boerderij van de Millers. We stonden stil, terwijl we keken naar de honderden zilveren sterren die in de boomgaard glinsterden.
'Ja, dat is waar.'
'We worden allemaal gevormd door waar we vandaan komen,' zei Massimo. 'En jij... je boft.'
En ik had die avond inderdaad het gevoel dat ik bofte, met Massimo's armen om me heen, kijkend naar de oude boerderij van de Millers, en met mijn moeder en zus een kilometer verderop in de straat, gezellig op de bank voor de tv. Bijna iedereen om wie ik gaf, op deze wereld, was vlak bij me. En dat, realiseerde ik me, was precies zoals ik het wilde.

De volgende morgen stond Doreen op een onchristelijk uur op om een ontbijt voor ons te maken voordat we aan de lange rit naar het vliegveld van Boston zouden beginnen. Wat bezielde mijn moeder? Ze was een toonbeeld van huiselijkheid geworden.

'Lieve hemel, Parijs! Wat opwindend,' zei Doreen terwijl ze twee borden met geklutste eieren en bacon op de keukentafel zette. Het was nog donker buiten. Door de dunne witte gordijnen waren nog nauwelijks de eerste straaltjes ochtendlicht zichtbaar.

'Bent u er wel eens geweest?' vroeg Massimo.

'Nee,' zei mijn moeder. 'Ik ben maar één keer in het buitenland geweest, en dat was in Mexico.'

Vóór haar scheiding, dacht ik met een schok. Dat was de reden.

'Parijs... ach, Parijs is de mooiste stad,' zei Massimo. Zijn stem klonk melodieus, sprak het woord móóiste als een streling uit. Dat was een van de eigenschappen van Massimo waarvan ik het meest hield: zijn enthousiasme voor het leven. Hij aanbad de wereld. Hij genoot er met volle teugen van.

'Ik heb altijd de Eiffeltoren willen zien,' zei Doreen dromerig.

'We gaan er met zijn allen heen!' riep Massimo. Even dacht ik dat hij nú bedoelde. 'Op een dag gaan we met z'n allen,' verklaarde hij zichzelf nader, 'dan reizen we heel Europa door. Dan gaan we naar Italië en stel ik jullie aan mijn moeder voor.'

Doreen keek naar Massimo, toen naar mij, en vervolgens weer terug naar Massimo. Ik wist wat ze dacht: *dit is menens*.

'En wat gaan jullie daar doen?' vroeg ze.

'Nou, we zullen veel van onze tijd doorbrengen met het zoeken naar een locatie voor de nieuwe Jean-Luc,' zei Massimo.

De moed zonk me in de schoenen. Ik was niet van plan geweest mijn moeder iets over dat onderdeel van de reis te vertellen. Ik kon mezelf wel voor mijn kop slaan dat ik Massimo niet had gezegd dat hij zijn mond moest houden.

'Hoe bedoel je, "de nieuwe Jean-Luc"?' vroeg Doreen.

'O, het stelt niet veel voor,' zei ik, 'in elk geval, nog niet. Ik bedoel, er is nog niets zeker, er staat nog niets vast, het is gewoon zo dat

Jean-Luc aan uitbreiden denkt en...' Ik ratelde maar door en uiteindelijk viel ik stil.
'Uitbreiding?' herhaalde Doreen welwillend.
'Hij biedt ons een franchiseonderneming aan,' zei Massimo. Ik realiseerde me, terwijl hij het zei, dat hij er erg opgewonden over was, veel meer dan hij had laten merken.
Doreen had een dampende kop koffie tussen haar handen, zich warmend in de kille ochtendlucht.
'Doe voorzichtig,' zei ze.
Even was ik kwaad omdat ze zo ons plezier bedierf. Dat zei ze altijd bij alles. Doe voorzichtig. Houd alles goed in de gaten. Vertrouw niemand.
'Het wordt geweldig,' flapte ik eruit, hoewel ik daar geen idee van had. 'Je zult zien. Het zal fantastisch worden.'

Er was een groot verschil tussen mij en veel van mijn klanten: dames van de Upper East Side die eraan gewend waren duizenden dollars per maand aan persoonlijk onderhoud te besteden, en die elke avond chic dineerden en eerste klas naar Europa vlogen. Omdat ik die dingen nog nooit had gedaan, zoog ik elke minuut ervan als een spons in me op. Mijn klanten beschouwden hun leven allang niet meer als speciaal. Ze kochten wat ze maar wilden, gingen waar ze maar wilden, gaven zonder erbij na te denken hun creditcard af, in de wetenschap dat hun rekeningen betaald zouden worden, zonder problemen en zonder dat een ander iets vroeg; echtgenoot, vader, boekhouder of personal manager.
Dus toen Massimo en ik ons glas champagne kregen in de ruime eersteklascabine op de middagvlucht met Air France naar Parijs, toen we dicht tegen elkaar aan zaten onder een zachte – zou het kasjmier zijn? – deken en hapjes namen van heerlijke canapés met gerookte Schotse zalm en crème fraîche, toen ik wegdoezelde in een slaap die zo diep en zo heilzaam was dat het, toen ik wakker werd, onmogelijk leek dat we al met de afdaling naar Charles de Gaulle waren begonnen, kon ik alleen maar zeggen dat ik me vanbinnen een klein kind voelde dat trilde van vreugde.

Claudia G. had iemand gestuurd om ons op te halen. Een chauffeur in uniform hield een bordje met onze namen erop omhoog bij de bagageband en begeleidde ons vervolgens naar een donkerblauwe Mercedes die, zo vertelde hij ons, tijdens ons hele verblijf tot onze beschikking stond.
'Dat is niet nodig,' zei Massimo. Ik was blij dat hij het zei. Want eigenlijk was dit te gek. De vliegtickets, oké. Het appartement, prima. Maar er was een grens aan hoeveel we konden accepteren zonder dat we het gevoel hadden voor eeuwig in het krijt te staan. Ik moest Claudia's hand nu al altijd vasthouden, elke keer als ze één highlight kreeg. Wat zou ik na dit alles allemaal moeten doen?
Massimo drukte me op de achterbank van de auto dicht tegen zich aan toen we door de buitenwijken van Parijs werden gereden. Door de getinte ramen van de Mercedes zagen we kleine stenen gebouwen. Het was laat op de avond in Parijs, het was stil op de weg, en mijn eerste indruk was dat alles er zo óúd uitzag. Tegen de achtergrond van de weelderige, historische gebouwen, in de gelige gloed van de straatlantaarns, zagen de paar nieuwere gebouwen er merkwaardig misplaatst uit.
'Ik wil overal met je naartoe lopen,' zei hij. 'Of, als het moet, gaan we met de metro. Parijs is een stad die je van dichtbij moet zien, lopend.'
Ik knikte. Ik was moe en opgetogen, in die vreemde wereld die na een lange vlucht net een droom lijkt. Wakker worden in Weekeepeemie, naar bed gaan in Parijs. Hoe idioot het ook klinkt, ik kon nauwelijks geloven dat het mogelijk was.
'Wat wil je morgen doen?' vroeg ik Massimo. We hadden niet heel veel tijd; het appartement van Claudia en Tommy G. was niet langer dan drie dagen beschikbaar, iets waar Claudia zich uitgebreid en om verlegen van te worden voor had verontschuldigd.
'Het is alleen zo dat Tommy het aan Mariah heeft beloofd,' had ze tegen me gezegd. 'En je weet hoe Mariah is,' ging ze verder, er, zoals mensen die voortdurend door beroemde mensen worden omringd, van uitgaand dat iedereen elkaar kende.

Ik had geknikte. Mariah. Natuurlijk.
'Ik weet het niet,' zei Massimo. 'Misschien het Louvre? Of het Musée Picasso? Winkelen in de Marais?'
Ik kon aan de klank van zijn stem horen dat hij niet erg warmliep voor de dingen die hij voorstelde. Er was iets wat hij verzweeg.
'En jij?' vroeg hij. 'Enig idee?' De auto reed nu door een deel van Parijs dat ik herkende van foto's en films. We reden over een kade langs een rivier met prachtige stenen bruggen die aan de onderkant verlicht waren.
'Ik dacht misschien...' Ik zweeg verlegen. Wat ik eigenlijk wilde doen was de makelaar bellen en beginnen met het zoeken naar locaties. Voor mij was dat het opwindendste wat we konden doen, maar ik was bang dat Massimo zou denken dat ik mijn gebruikelijke, ernstige, overdreven zakelijke zelf zou zijn. *Georgia, Georgia*, zei hij dan altijd, hoofdschuddend. *Altijd het werk. Nooit eens spelen*.
'Wat?' drong hij aan.
'Misschien kunnen we op zoek gaan naar een locatie? Voor de salon?' zei ik aarzelend.
Massimo schoof dichter tegen me aan en ik verdween in zijn omhelzing. Niemand kon omhelzen als Massimo. Hij maakte dat ik me volledig veilig voelde; de hele wereld verdween.
'Je bent de vrouw van mijn dromen, weet je dat wel?' fluisterde hij in mijn oor.
'Ik was bang dat je het niet romantisch zou vinden,' zei ik.
'Ben je gek? Het is het meest romantische wat ik kan bedenken,' zei Massimo, terwijl de auto stilhield voor het ingetogen luxe gebouw dat ik me herinnerde van Claudia G.'s foto's.

Het zou te simpel zijn om te zeggen dat Massimo en ik al onze tijd in Parijs besteedden aan het zoeken naar de perfecte locatie voor de nieuwe Salon Jean-Luc. Wat we deden, die drie dagen, was in Parijs rondlopen in ons eigen kleine vacuüm. We gingen dan wel met de makelaar van het zevende arrondissement naar het zesde, van St. Germain des Prés over de rivier naar de Marais, maar wat er eigenlijk gebeurde was dat we allebei over onze toekomst fantaseerden. Het leek zo krankzinnig, maar op de een of andere manier – hoe moet ik het uitleggen? – leek het ook voorbestemd. Het provinciaaltje uit Weekeepeemie en de Italiaanse jongen die naar New York was gekomen zouden naar Parijs verhuizen en een – hoe had Jean-Luc het gezegd? – *een fenomenale salon* openen.

Parijs! Ik werd verliefd op de stad. De cafés waar Massimo me mee naartoe nam, de restaurants die hij kende van zijn vele vorige reizen, de geur van versgebakken brood en bittere chocolade die je bij elke straathoek tegemoet lijkt te zweven. De boetieks met hun prachtige, buitengewoon smaakvolle etalages... en bovenal, de Franse vrouwen zelf. Waar hadden ze geleerd zo stijlvol te zijn, zo achteloos chic? Ze werden ermee geboren, vertelde Massimo me. Maar hoe? Ik bedoel, ik werd er niet goed van, zoals een Frans meisje haar haar in een knot kon binden, een spijkerbroek, een T-shirt en hooggehakte laarzen aan kon trekken, een sjaaltje rond haar nek kon binden, en – *voilà*! zou Jean-Luc zeggen – er meteen fantastisch uitzag.

Plotseling zag ik het helemaal voor me om een salon in Parijs te hebben. Het leek me absoluut niet onmogelijk. Ik zou Frans leren. Ik zou leren hoe ik met de metro moest reizen. Massimo en ik zouden in een van die grote oude appartementen met een ratelende lift op de linkeroever wonen. We zouden het haar van de chicste vrouwen ter wereld verzorgen, en een stel prachtige Franssprekende kinderen opvoeden.

Natuurlijk sprak ik hierover niet met Massimo, want dat zou de betovering verbroken hebben. Maar terwijl we door de straten van Parijs liepen, nam mijn idee van onze toekomst steeds duidelijker vormen aan. We zouden een lichte salon met veel glas hebben, Massimo en ik, samen met Patrick en een paar van onze favoriete assistenten uit New York. De salon zou Jean-Luc heten, maar hij zou van ons zijn. Van Massimo en mij. Van ons samen, zij aan zij werkend om een leven op te bouwen.

Op onze derde ochtend, zoals elke ochtend sinds onze komst,

ging Massimo naar beneden naar een bakker in de buurt om een croissant en een café au lait voor me te halen. En ik ging naar mijn lievelingsplekje in het appartement van Claudia en Tommy G.: de badkamer. Er stond een telefoon naast het toilet... een telefoon! Naast het toilet!... en ik gaf eindelijk toe aan het verlangen dat ik had gehad sinds ik hier de eerste keer kwam. Ik pakte de telefoon en, gebruikmakend van de handige internationale code die op de binnenkant van de hoorn stond, draaide ik het nummer van Doreen. Het was midden in de nacht in New Hampshire. In mijn opwinding had ik geen rekening gehouden met het tijdsverschil.

'Doreen's, wat kan ik voor u doen?' De slaapdronken, verwarde stem van mijn moeder klonk alsof ze vlakbij was.

'Mam? O, jeetje, het spijt me. Ik vergat het tijd...'

'Georgia? Is alles goed met je?'

'Alles is prima,' zei ik. 'Raad eens waar ik ben?'

'Ik weet waar je bent. Je bent in Parijs, toch? Wat bezielt je om zo'n duur...'

'Ik zit op het toilet, mam,' zei ik. Ik had er zo naar verlangd haar te bellen. Er zo vreselijk naar verlangd.

Aan de andere kant van de deur van de badkamer, in het Parijse pied-à-terre van Claudia en Tommy G. vol wit leer en donker hout, hoorde ik Massimo terugkomen met papieren zakjes vol croissants.

'Sorry?' zei Doreen. 'Ik geloof niet dat ik heb gehoord wat je zei.'

'Ik zit op het toilet, mam... en weet je wat er voor mijn raam staat? Waar ik op dit moment naar kijk?'

Ik zweeg even.

'Verwacht je echt dat ik het raad?' vroeg mijn moeder. Ze sprak tegen me zoals ze deed toen ik nog een kind was.

'Die verrekte Eiffeltoren,' kraaide ik. 'Daar zit ik naar te kijken terwijl ik op...'

'Ik heb het begrepen, Georgia,' zei Doreen lachend. 'Maar vertel eens, want dat kan ik echt niet weten... heb je het naar je zin?'

Op die derde en laatste dag, na ons heerlijke ontbijt dat een ontbijt in bed werd, liepen Massimo en ik Avenue Montaigne op. De zon scheen fel. Ik beschermde mijn ogen tegen de zon, keek naar rechts en toen naar links de statige avenue af.
'Welke kant op?' vroeg ik. Het leek me dat we alle mogelijke richtingen al hadden verkend. Jean-Lucs geweldige makelaar had ons door heel Parijs geleid, maar ze had ons niets laten zien wat geschikt leek.
'Ik weet het niet zeker. Laat me even denken,' zei Massimo. Hij wikkelde zijn sjaal om zijn nek en trok zijn honkbalpet diep over zijn ogen.
Toen draaiden we ons om, en ik denk dat we het allebei op precies hetzelfde moment zagen. Had het echt al die tijd daar gestaan, in onze eigen achtertuin zogezegd? Een hoge ruimte van twee verdiepingen met verdieping-hoge ramen van groengetint glas. Het zag er zowel uitnodigend als strak, sexy en industrieel uit. En het mooiste van alles, er stond een klein bord achter het raam: *à louer*. Te huur.
'Mamma mia,' zei Massimo. 'Dit is het. Hoe is het mogelijk dat ze ons dit niet heeft laten zien?'
'Misschien is het vandaag pas te huur gekomen,' zei ik. 'Wie zal het zeggen... misschien is het voorbestemd.'
Gucci zat aan één kant van het bord met À LOUER, en Valentino aan de andere. Chanel zat verderop in de straat, samen met alle andere beroemde Franse ontwerpers. Hier zou Jean-Luc gelukkig van worden.
'Ik vind het prachtig,' zei Massimo toen we de straat overstaken. 'Het is perfect.' Hij haalde een notitieblokje uit zijn borstzakje en schreef het telefoonnummer over dat op het bord stond.
'Ik hou van je,' flapte ik eruit. De woorden vlogen mijn mond uit, en ik drukte mijn in een want gestoken hand tegen mijn lippen, maar het was te laat. Daar had je het. Ik had het gezegd.
Midden op Avenue Montaigne nam Massimo me in zijn armen, pal voor de twee hoge glazen verdiepingen van de salon van onze toekomst. Hij bleef me heel lang aankijken terwijl de geluiden

van Parijs om ons heen leken te verstommen. Er was alleen maar Massimo. Massimo en mijn leven met hem, dat zich in de koude wind als een landkaart tussen ons leek te ontvouwen. 'Ik hou ook van jou, mijn Georgia,' zei hij.

Dubbele werking

Jean-Luc ging helemaal uit zijn dak toen hij over de ruimte in Avenue Montaigne hoorde. Hoe kon het ook anders? De locatie was, zoals we al hadden gedacht, de vervulling van al zijn dromen. Een arm jochie uit Marseille dat het tot de meest modieuze buurt van Parijs had geschopt, dat zijn naam in vergulde letters op een sierlijke deur van getint glas zag staan, pal tussen Gucci en Valentino... tja, wat kan ik zeggen zonder grof te zijn. Oké. Hij kwam zowat klaar in zijn onderbroek. Neem me niet kwalijk. Je kunt het meisje uit Weekeepeemie halen, maar je kunt Weekeepeemie niet uit het meisje halen.

Enkele weken nadat Massimo en ik uit Parijs waren teruggekeerd, vloog Jean-Luc er zelf heen om te onderhandelen over een huurcontract van tien jaar voor de ruimte. Het gebeurde echt. We moesten plechtig beloven niets te zeggen, voorlopig. Alleen Patrick, Kathryn, Jean-Luc, Massimo en ik waren op de hoogte. Jean-Luc was van plan het in de lente groots aan te kondigen. Hij had een meesterplan: onze franchiseonderneming zou de eerste van vele zijn. Patrick zou met ons naar Parijs gaan om te helpen met het openen van de salon, en daarna was hijzelf aan de beurt. Jean-Luc Los Angeles gloorde aan de horizon.

En dus gingen we aan het werk. Om de andere avond, na het werk in de salon, ging ik op een drafje naar de Alliance Française voor Franse les.

Bonjour, classe

Bonjour, madame.
Comment allez-vous?
Bien, merci.
Op de avonden dat ik geen elementaire Franse woordjes leerde, volgden Massimo, Patrick en ik de basiscursus 'Hoe run je je eigen zaak'. We leerden het verschil tussen werkkapitaal en netto werkkapitaal. Binnen enkele weken gooide ik met termen als 'geldstroom' en kon ik meepraten over de boekhoudkundige methode versus de kasmethode van administratie voeren. Ik, die nooit eerder de moeite had gedaan om mijn saldo in balans te brengen!
Na een half semester op de cursus begon ik nieuwsgierig te worden naar een aantal zaken. Hoe kwam Jean-Luc aan zijn kapitaal voor de uitbreiding? Had hij andere investeerders, partners? Toen ik Jean-Luc ernaar vroeg, lachte hij. *Je maakt je te veel zorgen, meisje. Alles is onder controle. Je zult heel rijk worden, liefje.* Hij gaf me het gevoel ondankbaar te zijn.
Dus laat ik maar gewoon zeggen dat we het druk hadden. We hadden geen minuut voor onszelf in die tijd, maar het was een geweldig soort druk zijn, want we hadden een fantastisch doel voor ogen, en alles wat we leerden, elke avond dat we uitgeput in bed vielen, was een stapje dichter bij Jean-Luc Parijs.
De maanden gingen in een roes van haar, verwarring door het aanleren van een nieuwe taal, zakelijke vaardigheden die geen van ons had gedacht ooit nodig te hebben, voorbij.
En toen – eindelijk – was het lente.

'Ik heb nieuws, heel belangrijk nieuws,' kondigde Jean-Luc aan. Het was op een vrijdag eind maart, toevallig een recordbrekende, koude dag. Het was na sluitingstijd. Het was bijna acht uur, maar het voltallige personeel, van ons tot de andere stylisten en kleurspecialisten, Richard, Faith, de assistenten, de shampoomeisjes en zelfs de managers en receptionistes en het personeel van de balie, was op een centrale plek in de salon bijeengekomen, schouder aan schouder, om de aankondiging te horen die Jean-Luc diezelfde ochtend had gezegd te zullen doen.

Massimo stond naast me. Ik kon de warmte van zijn lichaam voelen, de opwinding die tussen ons tintelde.
'Mijn nieuws zal sommigen van jullie gelukkig, en anderen misschien niet zo gelukkig maken,' zei Jean-Luc. Hij zag er die avond behoorlijk aantrekkelijk uit, dat moest ik toegeven, een bruin kleurtje na een lang weekend op Anguilla met Kathryn. Zijn goudbruine huid stak mooi af bij zijn helderwitte shirt. Hij was het toonbeeld van een zeer succesvolle ondernemer die op het punt stond een nieuwe, internationale salon te openen. Want dat zou hij gaan zeggen. *Gooi het er maar uit*, wilde ik door de salon schreeuwen, maar ik hield me in.
'Sommigen van jullie zullen misschien zelfs behoorlijk boos op me zijn. Anderen zullen misschien verrast zijn,' vervolgde Jean-Luc. 'En daarom kan ik alleen maar van tevoren mijn verontschuldigingen aanbieden en jullie eraan herinneren dat het hier om zaken gaat. En zaken zijn nu eenmaal niet altijd zo leuk.'
'Kom op nou,' zei Massimo zachtjes.
Ik keek om me heen naar een paar andere personeelsleden. Patrick stond vlak voor me, en ik kon zien hoe zich zweetdruppeltjes in zijn nek vormden. Hij was opgewonden, zenuwachtig, net zoals Massimo en ik. Dit zou inslaan als een bom, en een aantal mensen zou er behoorlijk pissig over zijn. Ik keek naar Richard. Hij zou zijn voorhoofd gefronst hebben, maar hij had zo veel Botox gebruikt dat hij gewoon niet kwaad kon kijken. Faith Honeycomb zag er heel rustig uit, zoals altijd, alsof Jean-Lucs aankondiging onmogelijk enige uitwerking op haar kon hebben. En Kathryn stond wat apart, heel stil, heel rustig, met haar armen over elkaar met een glimlachje naar Jean-Luc te kijken.
'Ik heb Salon Jean-Luc aan WXYZ verkocht,' zei Jean-Luc. Het was doodstil in de salon, zo stil als het nooit was geweest en nooit meer zou zijn. 'Jullie kennen WXYZ?' vervolgde Jean-Luc. Ik zag dat hij geen van ons echt aankeek, hij keek niemand aan. Wat zei hij in godsnaam?
Ik voelde Massimo's hand naar die van mij zoeken, vervolgens stevig vasthouden, knijpen.

'Het is een conglomeraat,' zei Jean-Luc. 'Een heel groot conglomeraat.' Hij leek ervan te genieten zo'n lang woord uit te spreken.
'Wat?' hoorde ik de ongelovige stem van Patrick, vlak voor me. 'Wát?' herhaalde hij.
'Zoals ik al zei, ik weet dat sommigen van jullie niet blij zullen zijn met dit nieuws,' zei Jean-Luc. 'Maar het is het beste voor de zaak. Er zal niets veranderen... en ik moet jullie vragen niet...'
'Gore leugenaar,' mompelde Massimo zachtjes.
Het drong maar langzaam tot me door. Het was moeilijk om te geloven wat ik hoorde, om het te begrijpen. Dus Jean-Luc had ons volkomen belazerd. Als er een Jean-Luc Parijs, een Jean-Luc Los Angeles, überhaupt een Jean-Luc franchiseonderneming zou komen, zou WXYZ daar nu de eigenaar van zijn. Er rolde een traan over mijn wang en Massimo veegde hem voorzichtig weg. Wat alleen maar maakte dat ik me nog ellendiger voelde. Arme Massimo. Arme Patrick. Dat Jean-Luc hen kwetste vond ik veel erger dan dat hij het mij deed. Ik haatte hem erom. Ik keek strak naar de kristallen kroonluchter boven Jean-Lucs hoofd en wenste vurig dat hij boven op zijn hoofd zou storten.
'Jullie zullen natuurlijk allemaal in dienst van Jean-Luc blijven, maar nu zal er een nieuw management zijn... een corporatief management,' zei Jean-Luc.
Ik keek om me heen. Wie had hiervan geweten? Kathryn, natuurlijk. En dit was voor haar ongetwijfeld, zonder meer, fantastisch nieuws. Terwijl ik naar haar stond te staren, zag ik – ze moest hem net hebben omgedaan want, geloof me, ik zou hem niet over het hoofd hebben gezien – een gigantische smaragd geslepen diamant aan haar linkerhand glinsteren.
Natuurlijk. Deze actie zou Jean-Luc heel rijk maken.
En dan was er nog Richard. Hij keek niet verbaasd, en zijn onverstoorbare gezicht was volgens mij niet louter te wijten aan te veel Botox. Nee. Mijn instinct zei me dat Richard het had geweten. Het de hele tijd had geweten. Wacht eens even. Plotseling herinnerde ik me iets. Had Jane Huffington Cooke niet iets te maken

met WXYZ? Had ik niet gelezen, een van de eindeloze trivialiteiten die ik uit modebladen had opgepikt, dat ze lid was van het zeer modebewuste bestuur?
'Goed. Dat is alles wat ik wilde vertellen,' zei Jean-Luc, ten teken dat we konden gaan. 'Nu zal geen van jullie schrikken als het morgen in de krant staat, hè?'
Naast me stond Massimo bijna onmerkbaar te trillen. Hij zag er verbijsterd en geschokt uit. Mijn Massimo, die er prat op ging alles onder controle te hebben, zich nooit van zijn stuk te laten brengen.
'Wat betekent dit voor ons?' vroeg een van de assistenten die wat meer lef had. 'Wie gaat het bedrijf leiden?'
'We krijgen een fantastische vrouw van WXYZ,' zei Jean-Luc zonder met zijn ogen te knipperen. 'Jullie zullen haar volgende week ontmoeten.'
'Gaat de salon verhuizen?' vroeg een van de stylisten. Die gedachte was niet eens bij me opgekomen. Mijn hersenen functioneerden langzaam, verdoofd door de schok.
'Eerlijk gezegd, ja,' zei Jean-Luc.
'Ik kan dit niet geloven,' fluisterde Massimo, net zozeer tegen zichzelf als tegen mij. 'Ik kan dit niet geloven,' bleef hij maar zeggen.
'We zullen naar een fantastische nieuwe salon verhuizen, die we zullen laten bouwen.'
'Waar?'
'In het gebouw van WXYZ,' zei Jean-Luc.
Hij zweeg, zijn ogen gleden over de menigte... de groep van getalenteerde mensen die op zijn minst voor een deel verantwoordelijk waren voor zijn enorme succes. Hij bewoog zijn vingers in zijn broekzak, waarschijnlijk snakkend naar een sigaret.
'Zijn onze banen verzekerd?' vroeg een van de receptionisten.
Jean-Lucs wenkbrauwen schoten omhoog. 'Maar natuurlijk,' riep hij uit, hij spreidde zijn armen alsof hij iedereen in de salon wilde omarmen. 'Jullie zijn mijn team! Ik heb jullie nu nodig... stuk voor stuk... meer dan ooit! We gaan dit met zijn allen doen, ja?'

Er klonk een vaag goedkeurend gemompel door het vertrek. Een instemmend gemompel. Maar toen ik naar Jean-Luc keek, zag ik alleen maar hoe gemaakt zijn glimlach was. Hij moet dit moment duizend keer voor de spiegel hebben geoefend: hoe hij geruststellend maar vastberaden moest zijn, een vriendelijke barracuda. Een groen monster vermomd als beminnelijke Fransman. Hij had drie mensen in dit vertrek verraden. Waar was hij nog meer toe in staat?
Massimo tikte Patrick op de schouder. Toen Patrick zich omdraaide, stond diens gezicht spierwit, verslagen. Ik had hem sinds we in Weekeepeemie samen op de opleiding hadden gezeten niet zo volslagen wanhopig gezien.
'Laten we hier weggaan,' zei Patrick zacht.
Massimo knikte, gaf toen een rukje aan mijn hand. Het leek alsof ik aan de vloer was vastgenageld. De groep ging uiteen, er klonk geroezemoes.
'Kom mee, Georgia,' zei hij zacht. Vanuit mijn ooghoek zag ik dat Jean-Luc in onze richting kwam lopen. Dat, realiseerde ik me geschrokken, was het laatste waar een van ons behoefte aan had. Snel liepen Massimo, Patrick en ik naar de deuren van Jean-Luc, onder het lopen onze jas aantrekkend, en glipten de ijskoude avondlucht in.

De volgende morgen stonden we weer op onze gewone werkplek. Wat moesten we anders? Het was een rustige zaterdag, typerend voor eind maart. Particuliere scholen waren gesloten voor een voorjaarsvakantie, dus veel klanten waren vertrokken. Naar Mustique, Anguilla, St. Barths. Ik bekeek mijn lijst met klanten voor die dag. Ik had vooral enkele kleurbehandelingen, om grijze haren te verbergen. Die dames kwamen om de andere week, vaste prik; zij – meestal brunettes – die de vernedering van grijze haren op hun hoofd moesten ondergaan.
Grijze haren verven was precies werk. Het was niet alleen even de donkere kleur met een dikke verfkwast aanbrengen. Maar ook al moest ik me concentreren bij wat ik deed, er was niet veel kunst-

zinnigheid voor nodig, niet iets wat me in beslag nam zoals bij highlights of een baliage.
En ik had het nodig om in beslag genomen te zijn. De salon voelde al anders, een beetje vreemd. Tijdens de lunch zag ik dat Jean-Luc een onmogelijk chique, lichtblonde vrouw van een jaar of veertig rondleidde, gekleed in het nieuwste Prada-jasje, een kokerrok en karamelkleurige suède laarzen, een betrouwbare aanwijzing dat het een vrouw met een auto met chauffeur betrof. Ik bedoel, wie anders zou zulke onpraktische laarzen dragen in de met blubberige sneeuw bedekte straten van New York? Terwijl hij met haar rondliep was Jean-Luc nog geanimeerder dan normaal, gebarend naar diverse details in de salon: de wasbakken, de plankruimte, de spotjes boven elke werkplek.
Patrick stond plotseling achter me.
'Mevrouw WXYZ,' zei hij, 'lijkt me er eentje.'
'Ach, ik weet het niet. Misschien is ze heel aardig onder al die...'
'Onder dat jasje van 1600 dollar? Onder die premature ooglift?'
'Denk je?' Ik nam haar van een afstand onderzoekend op.
'Ach, kom nou toch.'
Patrick had gelijk. Hij had altijd gelijk als het om vervelende mensen ging, en ook wat betreft cosmetische chirurgie. Hij kon beide zaken van een kilometer afstand herkennen.
'Wat gaan we nu doen?' vroeg hij zich hardop af.
'Hoe bedoel je?'
'We kunnen hier verdomme onmogelijk blijven,' zei Patrick. 'Ik heb nu gewoon zo'n hekel aan Jean-Luc dat ik elke keer als ik hem zie zin heb om mijn puntkam in zijn oog te steken.' Hij boog voorover, keek in de spiegel en veegde een paar lange donkere haren van de kraag van zijn overhemd. 'Niet dat ik hiervoor geen hekel aan hem had, maar dit is een totaal ander verhaal.'
'Ik weet het niet,' mijmerde ik hardop. 'Misschien komt het wel goed. Ik bedoel, de nieuwe salon... ik weet dat hij niet van ons zal worden, maar het kan toch nog...'
'Geen denken aan, verdomme,' zei Patrick nog eens. Zijn stem

klonk bitter. Ik vond het vreselijk hem zo te horen praten. 'Begrijp je het niet, Georgia? Hij heeft ons onze droom afgepakt.'
En dat was waar. Daar had ik niet van terug. Maar ik had al zo'n groot deel van mijn leven niet echt durven dromen, dat het me eigenlijk niet verbaasde dat mijn droom me was ontnomen. Ik voelde me al gelukkig dat ik het zo ver had geschopt in mijn leven. Hoeveel meisjes uit Weekeepeemie eindigden op Fifty-Seventh Street? Om te doen wat ze leuk vinden en er nog bergen geld mee te verdienen ook? Goed, we zouden geen salon in Parijs openen. Maar we zaten in elk geval hier, en hier was zo gek nog niet.
Ik keek neer op de klant die net in mijn stoel was gezet. Ze was een mooie vrouw met krullend haar, een advocaat van de beau monde die van borstkanker genezen was. Ze droeg zelfs een broche met roze diamantjes in de vorm van het borstkankerlintje dat vrouwen in heel Amerika droegen. Ik had haar tijdens haar chemotherapie en kale periode meegemaakt, en toen haar haar weer aangroeide was het sneeuwwit. Ik begroette haar met een kus, en terwijl ik dit deed voelde ik een felle steek; een intense liefde voor haar... en voor al mijn andere klanten. Ik bofte heel erg. Het enige wat ik wilde was dit geluk vasthouden. De dingen waren aan het veranderen en ik was niet zo'n beetje bang.
'Georgia?' Massimo boog zich tussen twee spiegels door, me gebarend dichterbij te komen. 'Ik zag dat mevrouw K. voor vandaag op je lijstje staat,' zei hij. Waarom bekeek hij mijn klantenlijst? Meestal kon het hem niets schelen, en bovendien had hij het zelf toch te druk.
'Ja, en?'
'Nou...' Massimo bleef zachtjes praten, 'je weet toch wie haar man is, hè?'
Ik wist vaag wie mevrouw K.'s echtgenoot was. Een of andere belangrijke zakenman. Wat deed hij ook alweer? O ja. Hij hielp ondernemers een zaak te beginnen. Hij had fantastisch geholpen bij een boetiek enkele straten verderop in Madison die een andere klant had geopend. En bij een spetterende yogastudio. En een

splinternieuwe, trendy sushizaak in Chelsea. Alle zaken waarbij hij hielp floreerden.
O.
Ik keek Massimo aan. Inderdaad. De radertjes in zijn hoofd waren de avond ervoor in beweging gekomen, nadat hij, Patrick en ik na de belangrijke aankondiging van Jean-Luc waren vertrokken en naar het centrum van de stad waren gegaan. We hadden zwijgend achter in een taxi gezeten, de hele weg naar Massimo's huis. Het sprak voor zich dat we bij elkaar zouden blijven. Massimo en ik waren in elk geval niet van plan Patrick op zo'n ellendige avond in zijn eentje te laten zitten.
Toen we bij het appartement kwamen maakte Massimo een vuur aan en haalde een fles uitstekende rode wijn tevoorschijn; een barolo waarvan ik wist dat hij hem voor een speciale gelegenheid had bewaard.
Nadat hij voor ons alledrie een flink glas had volgeschonken hief hij zijn glas om te proosten.
'Ik denk dat we vanavond iets moeten vieren,' zei hij, hoewel je als je naar onze gezichten had gekeken de drie verdrietigste, ongelukkigste mensen in New York had gezien.
'Ik denk dat we iets moeten vieren,' vervolgde Massimo, 'want elk einde is een nieuw begin.'
'Bespaar ons die new-age-onzin, alsjeblieft,' zei Patrick. 'Vanavond even niet. Ik kan het gewoon niet verdragen.'
'Dit is geen onzin, mijn vriend,' zei Massimo, in het geheel niet beledigd. 'Ik denk dat we dit als een kans moeten zien.'
'Ja,' viel ik hem bij. 'Misschien is het juist goed dat er een nieuwe eigenaar komt.'
Zowel Patrick als Massimo keek me aan alsof ik gek was geworden.
'Dat bedoelde ik niet,' zei Massimo. 'Integendeel zelfs.'
Hij begroef zijn neus in zijn wijnglas en ademde diep in, toen nam hij een slok.
'De wijn is heerlijk,' zei hij. 'Geniet ervan, alsjeblieft. Ik heb deze fles uit Italië meegenomen.'

'Wil je nou zeggen wat ik denk dat je zegt?' vroeg Patrick.
'Kunnen jullie alsjeblieft gewoon Engels spreken?' zei ik. Ik verkeerde nog steeds in shock, was nog steeds zo overdonderd door Jean-Lucs aankondiging dat ik me ervan bewust was dat ik niet helder kon denken.
'Georgia, mijn schoonheid... mijn ware liefde,' begon Massimo. Hoe kwam het toch dat Italiaanse mannen hiermee wegkwamen? Als een Amerikaan op die manier tegen me zou praten zou ik in lachen uitbarsten. 'Wij... jij, ik en Patrick... het is tijd dat we voor onszelf beginnen. Hoe lang werken we nu al voor Jean-Luc?'
'Zeven jaar,' zeiden Patrick en ik na elkaar.
'Zeven jaar,' knikte Massimo. 'En hoe vaak hebben we niet gezegd dat we het anders zouden doen als het onze eigen salon was? Zelfs als we Jean-Luc Parijs hadden geopend zou het nooit echt van onszelf zijn geweest. Nu hebben we de kans. Is Jean-Luc slimmer dan wij zijn? Nee. Is hij een betere stylist dan wij zijn? Nee, absoluut niet. Het wordt tijd dat we ophouden met klagen en actie ondernemen. Dit is een geweldige kans voor ons om eindelijk echt iets te veranderen, om eigen baas te zijn... en het op onze eigen manier te doen.'
Hij zweeg en nam een slok wijn. Patrick en ik stonden als aan de grond genageld.
'Stel je eens voor,' zei Massimo. 'Wij met zijn drieën... echte partners. Geen slaven van Jean-Luc. Om ons niet voor hem te hoeven doodwerken en vervolgens toe te kijken hoe hij er met de buit vandoor gaat.'
'Hoe lang denk je hier al over?' vroeg Patrick.
'Altijd al,' zei Massimo.
'Voor onszelf beginnen?' herhaalde ik stompzinnig.
De wijn was heel snel naar mijn hoofd gestegen. Mijn tong voelde dik, onverstaanbaar. Ik trok mijn trui uit, zodat ik alleen nog mijn shirt aanhad. Het was warm bij het vuur. Ik keek van Massimo naar Patrick en weer terug, de enige mannen van wie ik ooit had gehouden. Patrick werd aangestoken door Massimo's opwin-

ding, hun woede en gevoel verraden te zijn hadden snel plaatsgemaakt voor blijdschap. En – wie weet – misschien hadden ze gelijk. Misschien zou het het beste zijn om voor onszelf te beginnen. Onze eigen zaak bezitten! Een eigen dak boven je hoofd hebben... onze eigen salon!

Ik weet het niet, was wat ik wilde zeggen. *Ik weet het niet, ik denk niet dat ik het kan, het is een te groot risico, ik ben bang.* Maar toen ik naar hun stralende gezichten keek kon ik het niet zeggen. Het laatste wat ik wilde was hen teleurstellen.

'Laten we het rustig aan doen,' zei ik flauwtjes.

'Bravo!' schreeuwde Massimo, die wat ik had gezegd op de een of andere manier als ja had opgevat.

'Dus mevrouw K. komt om drie uur, is het niet?' vroeg Massimo.

Ik keek op mijn lijstje. Dit ging allemaal heel snel, te snel, en ik wilde Massimo vragen het rustiger aan te doen, maar hij was niet te houden. Hij had heel lang in Jean-Lucs schaduw gestaan, was naar mijn mening met enorm veel tact met Jean-Lucs vinnigheden en beledigingen omgegaan. Maar nu was hij verraden, en de maat was vol. Nee. Hij zou het niet rustiger aan doen. Hij niet, en Patrick niet.

'Ja,' zei ik zachtjes. 'Drie uur.'

'Georgia, ik wil dat je heel discreet het visitekaartje van haar echtgenoot vraagt,' zei Massimo. 'Ik zou het zelf wel willen doen, maar het zou te veel achterdocht wekken. Want geloof me, Jean-Luc zal ons als een havik in de gaten houden.'

'Ik zal het proberen,' zei ik. Mijn hart sloeg over. Ik voelde me nerveus, ongemakkelijk in mijn nieuwe rol als Mata Hari van de kapperswereld.

De uren kropen voorbij tot het eindelijk halverwege de middag was en mevrouw K. arriveerde voor haar afspraak. Ik had halfhartig gehoopt dat ze haar afspraak zou afzeggen, maar ik had pech. Ik zat op schema toen ze binnenkwam, een van de voordelen van een rustige dag.

Ze ging op mijn stoel zitten en mijn assistente bracht haar een

kop koffie. We wisselden de gebruikelijke roddels uit terwijl ik scheidingen in haar haar trok, van voor naar achteren, en er donkerbruine verf op aanbracht om haar grijze haren te bedekken. De roddels van die dag hadden te maken met een bepaalde investeringsbankier die betrokken was bij aandelenfraude. Alle klanten leken over hem te willen praten. Waarschijnlijk omdat hij bij veel van hen als gast aan tafel had gezeten en zijn kinderen met hun kinderen naar school gingen.
'Wat moet hij in godsnaam in de gevangenis doen?' mijmerde mevrouw K. '*Oorlog en Vrede* lezen? God vinden?'
Hoewel ik niets zei, moest ik aan een andere klant van Jean-Luc denken, een beroemde sieradenontwerper die kortgeleden zes maanden in de gevangenis had gezeten omdat hij lege doosjes aan zijn klanten had gestuurd om de belasting te ontduiken. De man – aantrekkelijk, beschaafd, smetteloos verzorgd en gekleed – was de dag voordat hij aan zijn gevangenisstraf begon naar de salon gekomen. Zes maanden later waren wij zijn eerste stop op de dag dat hij vrijgelaten werd.
'Zag Jennifer Aniston er niet geweldig uit bij de uitreiking van de Golden Globes?' vroeg ik aan mevrouw K. om van onderwerp te veranderen.
'Wat een lichaam,' zei mevrouw K. Ik was nu bezig met de achterkant van haar hoofd. Ze had geen idee hoe grijs ze eigenlijk was. 'Denk je dat ze iets heeft laten doen?'
'Nee,' zei ik. 'Maar wat dacht u van Meg Ryan? Die lippen! Ik bedoel, wat heeft ze er in hemelsnaam ingestopt?'
Mijn klanten vonden het heerlijk om met me over plastische chirurgie te praten. Ze wisten dat ik van alles op de hoogte was. En ik roddelde niet... nou ja, ik roddelde nooit over mijn eigen klanten. Meg Ryan ging naar een concurrerende kleurspecialist in Madison Avenue, dus ze was vogelvrij.
Maar ik moest het onderwerp op de echtgenoot van mevrouw K. zien te brengen. En ik moest het doen als niemand luisterde en niemand keek... wat bijna nooit voorkwam. Ik was nerveus. Sinds de aankondiging van Jean-Luc, de avond ervoor, was ik

één bonk zenuwen geweest. Terwijl ik met de onderkant van mevrouw K.'s haar bezig was, er speciale aandacht aan besteedde omdat ik wist dat ze haar haar graag opgestoken droeg, bleven er allerlei scenario's door mijn hoofd spoken. Scenario's waarin ik eigenlijk maar twee mogelijkheden had: ik stond op straat, dakloos, of ik ging naar huis terug, naar Weekeepeemie. Ik wist niet wat erger was.

Als ik het niet snel vroeg, zou het niet gebeuren. Dan zou ik mevrouw K. kwijtraken aan de warmtelampen en de shampoomeisjes en degene die haar haar zou föhnen.

Ik schraapte mijn keel. 'Mevrouw K.?'

'Ja, lieverd?'

'Heeft u toevallig...?'

Precies op dat moment liep Richard langs mijn werkplek en haastig slikte ik mijn woorden in.

'Wat, schat?' Mevrouw K. fronste licht haar voorhoofd terwijl ze een microscopische beschadiging aan één zeer donkerrode nagel bestudeerde.

'... een horloge om?' voegde ik er, deerniswekkend, aan toe. 'Weet u ook hoe laat het is?'

Gelukkig had ik mijn horloge niet om, anders zou ze zich echt van alles hebben afgevraagd.

'Het is vier uur, lieverd,' zei ze en ze keek me met haar hoofd een tikkeltje schuin vragend aan.

Ik voelde me een mislukking. Ik wás een mislukking. Ik was er nooit goed in geweest iets geheim te houden of te liegen. Hoe idioot het misschien ook klinkt, ik had het gevoel dat Jean-Luc goed voor me was geweest. Hij had me een kans gegeven toen ik nog een nul uit Weekeepeemie was, en nu had ik het gevoel dat ik hem verried door zelfs maar te overwegen met Massimo en Patrick te vertrekken en voor onszelf te beginnen. Voor ónszelf. Ik vond het niet eens prettig klinken. Voor onszelf zou misschien heel griezelig en eenzaam zijn.

'Ik kon het niet,' zei ik later die dag tegen Massimo toen we op de

hoek van Fifty-Seventh en Fifth op een taxi stonden te wachten. Ik was bijna in tranen. 'Het spijt me... ik kon zijn stomme kaartje gewoon niet vragen.'
'Het is al goed.' Massimo streelde me over mijn haar. Ik keek hem vragend aan. Was het echt goed? Ik wilde dat Massimo het gevoel had dat hij op me kon rekenen. 'Echt,' vervolgde Massimo. 'Ik heb het zelf al gevraagd.'
'Wat? Dat kan niet.' Ik gaf hem een klap op zijn arm. 'Hoe bedoel je?'
Hij haalde zijn schouders op. Zijn schouderophalen was niet zo theatraal als dat van Jean-Luc, maar hij zat er dichtbij.
'Ik stond buiten een sigaretje te roken,' zei hij.
'Maar je rookt niet!'
Hij glimlachte.
'Je wist dat ze langs je zou komen!'
'Ze heeft me zelfs hun privé-nummer gegeven,' zei hij.
'Maar hoe wist je dat ik niet...'
Massimo stak zijn arm uit, bliksemsnel, en hield een taxi aan die op Fifth Avenue net passagiers had uitgeladen. Terwijl hij me naar binnen duwde zei hij alleen maar: 'Omdat ik je ken.'

En zo gebeurde het dat Massimo, Patrick en ik de avond daarop in de woonkamer van meneer en mevrouw K. zaten, hoog boven Park Avenue. Ik was al eerder bij klanten thuis geweest, overal langs Fifth Avenue en Park Avenue. In principe werd elk adres ten westen van Lexington Avenue als acceptabel beschouwd. De avenues waren toplocaties (hoewel Madison maar een paar noemenswaardige gebouwen had). Zijstraten waren ook prima zolang de gebouwen maar snobistische bewonersverenigingen hadden, bij de kringen die ertoe doen, bekend vanwege hun lastige ballotagecommissie. In de eigen taal van onroerend goed in Manhattan betekent een lastige ballotagecommissie dat je over minstens drie keer de aankoopwaarde van het appartement aan liquide middelen moest beschikken. En, zoals ik op mijn cursus had geleerd, *liquide middelen* betekende niet: andere huizen, be-

heerde fondsen, juwelen of kunstwerken. Nee. Liquide middelen betekende: contant geld. Dus om een appartement van drie miljoen dollar te kopen (alles onder die prijs was... nou ja, gewoon niet goed genoeg) moest je negen miljoen dollar hebben. Contant geld. Op je bankrekening dus.
Mijn klanten waren hierdoor geobsedeerd. Hun obsessie met onroerend goed kwam meteen na hun obsessie met particuliere scholen, die begon als hun kinderen werden geboren. Ik had één klant die met het inschrijfformulier voor de peuterspeelzaal voor haar pasgeboren dochter helemaal naar 92nd Street Y liep, met haar baby in een draagzak. En ik herinnerde me dat de twee meisjes van mevrouw K. naar Spence gingen; een school die in alle opzichten uitstekend was, maar in de wereld van de klanten niet helemaal je van het. Het was een code. Dat had ik in de loop der jaren geleerd.
Op welke school zitten je dochters?
Brearley.
Waar breng je de zomer door?
Ibiza.
Waar woon je?
940 Fifth.
Allemaal in code, een taal die moeilijker te leren was dan Frans, Italiaans of een van de andere talen die de kinderen van de klanten overigens vloeiend spraken tegen de tijd dat ze tien waren. En volgens deze code was het appartement van de K.'s... oké. Net zoals de school van hun dochters. Wel oké. Maar ik wist dat de meest snobistische van de snobistische klanten de antwoorden van de K.'s op de codevragen een tikkeltje beneden peil vonden.
Toen we hun hal inkwamen viel het me op dat elk voorwerp in hun huis van dit moment was. De kleur van hun eetkeuken, appelgroen, had net in *Metropolitan Home* van de vorige maand gestaan. De witte suède banken waren smetteloos, rechtstreeks afkomstig uit *D&D Building*. Het glaswerk kwam van de afdeling huishoudelijke artikelen op de tweede verdieping van Barney's. Zelfs de muziek had dit jaar de Grammy Award gewonnen. Er

was geen spoor te zien van familiefoto's, boeken, kranten of tijdschriften. Waar borgen ze al die dingen op?
Meneer K. was geen klant van de salon... iets wat me vaag verbaasde, want de meeste vrouwen sleepten na verloop van tijd minstens één keer hun echtgenoot mee om hun haar te laten knippen. Maar toen hij met uitgestoken hand de woonkamer binnenkwam, werd het me meteen duidelijk. Meneer K. was zo kaal als een biljartbal.
'Wat kan ik voor jullie doen?' vroeg hij, terwijl een nonchalant geklede man met een dienblad aankwam met een fles mineraalwater, een fles witte wijn en een schaaltje met zoutjes. De man was hun butler, natuurlijk. Dit soort mensen had allemaal nonchalant geklede, werkloze acteurs in dienst. De eerste keer dat ik bij een klant thuiskwam, had ik hun butler voor hun zoon aangezien en mijn lesje geleerd. Nu zou ik eerder hun zoon voor een butler aanzien.
'We denken erover een salon te openen,' zei Massimo. Zijn stem trilde een beetje.
Mevrouw K. kwam de kamer binnenstormen, met een schaal nootjes die de butlerknaap vergeten was.
'Fantastisch!' riep mevrouw K. 'Jullie zijn daar trouwens de beste vaklui. Mijn god, ik herinner me dat ik een keer bij dat mooie blondje was... hoe heet ze ook weer?'
'Kathryn,' zeiden wij in koor.
'Kathryn! Inderdaad,' vervolgde ze. 'De ergste...'
'Vertel me eens meer over jullie plan,' viel meneer K. haar in de rede.
'Tja, we weten nog niet zoveel,' zei Patrick terwijl hij wat San Pellegrino voor zichzelf inschonk. 'Alleen maar dat we bij Jean-Luc weggaan en een... fantastische salon willen openen. Iets totaal anders.'
'Hoe anders?' wilde meneer K. weten. Mevrouw K. ging naast hem op de sofa zitten. Nam ze altijd deel aan zijn zakelijke gesprekken, of kwam het doordat wij het waren? Ik denk het laatste.
'Meer... ik weet het niet... intiemer,' zei Patrick.

'Kleiner... persoonlijker,' viel ik hem bij.
'Een salon waar iedereen zich op zijn gemak voelt,' zei Massimo. 'De klanten, de mensen die er werken...'
'Het zou mooi zijn als alle mensen die in de salon werken op de een of andere manier konden delen in de winst,' zei Patrick. Ik denk dat hij zelf verbaasd was over zijn woorden, en hij ging achteroverzitten, leunend tegen de zachte kussens van de bank.
Meneer K. knikte. 'Winstdeling,' zei hij. 'Heel slim. Dat heeft de capaciteit een goede manier van zakendoen te zijn.'
'Hoezo?'
'De mensen krijgen daardoor het trotse gevoel mede-eigenaar te zijn,' zei meneer K.
We wisselden een blik. *Trotse mede-eigenaar*. Dat was iets wat wij begrepen. Mijn hart maakte een sprongetje. Zou het echt mogelijk zijn? Het leek wel een droom.
'Maar we lopen op de zaken vooruit,' zei meneer K. 'Laten we eens wat concreter worden.' Hij pakte een blocnote van de salontafel. Dat stond me wel aan: in een wereld waar mensen hun laptops als statussymbool zagen, in een appartement vol met de allernieuwste snufjes zat hier een man met een simpel blocnote.
'Waar moeten we beginnen?' vroeg Massimo.
Meneer K. glimlachte. 'Waar we altijd beginnen,' zei hij. 'Geld. Het kost heel wat om een salon te openen. Tenminste, als je het goed wilt doen.'
'O, we willen het zeker goed doen,' zei Patrick. 'Anders heeft het geen zin.'
'Zo mag ik het horen,' zei meneer K. 'Dus. Geld. Grootte. Locatie.'
'We hebben geld,' zei Massimo.
Ik keek hem aan. Was dat zo? Ik wist dat we veel geld verdienden. Maar ik had al mijn extra geld naar mijn moeder in Weekeepeemie gestuurd, vanaf het begin dat ik werkte. Ik had Melodie de universiteit door geholpen en eindelijk Doreens lening afbetaald. Het was niet iets waar ik over praatte, maar het was wel zo. Ik had niet veel spaargeld. Het had me gewoon niet belangrijk geleken.

'We hebben een miljoen om te investeren,' zei Massimo.
Ik nam een grote slok wijn, die had ik plotseling nodig. Een miljoen? Dollars? En het was duidelijk dat Patrick en hij het al besproken hadden. Wanneer waren ze van plan mij in te lichten? Ik wist niet wat ik ervan moest denken. Schok, woede, trots, verbazing... er ging van alles door me heen, als knikkers die door mijn ingewanden rolden. Hoeveel van dat geld verwachtten ze dat ik zou bijdragen?
Meneer K. knikte langzaam. 'Nou, dat is een mooi begin,' zei hij. 'Jullie zullen natuurlijk meer nodig hebben.'
Meer? Ik wilde de mooi ingerichte woonkamer van de K.'s uit vluchten, met de bemande lift naar beneden suizen en zo snel als ik kon Park Avenue uit rennen, weg van dit krankzinnige gedoe. Ik hield me aan de rand van mijn stoel vast.
'Jullie hebben niet alleen genoeg nodig om een nieuwe zaak te openen – sloopwerk, renovatie, apparatuur, personeel, advertentiekosten en ga zo maar door – maar ook genoeg om de salon draaiende te houden totdat hij winst gaat maken,' zei meneer K.
'En hoe lang denkt u dat dat zal duren?' vroeg ik, toen ik eindelijk mijn stem had teruggevonden.
Meneer K. tikte met zijn pen op de blocnote. 'Tja, het grote ongrijpbare,' zei hij. 'Dat is onmogelijk te zeggen.'
'Maar je gaat ze toch helpen, hè schat?' bemoeide mevrouw K. zich ermee. Ik kon zien dat ze opgewonden was. Zag ze het soms al voor zich dat ze de rest van haar leven gratis haar haar kon laten doen? Ik begreep dat zij de enige reden was dat meneer K. er om te beginnen mee had ingestemd ons, drie eenvoudige kappers, te ontmoeten. Waarom zou hij het anders doen? Wat voor ons iets kolossaals was, was voor hem maar een kleinigheid.
'Ja, ja, natuurlijk,' zei meneer K.
'Het klinkt enig,' zei mevrouw K. Ze verraste haar echtgenoot met een knuffel. Voor het eerst in hun huwelijk bevonden zijn hartstocht voor zaken en die van haar voor mooie kapsels zich op gemeenschappelijk gebied.

Het werd allemaal in gang gezet. Terwijl Jean-Luc aan de creatie van zijn grootse, meerdere verdiepingen tellende nieuwe salon op de bovenste drie verdiepingen van de wolkenkrabber van WXYZ begon, startten Massimo, Patrick en ik (met de hulp van meneer K.) onze zoektocht naar een geschikte locatie. Eerst zochten we in de Upper East Side, in de buurt van Jean-Luc, maar de optelsom van prijs per vierkante meter en de wens niet direct te concurreren met onze binnenkort ex-werkgever maakte dat we ergens anders gingen zoeken. En daar waren we blij om... geloof me. De Upper East Side was niet ons idee van leuk, hip of gezellig... maar het was de buurt waar de meeste van onze klanten woonden.

De West Side was te geitenwollensokkerig. Midtown was een kaal landschap van kantoorgebouwen. Chelsea was te veel een homobuurt, Murray Hill te saai, de Meat-Packing District te industrieel en het stonk er te erg. Er waren al genoeg salons in Soho, en Tribeca was gewoon te ver uit de buurt. We bleven zoeken (op onze vrije dagen, want we gingen natuurlijk niet bij Jean-Luc weg voordat we ergens anders heen konden) totdat we op een dag een telefoontje van meneer K. kregen.

'Ik heb iets voor jullie,' zei hij met die rasperige stem van hem. 'Ik weet het niet helemaal zeker... de buurt is nog een beetje eenvoudig, maar een van mijn contacten gaat daar een restaurant openen... ik denk dat de buurt in ontwikkeling is.'

'Waar is het?' vroeg Massimo. Hij drukte op het knopje van de speakerfoon zodat ik kon meeluisteren. Het was een zondagochtend en we lagen nog in bed te doezelen.

'Nolita,' zei meneer K.

'Waar is dat in godsnaam?' vroeg Massimo.

'Noordelijk van Little Italy. Weet je, als een buurt met een acroniem wordt aangeduid, zit hij in de lift. Maar goed... het staat er vol oude huurkazernes. Sommige daarvan begint men te verbouwen.'

'We gaan vanmiddag kijken,' zei Massimo.

Het was vroeg lente in New York... de enige tijd van het jaar dat de stad niet leek te weten wat ze met zichzelf aan moest. Modderige sneeuwhopen smolten weg langs trottoirs en stoepranden, overal lagen plassen, en blubber, eindeloze blubber. In de gebouwen wist men niet of men de airconditioning of de verwarming moest aanzetten. Mensen transpireerden in donzen jassen, of bevroren bijna in shirts zonder mouwen. Iedereen was in de war, het spoor bijster, wachtte op warm weer.

Massimo en ik stopten even bij een Starbucks op Broadway vlak bij het centrum en liepen toen verder in oostelijke richting naar Nolita. De eerste paar straten was er niets. Maar toen we bij de hoek van Prince Street Mott Street insloegen, zagen we allebei wat meneer K. had bedoeld. Winkels schoten als paddestoelen uit de grond. Kleine winkels. Maar we konden zelfs aan de etalages zien dat ze modieus, jong en cool waren. In de etalage van een van de winkelgevels stond een etalagepop die een mantel van koper droeg die, bij nadere inspectie, helemaal van aan elkaar bevestigde stuivers was gemaakt. Een ander winkeltje leek uitsluitend handgemaakte zeep te verkopen.

'Moet je die prachtige kerk eens zien,' wees Massimo. 'Die is heel oud voor Amerika, is het niet?'

We liepen ernaartoe en lazen de datum die in een steen boven de deur was uitgehakt. 1809. De oude St. Patrick's Cathedral. Rond de kerk stond een oude, roodstenen muur. De kerk torende erboven uit als een bouwwerk van grijsbruine stenen en glas-in-loodramen dat zo groot was als een heel huizenblok.

'Hoe is het mogelijk dat ik al bijna acht jaar in deze stad woon en nooit heb geweten dat dit hier stond?' vroeg ik me hardop af. Ik liet mijn hand langs de muur glijden, de stenen voelden glad en koel aan.

'Georgia,' zei Massimo.

Mijn ogen waren nog op de glas-in-loodramen gericht. Een straal zonlicht scheen precies op een lichtgeel raampje.

'Georgia, kijk eens,' zei Massimo.

Ik draaide me om om te zien waar hij naar keek; wat in hemels-

naam boeiender kon zijn dan de oude kathedraal. En daar stond het. Aan de overkant van Mott Street stond een gebouw van vier verdiepingen, breder dan een herenhuis, maar niet te breed. De voorkant bestond uit prachtig metselwerk, en had een sierlijke deur van glas en metaal.
'Het ziet er onbewoond uit,' zei Massimo.
'Natuurlijk is het onbewoond. Het staat te wachten om onze nieuwe salon te worden,' zei ik.
We staken Mott Street over en gluurden door de tralies van het raam op de begane grond. Het leek een enorme puinhoop binnen... een prachtige puinhoop. Massimo rammelde even aan de tralies.
'Er moet hier een bedrijfje of zoiets hebben gezeten,' zei hij.
Achter onze rug klonk plotseling een stem.
'Het was een naaiatelier.'
We draaiden ons met een ruk om en zagen het kleinste oude dametje dat ik ooit had gezien. Ze was niet groter dan anderhalve meter en ze leek nog kleiner door haar gebogen houding. Het vrouwtje was helemaal in het zwart gekleed, en leunde op een stok. Haar lichtbruine ogen stonden helder, schitterden.
'Zes maanden geleden is het voorgoed dichtgegaan,' zei ze. Ze had een zwaar accent, Italiaans.
'Waar komt u vandaan?' vroeg Massimo... in het Engels, vast en zeker uit respect voor mij.
'Padua.'
'Padua!' riep Massimo uit. En toen was er geen houden meer aan, ze spraken zo rap Italiaans dat zelfs de meeste Italianen het volgens mij niet bij zouden kunnen houden. We moeten met zijn drieën wel een halfuur net voorbij de hoek van Prince en Mott hebben gestaan, terwijl Massimo en het oude dametje dat, zo ontdekte ik, Giulia heette, stonden te lachen en te praten. Zo nu en dan glimlachten zij en Massimo verontschuldigend naar me.
'Giulia komt uit mijn geboortestad,' zei Massimo. Er glinsterde een traan in zijn oog. 'Ze kende mijn grootmoeder... ze zijn samen opgegroeid.'

Ik knikte, blij voor Massimo, van wie ik wist dat hij soms nog meer heimwee had dan ik. Ik bedoel, Weekeepeemie was een heel eind weg, hoe moest híj zich wel niet voelen met zijn familie aan de andere kant van de oceaan?

'Ze is de eigenares van dit gebouw,' ging Massimo verder.

Mijn glimlach werd breder. Soms moest het gewoon zo zijn. Ik zweefde, een kort moment zonder zorgen, geen angst voor wat de toekomst zou brengen. We zouden dit echt gaan doen. En het zou fantastisch worden.

Hij keek me weer aan, stralend.

'Ze gaat het aan ons verhuren,' zei hij. 'We zullen alles regelen. Ze is gediplomeerd naaister. Ze wil ons zelfs helpen de gordijnen te naaien!'

Toen sloeg ik ook mijn armen om haar heen. Het moet een vreemd gezicht zijn geweest, wij met zijn drieën... lange, donkere Massimo, ik, de typische Amerikaanse, en het piepkleine Italiaanse vrouwtje Giulia, knuffelend, dansend en huilend te midden van de oude winkeliers, kerkgangers en de enkele hippe vogels die hun weg naar Mott Street hadden gevonden op die druilerige lentedag.

Gespleten einden

De nieuwe Salon Jean-Luc in het WXYZ-gebouw had rondom uitzicht op de skyline van Manhattan. Waar je ook stond – bij de wasbakken, de werkplek van de manicures, zelfs bij de toiletten – keek je uit op iets indrukwekkends. En daar ging het natuurlijk om. Je werd verondersteld onder de indruk te zijn. Onder de indruk zijn was waar het om draaide, min of meer vanaf het moment dat je de deuren van de nieuwe salon binnenging, waar je oog in oog stond met een enorme marmeren fontein afkomstig uit Zuid-Frankrijk, die de hele dag water spoot. En als een klant de vreselijke vergissing beging om een stuiver in de fontein te gooien (geloof me, dat gebeurde elke dag) dan zag de receptioniste dat en werd hij er snel, onopvallend weer uitgevist.

Het duurde nog maanden voordat we onze zet konden doen, en we hadden er niemand iets over verteld. Dat hadden we meteen aan het begin afgesproken: niemand mocht het weten. Nadat we het huurcontract met Giulia hadden getekend en met het sloopwerk in het gebouw in Mott Street waren begonnen, hadden we een groot bord achter het raam gezet waarop de komst van de MOTT STREET GALLERY werd aangekondigd. Zo paranoïde waren we. Wat niet helemaal onbegrijpelijk was. Paranoïde. Jean-Luc wantrouwde ons waarschijnlijk een beetje. Hij was geen domme kerel en ik weet zeker dat hij zich afvroeg waarom we altijd zo vrolijk waren, vooral nadat hij ons zo gigantisch had bedonderd. Maar Jean-Luc had al genoeg om zich zorgen over te maken. De klanten waren niet bepaald ingenomen met de nieuwe salon. Het bleek dat Jean-Luc, samen met de mensen van WXYZ, een enorme en mogelijk dodelijke vergissing had gemaakt: ze veronderstelden dat de klanten dol zouden zijn op alles wat Frans was. De Franse fontein, de Franse toilettafels op de werkplekken, de Franse kop-en-schotels waarin ze hun *café au lait* kregen: de klanten van Jean-Luc mopperden erover. Het waren New Yorkers. Ze vonden het fijn New Yorker te zijn, en ze wilden behandeld worden als New Yorkers.

De salon was prachtig, maar niet bepaald functioneel. Jean-Luc en de mensen van WXYZ, hadden in feite alle praktische dingen opzijgeschoven omwille van een ontwerp dat meer een decor was dan een echte salon. Neem de wasbakken bijvoorbeeld. Ze waren rond. Had niemand eraan gedacht dat het water daardoor over de klanten heen zou spetteren? Ze vonden het echt niet leuk als hun perfect zittende make-up uitliep. De arme shampoomeisjes werden voortdurend uitgescholden en vluchtten dan in tranen naar de personeelskamer. En dan de vloer. Die was van straatkeitjes. Had iemand eraan gedacht hoe het zou zijn als je daar met je hoge hakken overheen moest lopen, om maar te zwijgen van er de hele dag staan? Meer dan eens moest de conciërge van de salon een pump van Jimmy Choo of Manolo Blahnik naar de schoenmaker in Lexington sturen terwijl de klant haar haar liet doen.

Maar het ergste van alles waren misschien wel de liften. Salon Jean-Luc was over meerdere verdiepingen verspreid, waardoor de dames gedwongen waren de lift te nemen, in hun kapmantels en met hun natte hoofd in een handdoek. Je kunt wel raden dat de dames dit absoluut niet waardeerden. Bij een salonbezoek gaat het juist om comfort. Om je behaaglijk voelen. Om in een baarmoederachtige omgeving genesteld zijn, terwijl je wordt verzorgd en vernieuwd, als een prachtig maar ietwat versleten kunstwerk. Je wilt niet in een onpersoonlijke lift stappen, mogelijk zelfs met mensen van andere verdiepingen. De gedachte alleen al maakte dat de oogverblindend witte, gepolijste, tanden van de klanten begonnen te knarsen.

Te midden van dit alles bleven we gewoon doorwerken, en we gingen alleen na werktijd naar de vorderingen in de nieuwe salon kijken, of op onze vrije dagen. Eén ding wist ik zeker: het zou totaal anders dan Salon Jean-Luc worden. We lieten stenen muren uit het zicht, maakten open haarden die tientallen jaren niet meer waren gebruikt weer in orde en legden brede eiken vloerdelen op de grond. Bepaalde dingen zouden stads en modern zijn: de verlichting bijvoorbeeld, en de hypermoderne behandelkamers voor harsen, massage en gezichtsbehandelingen. Maar de algehele indruk van de salon moest er een van gezellige, eenvoudige, functionele glamour zijn.

'Hoe kan het in orde zijn dat ik niet veel geld kan bijdragen?' had ik Patrick en Massimo de ochtend na onze eerste ontmoeting met meneer K. gevraagd. 'Ik bedoel, ik vind dat het niet kan. Jullie investeren alles, en ik...'

De twee mannen – míjn twee mannen – keken me aan.

'Dat wisten we voor we eraan begonnen,' zei Patrick.

'Bedoel je dat jullie erover gesproken hebben?'

Ze knikten.

'Hoe zien jullie dan dit... dit partnerschap?' vroeg ik. Ik probeerde zakelijk te blijven klinken, maar vanbinnen voelde ik me een trillende pudding.

'Je talent,' zei Massimo.

'Wat is daarmee?'

'Dat is ons een miljoen dollar waard.'

'Ach, kom nou toch.'

'Het is waar, Georgia,' zei Patrick. 'Je bent de beste kleurspecialiste in New York.'

'Hou op!'

'Als je verdient, kun je je steentje bijdragen,' zei Massimo. 'Zo eenvoudig is het.'

Maar natuurlijk is nooit iets echt eenvoudig. Zodra iemand tegen je zegt dat iets eenvoudig is, moet je op je tellen passen. Ik dacht dat ik vrede had met mijn vertrek. Echt waar. Ik deed mijn gebruikelijke twintig, tweeëntwintig hoofden per dag, gleed door mijn uren bij Jean-Luc heen alsof ik me in een andere werkelijkheid bevond. Ik zag Faith Honeycomb, evenals de andere stylisten en kleurspecialisten, van een afstand, alsof ik hen op een filmscherm zag. Het was alsof mijn leven zich al ergens anders afspeelde. Massimo en ik waren van plan te gaan samenwonen als de nieuwe salon eenmaal klaar was en draaide. Mijn leven bevond zich in een staat van schijndood. Onzekerheid.

Een van de belangrijke vragen die meneer K. had gedwongen onszelf te stellen was of de klanten ons naar een ander deel van de stad zouden volgen. Elke dag, elke keer als er weer een klant in mijn stoel ging zitten, vroeg ik het mezelf in stilte af: als ze de keus kreeg tussen min of meer om de hoek in al haar haarbehoeften te laten voorzien, of in haar Mercedes met chauffeur, of taxi, of God verhoede het, een bus of de metro stappen voor een lange vermoeiende reis naar een buurt waar niemand ooit van had gehoord... zou ze het dan doen? Ik kon het absoluut niet weten, maar toch bleef ik mezelf die vraag stellen. Ook al had ik toegezegd met Massimo en Patrick een nieuwe salon te beginnen, ik bleef de risico's afwegen.

'Ik vind het vreselijk hier,' verkondigde een van mijn klanten, een lichtblonde moderedactrice van een trendy vrouwenblad. 'Het lijkt alsof iemand te veel zijn best heeft gedaan.'

'Een heleboel mensen hebben te veel hun best gedaan,' zei ik indiscreet, en ik zette een kruisje aan onze kant. Ze zou naar onze buurt komen. Bovendien werkte ze voor een modeblad. Die vrouwen bleven iedereen altijd twee stappen voor. Ik bestudeerde wat ze aanhad: een nauwsluitend zwart coltruitje met driekwart mouwen, en – zag ik het goed? – *cargo pants*. Cargo pants?

'Ik droeg zo'n broek toen ik in groep zeven zat,' zei ik, terwijl ik enkele plukken haar optilde voor de baliage.

'Ze komen weer terug,' zei ze met een geslepen glimlachje. 'Deze is van het volgende seizoen, van Dolce.'

De volgende klant was een oudere vrouw, getrouwd met iemand die belangrijk was... ik kon me niet herinneren wie. Ze had de strakke, gelooide huid van een vrouw die een ruig leven heeft ge-

leid en het effect van al die zon, drank en sigaretten regelmatig met de nieuwste snufjes probeerde te herstellen: huidverjongingsbehandeling, collageen, correctie hier, sneetje daar. Ze ging er niet jonger door uitzien... dat was meestal niet het geval... maar ze zag er zeker goed geconserveerd uit.
'Geweldig!' riep ze uit, een biscuitje in haar kom met café au lait dopend. 'Ik vind het hier heerlijk... alsof je zonder jetlag een korte vakantie in Cap d'Antibes doorbrengt!'
Ik knikte, zei niets, ging verder met de grijze haren verven. Ze zou ons niet naar een andere buurt volgen. Vast en zeker niet. Ze was waarschijnlijk al jaren niet verder dan Fifty-Seventh Street geweest, behalve om een enkele keer naar een show op Broadway te gaan.
Terwijl ik met haar haar bezig was, voelde ik een tikje op mijn schouder. Jean-Lucs huidige assistent, een getalenteerde jonge Aziaat, gaf me een briefje dat was geschreven op een mededelingenblokje van het nieuwe bedrijf van WXYZ.
Bijeenkomst in de vergaderkamer. Zes uur, stond er. Bijeenkomst, waarom? En wie allemaal? Een bijeenkomst in Salon Jean-Luc betekende nooit iets goeds. Ik keek Jean-Lucs assistent vragend aan, maar hij haalde alleen maar zijn schouders op (een piepkleine versie van een Jean-Luc-schouderophalen; assistentniveau) en liep weg.
We begonnen achter te raken met de klanten en volgens het beleid van WXYZ mochten we hen niet langer zoet houden met gratis diensten. M., een interieurgoeroe met haar eigen televisieshow, was net naast T. neergezet, een publiciste die bekendstond om haar arrogante blikken. Terwijl ik langs hen liep om Massimo of Patrick te zoeken, hoorde ik M. T. begroeten.
'Je haar zit leuk,' zei M. 'Heb je het steil laten maken? Het ziet er zo... modern uit.'
T.'s gebotoxte wenkbrauwen deden moeite opgetrokken te worden, ze kronkelden als twee magere wormpjes op haar spiegelgladde voorhoofd. Modern. Was dat een belediging of een compliment?

'Jij moet het ook eens proberen.' T. had zich hersteld en deed een tegenzet. 'Je kunt wel een nieuwe look gebruiken.'
Ding-ding-ding. De hatelijkheidsfactor bereikte die dag een alarmerend hoogtepunt in Salon Jean-Luc... of Jean-Luc Salon, zoals WXYZ de naam had veranderd. Kwam het door de nieuwe salon zelf? Een soort karma, of slechte feng shui? De volmaakt verzorgde nagels van de dames leken tot klauwen uit te groeien, en achter elk gespannen glimlachje stak een angel, met de bedoeling te steken, in elk geval oppervlakkig.
'P., ik heb je in eeuwen niet gezien!' zei de ene klant tegen de andere. In eerste instantie klonk het onschuldig, maar wat het in werkelijkheid betekende was: *jij en ik weten dat je een maand moest herstellen van een volledige facelift in Beverly Hills.*
Ik kromde mijn schouders, alsof ik mezelf moest beschermen, en rende rond tot ik Patrick gevonden had.
'Wat is hier vandaag in hemelsnaam aan de hand?' vroeg ik hem.
'Bedoel je dat briefje over de bijeenkomst?'
'O, goed zo... jij hebt er ook een gekregen.'
'Nou, ik weet niet of het zo goed is.'
'De sfeer hier is zo eigenaardig... vind je ook niet?'
'Ja. Het lijkt wel alsof alle klanten elkaar willen vermoorden.'
'O, godzijdank! Ik dacht dat het aan mij lag!'
'Honnepon, de meeste dingen die je je voorstelt blijken waar te zijn,' zei Patrick.
'Ik hoop dat je je daarin vergist,' zei ik, en voor de zoveelste keer stelde ik me mezelf als dakloze voor die, met mijn laatste achtentwintig dollar, een buskaartje terug naar Weekeepeemie kocht.

Tja, je zou niet denken dat ik zo'n angsthaas zou zijn. Maar ik kon er niets aan doen, en ik haatte mezelf erom. Zeg nou zelf, de regeling die Massimo, Patrick en ik hadden getroffen, met de hulp van meneer K. en een advocaat die meneer K. voor ons had gezocht, was meer dan rechtvaardig... hij was krankzinnig grootmoedig. Ik zou volwaardig partner worden en we zouden samen een zakelijke lening sluiten. Mijn vriendje en mijn beste vriend...

ze begrepen gewoon dat ik het geld niet had, en ze geloofden in me. Wat kon ik in hemelsnaam meer verlangen?

'Ciao, bella.' Massimo stal een kus tussen twee klanten door.

'Is dat niet de naam van een ijswinkel?' vroeg ik.

'Heel grappig,' zei Massimo. 'En, ben je klaar voor de bijeenkomst?'

'Weet je waar het over gaat?'

'Ik heb geen idee. Het kan me niet schelen ook.' Hij trok mijn plastic handschoen uit (ik was net klaar met een enkele kleurbehandeling) en kuste mijn pols. 'Maar daarna wil ik met je naar Mott Street...'

'Sssst!' siste ik en ik keek snel om me heen. Stel dat iemand het hoorde.

'Maak je niet zo'n zorgen, Georgia,' zei Massimo. Even zag ik iets van... wat? Pijn? Ergernis?.. in zijn ogen en ik voelde me meteen ellendig. Hij was voorzichtig. Ik vertrouwde hem niet voldoende. Dat was mijn probleem.

'Maar goed, er is iets wat ik je straks wil laten zien,' zei hij. Toen ging hij terug naar zijn werkplek, waar zijn assistent net een om zijn slonzigheid beroemde komiek had neergezet, die door zijn vrouw naar ons was toegestuurd om zijn haar te laten knippen.

De rest van de dag sukkelde voorbij tot het eindelijk zes uur was. De vergaderkamer in het WXYZ-gebouw – ongetwijfeld een van de tientallen van dergelijke kamers, hoewel deze exclusief voor het gebruik van Jean-Luc Salon was ontworpen en gebouwd – was een luxe, maar zakelijk vertrek. Jean-Lucs favoriete kleuren, donkerrood en roomwit, domineerden het vertrek. De ramen werden omlijst door dikke gordijnen, en met stof beklede draaistoelen stonden rond een enorme, glanzende tafel van donker hout.

Toen we achter elkaar naar binnen liepen, keek ik rond om te zien wie er waren, om te weten te komen wat de bijeenkomst te betekenen had. We waren ongeveer met zijn twintigen (Jean-Luc niet meegerekend, die natuurlijk niet op tijd was, om zo zijn grootse entree te kunnen maken), en wat me onmiddellijk duidelijk werd was dat dit allemaal eerste medewerkers waren. Eerste kleurspecialisten, eerste stylisten. Faith, Sophie, Kathryn en nog een tiental anderen. In dit vertrek zat de kern – het talent, als je wilt – van de salon. Ik ging naast Massimo zitten en leidde mezelf af door de zwartwitfoto's van het Franse platteland te bestuderen die aan de wanden van de vergaderkamer hingen.

Eindelijk kwam Jean-Luc binnen, zijn gebruikelijke twintig minuten te laat. Hij werd gevolgd door juffrouw WXYZ en twee van haar handlangers. De vrouwen waren gekleed in keurige marineblauw-witte kostuumpjes, die zo op elkaar leken dat ik me afvroeg, heel even, of dit een soort WXYZ-uniform was. Jean-Luc zag ongewoon bleek en het leek bijna alsof hij zich... slecht op zijn gemak voelde. Ik had de man nooit anders gezien dan blakend van zelfvertrouwen. Het was enigszins verontrustend.

Jean-Luc nam zijn plaats aan de kop van de ovale vergadertafel in en de vrouwen van WXYZ gingen aan weerszijden van hem zitten. Hij leunde met zijn ellebogen op tafel, liet zijn kin in zijn handen rusten en keek de tafel rond voordat hij iets zei.

Hij schraapte zijn keel.

'Er is iets vreselijks gebeurd,' zei hij.

Mijn hart sloeg over. Wat kon er zo vreselijk zijn dat Jean-Luc er zo ellendig en... tegelijkertijd... zo woedend uitzag?

'We hebben een verrader in ons midden,' vervolgde Jean-Luc.

Nu sloeg mijn hart op hol. Het ging als een razende tekeer, een fladderend vogeltje in mijn ribbenkast. Hoe had hij het ontdekt? We waren zo voorzichtig geweest! Ik durfde niet naar Massimo of Patrick te kijken. Ik bleef gewoon strak naar Jean-Luc kijken en probeerde kalm te blijven. Mijn handen trilden; ik begroef ze in mijn schoot.

'Richard is vertrokken,' kondigde Jean-Luc aan.

Rond de vergadertafel hielden mensen hoorbaar hun adem in.

'En hij heeft Amelia en Sam meegenomen,' zei Jean-Luc. Zijn lippen, trillend van woede, leken donkerblauw door zijn bleke gezicht, en zijn ogen fonkelden.

Ik durfde nog steeds niet naar Massimo te kijken, maar Patrick zat tegenover me aan tafel, dus ik keek hem aan. Ik moest me verbonden voelen met iemand die hetzelfde had gevoeld als ik: een mix van angstige gevoelens, dan shock en vervolgens een golf van opluchting. Richard! De enige die echt een vriend van Jean-Luc had geleken! De avond daarvoor hadden ze na sluitingstijd nog met zijn vieren gedineerd: Richard, Jane Huffington Cooke, Jean-Luc en Kathryn. Jean-Luc moest zich extra bedrogen hebben gevoeld.
'Hij gaat iets verderop in de straat een salon openen,' zei een van de WXYZ-handlangers.
'Ik vertel het mijn personeel zelf wel!' donderde Jean-Luc. De drie dames van WXYZ deinsden achteruit. Blijkbaar hoorde geschreeuw en gebrul niet bij de keurig opgeruimde cultuur van hun bedrijf. Ik dacht aan een memo, vanmorgen net rondgestuurd, over onze donkerrood en roomwitte zijden zakdoeken, versierd met tientallen kleine JL's; het was de bedoeling dat we die zakdoekjes te allen tijde zichtbaar op ons lichaam droegen – *te allen tijde zichtbaar* was precies wat er in de memo had gestaan – en verder, ofwel opgevouwen en net uit het borstzakje van ons overhemd stekend, of rond onze hals gebonden. Een van de assistenten was creatief geweest en had het hare als een ceintuur rond haar middel geknoopt, en dat was expliciet verboden.
'Hij zal geen succes hebben, natuurlijk,' zei Jean-Luc. 'Wat denkt hij wel, Richard...' Hij sprak de naam uit alsof hij een vieze smaak in zijn mond had. '... Dat hij zo'n beetje in mijn achtertuin een salon kan openen? Denken jullie soms allemaal dat dit zo gemakkelijk gaat?'
Jean-Luc liet zijn blikken rond de tafel gaan, langzaam met elk van ons oogcontact makend. Keek hij naar mij? Zijn blik leek het langst op Massimo te blijven rusten.
'Weten jullie wel hoeveel afspraken er in het boek moeten staan, op één dag, om de huur te kunnen betalen? Weten jullie dat? Ik zal het jullie vertellen. Honderdvijftig. Alleen al om de huur te kunnen betalen.' Jean-Luc zweeg even. 'Ik zal hem verpletteren,'

zei hij. Hij drukte zijn duim in de vergadertafel, voor het geval een van ons niet begreep wat hij bedoelde. 'Ik zal hem verpletteren als de smerige kakkerlak die hij is.'
Mijn neusgaten prikten en er ging een kille angstgolf door me heen. Ik zag Jean-Lucs lippen bewegen, maar ik kon nauwelijks een woord verstaan van wat hij zei. Mijn blik vertroebelde. Ik was in paniek. Het enige wat ik zag was ons prachtige gebouw in Mott Street met zijn enorme, lichte ramen en hoge plafonds. Het was nog niet klaar maar begon nu wel echt vorm aan te nemen. Ik kon me voorstellen hoe het er over een paar maanden zou uitzien, met de antieke schouwen, oude terracotta potten met bloeiende planten die naar een kleine tuin achter het gebouw leidden, waar klanten koffie konden drinken terwijl hun highlights inwerkten. De knusse werkplekken, de kroonluchter die we op een vlooienmarkt in Sixth Avenue hadden gevonden... en vervolgens stelde ik me een enorme sloopkogel voor die onze nieuwe salon binnen dreunde, en alles deed instorten.
Wie dachten we wel dat we waren? Jean-Luc was een wereldberoemde haarstylist en nu had hij de steun van een gigantisch bedrijf. Massimo, Patrick en ik... wij waren gewoon drie mensen die uit het niets waren gekomen. We hadden blij moeten zijn met wat we hadden. Het was genoeg geweest... meer dan genoeg. We waren inhalig geworden en nu zou Jean-Luc ons vernietigen. Ik wist het zeker.
Jean-Lucs stem drong weer tot me door. 'Als jullie niet voor me zijn,' hij sloeg met zijn vuist op de tafel, 'dan zijn jullie tegen me. Begrijpen jullie dat?'

Later liepen Massimo, Patrick en ik door Madison een paar straten noordelijker. We liepen langs Barney's, toen langs een Italiaans restaurant en vervolgens langs een boetiek die beroemd was om zijn mouwloze hemdjurken van tweeduizend dollar. En daar was het... op de zuidoosthoek van Sixty-Fourth en Madison, op de tweede verdieping. Alle ramen waren dichtgeplakt, bedekt met bouwpapier, zodat je onmogelijk naar binnen kon kijken. In het

midden van het raam hing een bord waarop de komst van de Madison Avenue Gallery werd aangekondigd.
'Het was geloof ik niet zo'n origineel idee,' zei Patrick, die de stilte die over ons was neergedaald verbrak.
'Wat?' snauwde Massimo. 'Doe niet zo idioot... het zal een heel andere salon worden dan die van ons. Om te beginnen is het een ander deel van de stad. Bovendien heeft Richard een heel andere...'
'Ik bedoelde het bord,' zei Patrick kalm.
'O.'
'Je hoeft niet zo defensief te doen.'
'Sorry,' zei Massimo. Toen wendde hij zich tot mij. 'Laten we naar Mott Street gaan. Ik wil je daar iets laten zien, weet je nog?'
Ik kon het niet. Ik kon het gewoon niet. Mijn hoofd tolde en voor het eerst sinds ik Massimo kende wilde, móést ik alleen zijn. Massimo hield al een taxi aan.
'Wacht,' zei ik, feller dan mijn bedoeling was geweest.
Ze draaiden zich allebei naar me om, verbaasd.
'Ik kan niet,' zei ik iets zachter. 'Ik moet naar huis.'
Massimo speurde nauwlettend mijn gezicht af. Hij had me dat nooit eerder horen zeggen. Zijn huis was mijn huis, voor alles en nog wat. Ik had geen enkele nacht meer in mijn eigen appartement doorgebracht, met of zonder hem, al maanden niet.
'Wat bedoel je?'
'Niets bijzonders, eigenlijk,' zei ik. 'Gewoon... rekeningen, papierwerk. Ik heb een avondje nodig om alles bij te werken.'
Patrick keek ook naar me. Hij kende me misschien nog wel beter dan Massimo... beter dan wie dan ook. En ik zag dat hij wist waarom ik alleen wilde zijn. Hij keek verdrietig.
'Ik kom morgenochtend meteen!' zei ik zo vrolijk als ik maar kon. 'Oké? Dan kunnen we vroeg ontbijten en kijken hoe het in de salon is opgeschoten... of zoiets.'
Massimo knikte. Ik vond het vreselijk. Ik moest weg van hen, ergens naar een plekje voor mij alleen, waar ik kon nadenken. Snel kuste ik Patrick op zijn wang, toen Massimo op zijn mond.

'Ik hou van je,' fluisterde ik in zijn oor. Toen, zo snel als ik kon, ging ik naar mijn appartement.

Overal lag stof. Een dunne grijze laag bedekte de hutkoffer die ik als salontafel gebruikte, de bovenkant van de tv, de vensterbanken. De gordijnen waren dicht en mijn antwoordapparaat knipperde. Niemand belde me ooit in de salon of bij Massimo. Het knipperende rode lichtje maakte dat ik me iets meer thuis voelde.
'Dit bericht is voor Georgia Watkins. Dit is een herinnering in verband met een achterstallige betaling van de AT&T-rekening...'
Biep.
'Goedemorgen, juffrouw Watkins, u spreekt met CableVision. We bellen u in verband met een achterstallige...'
Biep.
Ik zette het antwoordapparaat uit. Ik voelde me nog ellendiger. Het was duidelijk dat ik mijn zaken had laten verslonzen. Er was geen excuus voor achterstallige betalingen... geen enkel. Ik had het zo druk gehad – in de wolken door mijn relatie met Massimo en het werken aan de nieuwe salon – dat ik mijn verantwoordelijkheden was vergeten.
Ik deed de koelkast open. Leeg, natuurlijk. Op de stank van yoghurt na, waarvan ik niet eens wilde weten wat de uiterste houdbaarheidsdatum was geweest. *Beheers je, Georgia.* Ik trok mijn trui uit, schopte mijn laarzen uit, pakte de telefoon (die gelukkig nog werkte) en bestelde een Chinese maaltijd.
Het was elf uur voordat ik weer normaal kon denken. Ik was in een ander soort bewustzijn terechtgekomen; een aanval van schoonmaakwoede. Ik zoog en stofte en schrobde. Ik betaalde al mijn rekeningen en ging toen eindelijk op de opgeklopte kussens van de bank zitten en maakte het nu koude maaltijdbakje met Moo-Shoo varkensvlees open. Ik pakte de telefoon en begon Massimo's nummer in te tikken, maar ik hing op voordat hij overging. Ik wist niet wat ik tegen hem moest zeggen. Hij zou onmogelijk kunnen begrijpen hoe bang ik was. Ik moest met iemand praten. Ik moest de dingen op een rijtje zetten in plaats van

ze door mijn hoofd te laten malen. Maar het probleem was dat de twee mensen op wie ik het meest kon rekenen nu net de mensen waren met wie ik hier niet over kon praten.
Ik pakte de telefoon weer. Het was laat... heel laat naar Weekeepeemie-maatstaven, waar de mensen meestal met de kippen op stok gaan... maar wat kon een dochter anders? Er was maar één iemand die ik kon vertrouwen. Ik had mijn moeder nodig. Ik had Doreen nodig.
Ze beantwoordde de telefoon na het eerste gerinkel.
'Met Doreen's,' klonk haar slaperige stem door de telefoon, 'wat kan ik voor u doen?' Ik denk dat ze het zelf niet eens merkte, maar ze beantwoordde de telefoon altijd op die manier.
'Hoi, mam.'
'Georgia? Wat is er aan de hand?'
'Niets,' loog ik. Het bleef stil aan de andere kant. Ik kon het geluid van mijn moeders ademhaling horen. Afwachtend. Want ze wist dat ik op dit tijdstip niet zou bellen als er niet iets helemaal verkeerd zat.
'Alles,' zei ik toen.
'Vertel het me maar, lieverd.'
Plotseling zag ik mijn moeder zo duidelijk voor me alsof ik bij haar in Weekeepeemie stond. Ze kwam steunend op één elleboog overeind, stak haar hand uit naar het lampje op het nachtkastje en deed het aan, haar slaapkamer in een gele gloed hullend. In mijn fantasie droeg ze een shirt van de universiteit van New Hampshire en een flanellen pyjamabroek die zo oud was dat de knieën ervan versleten waren.
'Ik denk niet dat ik het kan,' zei ik. Ik begon te huilen. 'Ik wil het wel... of in elk geval een deel van me wil het... maar ik denk gewoon dat ik het niet kan.'
'Rustig aan. Wat kan je niet?'
Doreens stem klonk kalm, afgemeten. Het was als een balsem voor mijn overspannen zenuwen. Maar het leek alsof ik niet kon ophouden met huilen. Ik had die avond het gevoel dat mijn hele wereld instortte. Ik probeerde te praten.

'De salon... ik... ik kan gewoon...'
'Haal even diep adem, lieverd.'
Ik deed mijn best om te doen wat ze me zei. Ik had het gevoel alsof er een strakke band om mijn borst zat, mijn hele lichaam was gespannen. Eerst één diepe zucht, toen nog een.
'Zo is het beter,' zei Doreen. 'Nou, vertel me nu eens wat er aan de hand is.'
Mijn moeder wist alles over de nieuwe salon. Ze had gevraagd hoe het was gegaan toen Massimo en ik uit Parijs terugkwamen, en dus had ik haar op de hoogte gehouden van alle ups en downs, van Parijs tot Mott Street. En eerlijk gezegd, ze had me versteld doen staan. Ik had verwacht dat Doreen volledig tegen het plan om voor onszelf te beginnen zou zijn, maar dat bleek helemaal niet het geval te zijn. *Ik heb die Jean-Luc gewoon nooit vertrouwd*, zei ze. *Ik dacht al dat hij jullie zou bedonderen.* Wat was dat toch met mijn moeder? Ze bleek zo vaak gelijk te hebben... en het sierde haar dat ze bijna nooit 'zie je nou wel' zei.
'Ik ben te bang,' zei ik uiteindelijk.
'Waar ben je bang voor?'
'Overal voor. Ik ben bang dat de nieuwe salon niet gaat lopen. Ik ben bang dat de klanten niet met ons meegaan naar een ander deel van de stad. Ik ben bang dat het te lang zal duren voordat we winst maken en dat we failliet gaan. Ik ben bang dat Jean-Luc achter ons aan komt, ik ben bang dat...'
'Ho eens even,' lachte mijn moeder. 'Eén ding tegelijk.'
'Ik doe het niet,' flapte ik eruit. Het was de eerste keer dat ik het daadwerkelijk gezegd had. De woorden waren een pijnlijke opluchting.
Doreen zweeg aan de andere kant van de lijn. Ik kon haar een slok water horen nemen uit het glas dat altijd op haar nachtkastje stond.
'Ik begrijp waarom je bang bent,' zei ze na een poosje. 'Maar alle dingen die in dit leven de moeite waard zijn houden enig risico in.'
'Dat weet ik,' zei ik. Maar wat ik werkelijk dacht was: hoe zit het

met jou? Hoe zit het met de risico's die jij in je leven nam? Waar het op neerkwam was een deur die 's nachts werd dichtgeslagen, een berg schulden en een leven van hard werken voor weinig geld.

'Ik heb van niets wat ik ooit heb gedaan spijt,' zei Doreen, alsof ze mijn gedachten kon lezen. 'Ik heb alleen spijt van de dingen die ik niet heb gedaan.'

'Ik heb mijn besluit al genomen,' fluisterde ik. Ik had een naar gevoel van spijt. Want ik realiseerde me dat het waar was. Ik had Doreen niet gebeld om raad te vragen, of er nog eens over te praten. Ik had gebeld omdat het nodig was mezelf de woorden hardop te horen zeggen.

'Weet Massimo het?' vroeg mijn moeder zachtjes.

Ik kneep mijn ogen dicht.

'Nee. Nog niet.'

De volgende morgen was het koel en helder weer: een ongewoon prachtige junidag. Het leek alsof de moeilijkste dagen in mijn leven altijd prachtige dagen waren, wat het weer betreft. Waarom kon het geen donker en stormachtig weer zijn? Het zou het opstaan iets gemakkelijker hebben gemaakt.

De telefoon ging om acht uur 's morgens. Ik verwachtte half dat het het telefoonbedrijf weer was, maar het was Massimo. Lieve, goedhartige, geweldige Massimo. Ik hoopte maar dat hij lief, goedhartig en geweldig genoeg was om te begrijpen wat ik op het punt stond hem aan te doen. Ik bedoel, Jean-Luc was als een tweede thuis voor me. Afgezien van Weekeepeemie was het de plek waar ik het grootste deel van mijn leven had doorgebracht. En ook al kon Jean-Luc een klootzak zijn, hij was niet alleen maar slecht. Ik betrapte mezelf erop dat ik dacht aan de aardige dingen die hij in de loop der jaren had gedaan. De geweldige kerstfeestjes die hij voor het personeel gaf, en hoe hij altijd zijn best deed om voor ons allemaal publiciteit te krijgen. Hij had een edelmoedige kant. Maar vooral had hij een onnozel meisje uit Weekeepeemie een kans gegeven.

'Goeiemorgen, bella mia,' zei Massimo. Aan zijn stem te horen was hij al uren op.
'Goeiemorgen.'
'Ben je toe aan een cappuccinootje en een croissant?'
'Ik kom net uit bed,' geeuwde ik. 'Geef me een halfuur de tijd.'
'Ik zie je bij ons plekje, goed?'
'Prima,' zei ik, met een verdrietig gevoel. Hij had het over een cafeetje om de hoek bij de nieuwe salon, in Prince Street. Ik wist nog hoe blij we waren geweest toen we het toevallig ontdekten. We stelden ons voor dat we daar elke dag voor ons werk zouden ontbijten.
'Is alles goed met je?'
'Ja, het gaat goed.'
'Ik kan bijna niet wachten om je mijn verrassing te laten zien,' zei Massimo. Wat voor verrassing kon dat in hemelsnaam zijn? Ik was degene die een verrassing voor hem had... een afschuwelijke verrassing.
Ik schoot in mijn kleren, nam niet eens de moeite mijn haar te kammen en haastte me naar het centrum. Het laatste wat ik wilde was Massimo laten wachten. Ik wist dat hij in het café aan het tafeltje bij het raam zou zitten, de krant doorbladerend, om de vijf minuten op zijn horloge kijkend.
Hij stond op van zijn stoel toen hij me gehaast zag binnenkomen, wonderbaarlijk genoeg op tijd. (Die Europese manieren... probeer een jongen uit Weekeepeemie maar eens zover te krijgen!) Er stond al een cappuccino met een croissant op me te wachten.
'Ik heb je gemist,' zei hij terwijl hij mijn hand pakte.
'Ik jou ook.' Ik voelde me misselijk worden toen ik naar hem keek. Ik hield zo veel van hem. Zijn gezicht was zo vertrouwd voor me, zo eigen. Ik stak mijn hand uit en streek zijn donkere haar van zijn voorhoofd. Er zaten zorgenrimpeltjes in. Had ik ze al eerder opgemerkt, of waren ze nieuw?
'Heb je alles gedaan wat je moest doen?' vroeg hij, mij strak aankijkend.
'Ja,' zei ik. Ik wendde mijn blik af, keek uit het raam en nam een

slok van mijn koffie. 'Het was een bende bij me thuis. Allemaal rekeningen! Mijn telefoon stond op het punt te worden afgesloten.'
'Dat zal binnenkort allemaal veranderen... als we gaan samenwonen,' zei Massimo.
'Ja,' zei ik. En toen dringend: 'Ik kan haast niet wachten.' Het was waar. Dat wist ik zeker... ik was bereid dat risico te nemen... het risico van samenwonen voelde allang niet meer als een risico.
'Stel je voor... we kunnen 's morgens samen naar het werk lopen,' zei Massimo. 'Ik verheug me daar zo op.'
'Massimo...' Mijn hart sloeg over.
Hij gebaarde naar de ober voor de rekening.
'Massimo, ik...'
'Heb je je cappuccino op?'
'Nog niet.'
Hij wilde opstaan. Ik stak mijn arm uit en legde een hand op zijn arm, om hem tegen te houden. Ik moest het zeggen. De woorden er gewoon uitflappen, maar het leek onmogelijk ze te zeggen. Eenmaal uitgesproken waren ze niet meer ongedaan te maken.
'Massimo, luister eens. Het spijt me,' zei ik. Ik begon te huilen. Ik kon nauwelijks praten. 'Ik kan het niet.'
'Wat kan je niet? Wat bedoel je?' Hij ging weer op zijn stoel zitten.
'De salon. Ik kan het niet. Ik kan niet meedoen met jou en Patrick.'
'Georgia... wat zeg je nou?'
'Ik ben van gedachten veranderd.'
'Hoe... waarom?'
'De enige reden die ik je kan geven is dat ik te bang ben. Ik denk niet dat ik er geschikt voor ben.'
Gedurende al die maanden en alle teleurstellingen, emoties en ups en downs, had ik Massimo nog nooit zo gezien. Zijn hele gezicht betrok en ging hangen. Hij leek ineens twintig jaar ouder.
'Dat is logisch,' zei hij. 'Natuurlijk ben je bang. Je hebt koudwa-

tervrees. Maak je geen zorgen, bella. Alles zal goed komen. De salon... hij zal prachtig worden...'
'Massimo, ik meen het. Ik kan het niet,' zei ik. Mijn stem trilde. Ik moest voet bij stuk houden. Dat hele gedoe met Richard had me doodsbang gemaakt.
'Bella, bella,' suste hij. Over het tafeltje heen pakte hij mijn hand. 'Het zal allemaal goed komen.'
Ik schudde mijn hoofd. 'Nee. Het komt niet goed. Ik ben van gedachten veranderd.'
Massimo liet mijn hand los, leunde toen achterover in zijn stoel en keek me onderzoekend aan.
'Je meent het echt,' zei hij ten slotte.
'Ja.'
'Je laat ons in de steek. Nu. Op dit moment.'
'Ik moet wel.'
'Vertrouw je Jean-Luc meer dan mij? Geloof je alle dingen die hij zegt?'
'Het heeft niets met vertrouwen te maken, Massimo. Het heeft te maken met...'
'Natuurlijk heeft het wel met vertrouwen te maken,' zei hij. 'Waar kan het in godsnaam anders mee te maken hebben? Je denkt dat ik niet weet wat ik doe.'
'Nee, ik...'
'Wat dan?'
'Alsjeblíéft. Hou op. Doe dit niet,' vroeg ik hem.
'Wat dan,' herhaalde hij. Hij schoof zijn stoel achteruit. Met zijn elleboog stootte hij een porseleinen schoteltje van tafel, dat in twee stukken op de grond viel.
Ik bukte om de stukken op te rapen. Een radicale breuk. De serveerster wilde naar ons tafeltje komen om het op te vegen, maar één blik op ons en ze veranderde van gedachten.
'Als je dacht dat de salon een succes zou worden, zou je natuurlijk met ons meedoen,' snauwde hij woedend. 'Je zou er geen minuut aan twijfelen.'
'Oké,' zei ik. 'Oké.'

‘Oké, wát?’
‘Ik denk dat je gelijk hebt.’
‘Dus je vertrouwt me niet.’
‘Het komt niet door jou, Massimo. Ik denk dat ik niemand vertrouw.’
‘Ik heb je niets meer te zeggen.’ Hij liep naar de deur. Het enige andere stel in het café was opgehouden met praten en keek naar ons.
‘Wacht alsjeblieft...’
Zijn hand lag op de deurkruk. Hij ging weg. Ik verkreukelde het servet in mijn hand tot een balletje en kneep er hard in.
‘Ga niet weg.’
‘De enige reden dat ik dit allemaal wilde doen...’ Hij zweeg, gesmoord. Toen probeerde hij het nog eens. ‘Het had allemaal met jou te maken. Met jou en mij. Zonder dat is er niets.’ Toen was hij verdwenen.

Nadat Massimo was vertrokken bleef ik nog enkele minuten in het café zitten, eenvoudigweg om op adem te komen. Overal waar ik keek zag ik scherpe, kartelige uitsteeksels. Ik was duizelig, mijn hoofd tolde. Wat had ik gedaan? Ik had geprobeerd mezelf te beschermen, veilig te zijn. Nu had ik het gevoel alsof ik mijn hele leven verpest had. Uiteindelijk sleepte ik mezelf de straat op. Het was koel en helder, de zon schitterde. Ik liep door Prince Street in de richting van Mott, langs het gave schoenenwinkeltje op de hoek dat net was geopend. Pastelkleurige sandalen met kokette hakjes en slippers in felle zomerkleurtjes lagen op het zand in de etalage. Nog een paar stappen en ik stond in Mott Street. Ik vermoed dat het zelfkwelling was dat ik in de richting van de salon liep. Ik kneep mijn ogen tot spleetjes tegen het felle zonlicht dat over de torenspitsen van de oude St. Patrick’s Cathedral viel. Ik zag de steigers voor de salon staan toen ik dichterbij kwam. Er hing iets nieuws – iets wat tamelijk groot was – aan de steigers, maar het zonlicht was zo fel dat ik niet kon zien wat het was. *Er is iets wat ik je wil laten zien*, hoorde ik Massimo’s stem in mijn hoofd.

Toen ik dichterbij kwam, zette ik mijn hand boven mijn ogen en keek door spleetjes naar een enorm, met de hand beschilderd bord dat aan de steigers hing.
Met malle blokletters stond erop geschreven: DOREEN'S.

Grijze haren verven

Ik had de uitdrukking 'tussen kogel en vuurpeloton' nooit goed begrepen. Het waren gewoon woorden voor me, tot de dagen en weken die volgden op mijn breuk met Massimo. Toen... tja, overal waar ik keek, zag ik kogels vliegen en stond ik met mijn rug tegen de muur, dat is zeker. Het leek wel alsof ik Massimo's lege blikken overal zag. Waar ik maar keek, en in die leegte zag ik de hevigheid van zijn pijn en teleurstelling. Ik had het gevoel dat hij me nu haatte en wie kon het hem kwalijk nemen? Hij ontweek me zorgvuldig en als ik probeerde met hem te praten, keerde hij me gewoon de rug toe en liep weg. Hij was te veel heer om tegen me te schreeuwen of me uit te schelden. Nee. De straf van Massimo, liefde van mijn leven, was dat hij verdween. De dag na onze ruzie in het café arriveerde een doos met al mijn eigendommen, inclusief mijn tandenborstel, bij mijn appartementje. Ik zocht in de doos naar een briefje. Dat was er niet.
Patrick sprak in elk geval nog tegen me, hoewel ik wist dat ook hij enorm teleurgesteld was. Het verschil tussen de reactie van Patrick en Massimo was dat Patrick het, tot op zekere hoogte, begreep. Als je zoals wij was opgegroeid in een kil, deprimerend stadje midden in New Hampshire beschouwde je niets als vanzelfsprekend. Sommigen van ons namen grotere risico's dan anderen. Het was genetisch bepaald. Daarvan had ik mezelf overtuigd. Iets wat door mijn voorouders was doorgegeven, zoals de vorm van mijn voorhoofd of de sproeten op mijn neus.

Maar Massimo... Massimo had zo'n gen niet geërfd, en hij begreep het niet. Natuurlijk niet. Dat had ik geweten. Maar wat ik niet had geweten was hoe persoonlijk hij het zou opvatten. Het was stom van me geweest, ongelooflijk naïef, om te denken dat ik misschien onder Mott Street uit zou kunnen en toch Massimo's vriendinnetje kon blijven. Wat een idioot was ik.
'Hij doet net alsof ik hem heb bedrogen of zoiets,' huilde ik in mijn biertje, letterlijk, in gezelschap van Patrick op een avond nadat de salon was gesloten.
'Tja, in zekere zin heb je dat ook,' zei Patrick.
Ik keek hem aan, geschokt. 'Hoe kun je dat nou zeggen?'
'Het is zo. Door niet met hem mee te gaan, geef je aan dat je hem niet vertrouwt. Je gelooft niet in hem. Je hebt geen vertrouwen.'
'Maar het komt niet door hem... of jou... dat ik geen vertrouwen heb,' zei ik. 'Het heeft niets te maken met...'
'Ach, flauwekul,' snauwde Patrick. Ik realiseerde me geschrokken dat hij bozer op me was dan ik had gedacht. 'Als Jean-Luc een andere salon zou openen zou je er geen twee keer over hebben nagedacht.'
'Maar dat is anders.'
'Waarom is het anders?'
'Jean-Luc heeft al naam gemaakt,' zei ik... de understatement van de dag. Ik nam een slok van mijn bier. 'Daar zit geen... risico... aan vast,' eindigde ik zwakjes.
'Dat is precies wat ik bedoel,' zei Patrick. 'Je bent niet bereid risico's te nemen, geen énkel.'
'Maar...'
'Begrijp je het niet, Georgia?' ging hij verder om zijn standpunt duidelijk te maken. 'We namen risico... Massimo en ik. We waren bereid jou als volwaardig partner te beschouwen zonder dat je geld investeerde. We geloofden gewoon in je. In je talent.'
Ik dronk mijn bier op en zei niets. Ik zat daar alleen maar, Patrick verdrietig aankijkend. Wat viel er te zeggen? Natuurlijk had hij gelijk. Ik had een hekel aan mezelf door het besluit dat ik had ge-

nomen, maar ik leek niet van gedachten te kunnen veranderen, ook al kostte het me bijna alles wat me lief was.
'Hij wil het nog steeds "Doreen's" noemen, weet je,' zei Patrick.
Ik schudde langzaam mijn hoofd. Een stel dronken zakenlieden liet aan de bar een luid gebrul opgaan toen hun team een run scoorde op de breedbeeldtelevisie.
'Waarom? Dat maakt dat ik me nog ellendiger voel,' zei ik.
Patrick haalde zijn schouders op. 'Ik weet het niet. Misschien denkt hij diep in zijn hart dat je van gedachten zult veranderen. Misschien vindt hij het gewoon een goede naam.'
'En jij?' vroeg ik aan Patrick. 'Wil jij het ook nog steeds "Doreen's" noemen?'
Hij keek me met een droevig glimlachje aan.
'Je weet hoe dol ik op je moeder ben,' zei hij, wat op de een of andere manier niet precies het antwoord was dat ik had willen horen. 'Maar ik kan niet tegen je liegen... dit heeft wel invloed op hoe ik over je denk.'
'O, zeg dat nou niet,' huilde ik. 'Ik wil je niet kwijt.'
'En ik jou niet, lieverd,' zei Patrick. 'Maar ik moet je wel zeggen dat ik dit echt waardeloos vind.'

Ondertussen kwam het moment dat Massimo en Patrick zouden vertrekken steeds dichterbij. Ik wist niet langer de precieze datum, want ze namen me natuurlijk niet meer in vertrouwen. Maar, volgens mijn berekeningen, zou het niet langer dan een paar weken meer duren. Ze bleven bij elkaar uit de buurt als ze bij Jean-Luc aan het werk waren, om geen achterdocht te wekken. En beiden negeerden me volledig. Mijn hart brak elke dag weer. Het was zelfs moeilijk om gewoon mijn werk te doen. Mijn kam lag slap in mijn hand en ik kon nauwelijks de energie opbrengen highlights aan te brengen.
'Wat is er met je aan de hand?' vroegen mijn klanten, de een na de ander. De Bedfords, de Five Towns, de Short Hills, de leden van de beau monde uit Manhattan... ze wilden het allemaal weten.
'Niets,' zei ik, met schorre stem. Bovendien had ik last van een

verkoudheid die maar niet overging. Ik had een loopneus en mijn ogen stonden glazig. Net op het moment dat ik er geweldig wilde uitzien, zodat Massimo het niet zou kunnen volhouden uit mijn buurt te blijven, zag ik eruit als het zielige wrak dat ik was. En vervolgens begon de roddel dat Massimo en ik uit elkaar waren zich onder het personeel van de salon te verspreiden. Het kon niet anders. De salon was een broeinest van roddels en bovendien, ik denk dat het nogal duidelijk was. Massimo was amper beleefd tegen me. Als hij me iets wilde laten weten over de kleur van een klant liet hij het door zijn assistent doorgeven.
Massimo zou het haar van mevrouw Z. graag wat lichter willen, zei de assistent. Of: *Massimo vroeg om een paar geelblonde plukjes langs de haargrens aan de voorkant.*
Massimo had me nooit eerder gezegd hoe ik mijn werk moest doen. *Massimo vindt dat dit rood minder roodblond moet zijn, maar roodbruin. Massimo vindt de achterkant... zie je, hier?... te donker.*
Nadat dit een tiental keren was gebeurd ontplofte ik. 'O, werkelijk? Zeg Massimo maar dat hij zelf moet komen als hij me iets te zeggen heeft.'
En dus verspreidde de roddel zich van het personeel naar de klanten, sneller dan je 'dubbele kleurbehandeling' kunt zeggen.
'Lieverd, het spijt me zo van jou en die knappe Italiaan,' zeiden ze, de een na de ander. En ze kwamen met cadeautjes. Chocolade, champagne, een bolero van bont, gekocht bij de monsterverkoop van J. Mendel. 'Ga mee naar de liefdadigheidsavond van het Mount Sinaï. Dan stel ik je aan de zakenpartner van mijn echtgenoot voor.'
Op een bepaald moment kon ik het geen minuut langer meer verdragen. Ik liep achter Massimo aan naar de personeelskamer. Hij moest met me praten. Het moest gewoon. Ik liep achter hem aan naar binnen. Gelukkig waren we er alleen.
'Massimo... alsjeblieft. Wil je met me praten? Dit is zo moeilijk.'
'Moeilijk voor wie?' Zijn ogen schitterden. 'Nee, het spijt me, ik kan het niet,' zei hij, mijn blik ontwijkend. Hij bukte zich en pakte zijn proteïneshake uit de koelkast van het personeel.

'Wanneer dan wel?' drong ik aan. 'Alsjeblieft, Massimo. Ik hou van je. Dat is niet veranderd.'
Hij reageerde niet. Hij maakte zijn drinkbeker open en schonk de shake in een kopje. Toen wilde hij de kamer uitlopen. Hij bleef even staan en draaide zich naar me om.
'We staan aan één kant van iets,' zei hij, 'iets groots, zo groot dat het wel een oceaan lijkt.'
God, ik miste alles aan hem. Vooral de manier waarop hij sprak, en me dingen deed begrijpen.
'Als we aan de andere kant van de oceaan zijn, zullen we praten,' zei hij. Toen liep hij de personeelskamer uit, de deur stevig achter zich dichttrekkend. Wat bedoelde hij daarmee? Was er nog hoop? Dit was gewoon zielig. Ik klampte me aan zwakke signalen vast... *hij haatte me niet! Hij zei vijf woorden tegen me!*... en ik kon alleen maar bidden en hopen dat de oceaan waar Massimo het over had niet te groot of te diep was... dat wat er nog van ons over was niet al naar de diepte was gezonken.

Een snikhete zomerse maandag. Het soort vochtige dag in New York waarop de hitte in golven van het trottoir opsteeg en de geur van asfalt in de lucht hangt. Ergens, niet ver van het WXYZ-gebouw, waren bouwvakkers aan het graven, met behulp van een drilboor. *Ret-tet-tet-tet-tet.* Er kwam geen einde aan de herrie, het was onverdraaglijk. Zelfs op de bovenste verdieping van de wolkenkrabber van WXYZ kreeg ik er hoofdpijn van. Waarom werkte ik op een dag zoals deze? Bijna niemand van de vaste klanten van de salon kwam op maandag, en juist deze maandag was zo'n vreselijke dag waarop je twee uur in de salon zit, naar buiten gaat en je haar onmiddellijk begint te pluizen of slap gaat hangen tijdens de vijf stappen die je nodig hebt om van de lobby naar je auto te lopen. Ik bedoel, wat heeft het voor zin?
Maar ik stond er. Het was het beleid van de nieuwe en helaas-niet-verbeterde Jean-Luc dat eerste personeel drie van de vier maandagen per maand werkte. En waarom? Ik veronderstelde dat het slechts een machtsspelletje was van de kant van het manage-

ment om ons klein te houden en ons eraan te herinneren wie de baas was.
Op deze bijzondere maandag werkten Patrick en Massimo geen van beiden. Wat, aan één kant, een opluchting was... maar het maakte ook dat ik me leeg voelde vanbinnen. Zo zou het alle dagen worden, als ze eenmaal voorgoed waren vertrokken. Het was alsof er iemand was langsgekomen en de ziel uit de salon had gerukt... althans, zo voelde ik het. De anderen – Faith, Kathryn, zelfs Jean-Luc – waren gewoon hetzelfde als altijd.
Ik bedacht dat Massimo en Patrick waarschijnlijk in het centrum waren, om de laatste hand te leggen aan Mott Street (ik kon het niet verdragen, zelfs niet in gedachten, om het Doreen's te noemen). Ik had in het weekend toegegeven aan de drang om bij de nieuwe salon te gaan kijken. Ik weet het, ik weet het. Ik had het niet moeten doen. Nog toen ik achter in een taxi op weg was naar het centrum, en toen ik op de hoek van Spring en Elizabeth Street uitstapte, ver genoeg om weg te kunnen duiken als ik hen zag, probeerde ik het mezelf uit mijn hoofd te praten.
Maar ik was ziek van verlangen – een soort liefdesverdriet – om te kijken wat ze aan het doen waren, al was het maar van een afstandje. Na betrokken te zijn geweest bij het ontstaan van de salon kon ik het niet verdragen niet te kunnen zien hoe hij werd.
Zweet droop langs mijn rug, stond in druppeltjes in mijn knieholten. Je weet pas wat warm weer is als je een tijdje achter in een taxi in New York hebt vastgezeten in het verkeer. Ik liep de twee straten tot aan de nieuwe salon, me verschuilend in de schaduw van de hogere gebouwen, dook vervolgens achter een vuilniscontainer die tegenover de salon op straat stond.
Mijn adem stokte. De steigers waren verdwenen en het voegwerk van de stenen gevel (een van de grotere posten op onze begroting, herinnerde ik me) was klaar. De salon was... tja, het was fantastisch. Het was alles waarvan we hadden kunnen dromen, en meer. De twee verdiepingen tellende entree met zijn enorme glasruit – een gelukje dat we op deze manier hadden mogen renoveren, als je bedenkt dat het een historisch gebouw was – en de

buxusboompjes buiten. O, alles gewoon. Het was volmaakt. Ik zag een schaduw achter een van de ramen op de bovenste verdieping, iemand die bewoog, en ik liep snel weg met gebogen hoofd en bezwaard gemoed. Hoe was het mogelijk dat ik hier niet aan meedeed? Het leek alsof iemand me aan handen en voeten gebonden had, me verlamde.

'Georgia.'

Een stem verbrak mijn gepeins en ik was weer terug bij de Jean-Luc Salon, de drilboren, de hete saaie maandag. Het was een van de receptionistes, haar JL-zakdoek zwierig rond haar hals geknoopt.

'Ik heb T. aan de telefoon,' zei ze. 'Ze wil weten of je haar er vandaag misschien tussendoor kunt hebben voor een hoofd vol highlights.'

Ik bestudeerde het gezicht van de receptioniste om te zien of ze een grapje maakte, maar ik zag niets.

'Ik denk dat het me wel lukt om een gaatje te vinden,' zei ik droog. 'Zeg haar maar om drie uur.'

T. was de publiciste die ik al had genoemd, maar misschien kende je haar al. Iedereen kende T., of had in elk geval van haar gehoord, of haar foto gezien; haar brede, tandpastareclameglimlach sprong je in tijdschriften tegemoet. Deze foto's waren het enige bewijs dat T. kon glimlachen. Met haar arm om iemand heen geslagen die beroemder was dan zijzelf – bij voorkeur een klant uit de sociale bovenklasse (de enige waar ze mee te maken had) – blikkerde ze met die porseleinen vernislaagjes, maar de rest van de tijd stond haar gezicht zo ijzig en koud als marmer.

De dag bleef zich langzaam voortslepen. Met de drilboren op de achtergrond en de Franse popmuziek die eindeloos door de nieuwe, superieure stereoinstallatie van de salon klonk, voelde ik me afwisselend uitgeput en opgefokt... waarschijnlijk door de sterke koffie die ik de hele dag had gedronken, in een poging wakker te blijven. Ik had een paar klanten die me eenmalige bezoekers leken, geen mensen met wie ik een blijvende relatie zou opbouwen. Zoals een tengere vrouw met donkergrijs haar tot aan haar middel, die ik zodra ze bij me op de stoel zat bij mezelf Morticia noemde. Tijdens ons overleg vertelde ze me dat ze in geen drie weken haar haar had gewassen. En ik had nog wel gedacht dat mijn dag niet slechter kon worden. Ik liet mijn assistente Morticia's haar drie keer wassen voordat ik het zelfs maar kon verdragen het aan te raken.

'Zit er een soort... filosofie achter? Achter het niet wassen van je haar?' vroeg ik haar ten slotte, in een poging tactisch te klinken. Wat ik eigenlijk wilde doen was haar de salon uit gooien. Ik wil maar zeggen, gétver. Wie weet wat er allemaal in rondkroop.

'Hmm... nou, de jongen die mijn haar knipt zegt dat het goed is voor de follikel... de olie van de huid...' Morticia zwaaide met haar hand door de lucht. Terwijl ik haar grijze haren onzichtbaar maakte, deed ik dat ook met mijn verbazing over dat er iemand was aan wie ze zowaar refereerde als *de jongen die mijn haar knipt*, gezien het feit dat, naar mijn inschatting, haar haren in geen, laten we zeggen tien jaar een schaar hadden gezien.

'En wie is dat?' vroeg ik.

Morticia noemde een naam... een naam die ik hier maar niet zal noemen. Het volstaat te zeggen dat het een van de beroemdste namen in de kapperswereld was, een Engelse stylist die diverse, zeer chique salons over de hele wereld heeft. Ik vroeg me af of Morticia me in de maling nam, maar ik liet het maar zo. Sommige dingen kun je nu eenmaal nooit zeker weten.

Tegen de tijd dat het eindelijk drie uur was, was ik helemaal vergeten dat ik had toegezegd een gaatje voor T. te vinden (nou ja, zo moeilijk was dat niet geweest). Nog voordat ik haar zag, voelde ik dat ze de salon binnenkwam. Ze was zo iemand die de moleculen in de lucht van plaats doet veranderen, die de hele sfeer in een vertrek anders maakt. En toen hoorde ik haar stem, boven het constante geraas van de haardrogers uit.

'Ik wéét dat ik niet in het afsprakenboek sta, schat,' zei ze, waarbij ze het woord 'schat' als klootzak liet klinken. Toen stond ze plotseling achter me, met twee dozijn prachtige, lichtgele rozen in haar armen.

Ze stak haar armen naar me uit.
'Voor jou.'
Ik was oprecht verbaasd, hoewel ik dat niet had moeten zijn. Er was een reden voor dat T. een van de meest succesvolle publicisten in de wereld van film en televisie was. En de muziekwereld. En de boekenwereld. Ze wist – altijd, zelfs als ze sliep – waar haar belangen lagen. En als ze wilde dat er een gaatje voor haar werd gezocht voor haar highlights, tja, dan moest ze wel veel indruk maken.
'Dank je.' Ik kuste haar op beide wangen. We kusten de klanten altijd op beide wangen. Dat was tenslotte de Franse gewoonte.
Toen boog ze zich nog dichter naar me toe, en even werd ik overweldigd door een zoete wolk van Fracas, een zware, maar tamelijk lekkere geur die veel klanten van een bepaalde leeftijd droegen.
'Gefeliciteerd,' fluisterde ze in mijn oor.
Ik keek haar wezenloos aan. Ze bevond zich zo dicht bij mijn gezicht dat ik kleine zwartblauwe littekentjes zag waar de rimpels tussen haar wenkbrauwen hadden moeten zitten. Ze moest net haar Botox-injecties hebben gehad.
'De nieuwe salon,' fluisterde ze.
Ik had het gevoel alsof de vloer onder mijn voeten instortte, een aardbeving. *Godallemachtig.* Hoe was T. daar in jezusnaam achter gekomen? Als T. het wist, dan zou het zo goed als zeker op de voorpagina van *The Post* staan.
'T. luister eens, dat is nog geheim en...'
'Maak je geen zorgen,' viel ze me in de rede. Ze maakte een gebaar alsof ze haar mond dicht ritste. 'Het zit in de kluis.'
'Hoe heb je...'
'Claudia G.,' zei ze.
'Wacht eens even. Hoe is Claudia...'
'Mevrouw K.,' zei T. Ze leek ervan te genieten. Natuurlijk genoot ze hiervan. Publicisten leven voor dit soort dingen... weten wat er gebeurt voordat de anderen het weten. Maar er was één ding dat ze blijkbaar niet wist. Op een of andere manier was het aan haar

roddelradar ontgaan dat Massimo en ik uit elkaar waren, en dat ik niet langer zou meedoen aan de nieuwe salon.
Ze ging op mijn stoel zitten terwijl ik mijn assistente de rozen in een vaas liet zetten. (We hadden in de personeelskamer een plank vol extra vazen voor de bloemen die de klanten voor ons meenamen.) Zou ik het haar vertellen? Ik wist niet wat ik moest doen. Doreen had me, jaren geleden, geleerd dat wanneer je niet wist wat je moest zeggen, je beter helemaal niets kon zeggen. Dus ik begon T.'s haar te doen dat, eerlijk gezegd, te lijden had van een mensenleven van te veel kleurbehandelingen. Alleen met behulp van stylingproducten en vakkundig föhnwerk zag het er sluik en gezond uit. In feite was het een bos stro.
'Is alles goed met je, schat?' vroeg T. Ze klonk een tikkeltje geërgerd. Ik was stiller dan gewoonlijk, niet vol van de roddel van de dag.
'Natuurlijk. Hoe bedoel je?'
'Je handen, schat. Ze trillen.'
Ik keek naar mijn handen, die inderdaad een beetje trilden.
'Ik heb een beetje last van een kater,' loog ik. 'Te veel champagne gisteravond.'
'Ik heb precies wat je nodig hebt,' zei T. Ze bukte zich en trok haar tas – struisvogelleer van Hermès, gehuld in Jean-Luc's typerende plastic hoes (die sinds onze verhuizing naar WXYZ was versierd met kleine JL's, net zoals alle andere dingen in de salon die niet zaten vastgespijkerd) – en haalde een zilveren pillendoosje uit een binnenvakje.
'Probeer dit eens.' Ze gaf me een piepklein, zeewierkleurig pilletje.
'Wat is het?' vroeg ik, terwijl ik het in mijn handpalm bestudeerde. Geen haar op mijn hoofd dat ik dat ding zou innemen. Ik probeerde een manier te bedenken om te doen alsof.
'Een kruidengeneesmiddel,' zei T. op dat samenzweerderige fluistertoontje van haar. Als een gefluister overal in een vertrek te horen was, dan was het T. 'Ik krijg het van dokter Zee.'
Ik legde het pilletje onder mijn tong. Dokter Zee was een Chi-

nese voedingsdeskundige/kruidendokter/acupuncturist die zo beroemd was bij de kliek van de Upper East Side dat ze zelfs met hun auto met chauffeur naar Queens reden, een wijk waarin geen van hen ooit een voet zette, behalve om met een vliegtuig van JFK of LaGuardia te vertrekken. Dokter Zee, wiens injecties, drankjes en pilletjes legendarisch waren.

Ik spuugde het pilletje stiekem in een tissue toen T. zich bukte om haar tas weer op de onderste plank te zetten. Noem me maar paranoïde, maar ik hou er niet van pilletjes van een vreemde, onbekende dokter te slikken.

En al die tijd dacht ik *wat moet ik in godsnaam doen?* Ik moest Patrick en Massimo waarschuwen, snel. Ik wist niet precies wat er zou gebeuren als Jean-Luc lucht kreeg van hun nieuwe salon voordat ze zover waren... maar ik wist wel dat het rampzalig zou zijn.

Ik ging zo snel ik kon met T.'s baliage aan de gang. Ik had nog een paar klanten na haar, maar bedacht dat ik waarschijnlijk wel een paar gunsten kon vragen aan een van de andere kleurspecialisten. Ik viel voortdurend in voor deze en gene. Ik moest weg... naar het centrum. Het was het minste wat ik kon doen.

Ik was klaar met T.'s baliage en bracht haar naar de warmtelampen. Ik had dit nooit eerder gedaan, en ik zou het ook nooit meer doen, maar ik moest weg terwijl haar kleur nog aan het inwerken was.

'Twintig minuten,' zei ik tegen mijn assistente. Ik keek om me heen wie er het minst gestrest uitzag. Wie was die middag de kalmste, meest geconcentreerde, waarschijnlijk behulpzaamste kleurspecialiste bij Jean-Luc Salon? Natuurlijk. Faith Honeycomb.

Ze stond bij het raam, uitkijkend over de stad. Haar sneeuwwitte haar was aan de achterkant zo kaarsrecht geknipt dat het leek alsof je er iets mee zou kunnen snijden. Vanwaar ik stond kon ik de hoek van haar kaak en jukbeen zien. Faith was nog nooit bij een plastische chirurg, dermatoloog of zelfs maar een kleurspecialist geweest. Ze was zuiver wie ze was.

Ik liep naar het raam en ging naast haar staan, naar het uitzicht kijken. Het winkelende publiek die middag op Fifth Avenue leek zo klein als mieren vanaf onze uitkijkpost hoog in de lucht.

'Neem me niet kwalijk, Faith?'

Ze keek me aan, haar ogen helder en blauw, stralend door haar eigen, innerlijke licht.

'Ja, lieverd?' Haar stem klonk vriendelijk.

'Ik heb een noodgeval,' zei ik. 'Zou jij misschien...'

'Geen probleem.' Ze liet me niet eens mijn zin afmaken. Ze legde een koele hand op mijn blote onderarm en liet hem daar even liggen. Ik voelde me onverklaarbaar kalmer worden. 'Ik hoop dat alles in orde komt.'

Impulsief kuste ik haar op haar wang.

'Dank je, dank je.'

En dus liet ik T. onder de warmtelampen zitten en zat er minstens één klant op het muurbankje op me te wachten, toen ik met de lift naar beneden ging naar de enorme lobby van het WXYZ-gebouw. Halverwege de middag op een zomerse maandag was het een eitje een taxi aan te houden. Het verkeer was echter een ander verhaal. Er was een enorme verkeersopstopping op Park Avenue, en Lexington was nog erger.

'Wat is er aan de hand?' vroeg ik de chauffeur.

Hij schudde zijn hoofd met de tulband erom.

'De president is in het Waldorf Hotel,' zei hij met een zangerig accent. 'Het verkeer is een ramp.'

Chaos en herrie. Claxons loeiden. Chauffeurs zetten hun airco uit en draaiden hun raampjes naar beneden om te voorkomen dat hun motor oververhit zou raken. Op de benauwde achterbank van de taxi, gescheiden van de chauffeur door een plastic raam vol krassen, transpireerde ik alsof ik net acht kilometer had hardgelopen. Ik stak mijn haar op met een speld om het in elk geval uit mijn nek te hebben. Geweldig. Ik zou Massimo zien en er als een grote slons uitzien.

Maar natuurlijk was dat niet belangrijk. Het was belangrijk om

Massimo en Patrick te laten weten dat er een lek was geweest. Het nieuws was uitgelekt. Ik vertrouwde T. voor geen cent. Ik wist gewoon dat ze ergens een berichtje in zou zetten. *Page Six*? *Women's Wear Daily*? Het deed er niet toe. Jean-Luc had een knipseldienst die alles wat over de salon in de pers stond opspoorde. Al stond het verdomme in de een of andere onbeduidende krant dan zou Jean-Luc het nog onder ogen krijgen.
Tja, je zou kunnen vragen waarom ik, als tijd belangrijk was, niet gewoon de telefoon pakte en Massimo in de nieuwe salon belde? Een goede vraag. En er zijn twee verschillende antwoorden. Een: de telefoon was, voorzover ik wist, nog niet aangesloten. En twee: zelfs al zou dat wel het geval zijn geweest, ik denk dat ik, als ik eerlijk ben, Massimo wilde zien. Misschien viel er, als ik hem kon laten zien dat het me iets kon schelen... nog iets te redden... misschien... iets. Misschien zou hij niet zo'n hekel meer aan me hebben? Zou hij zich weer voor me openstellen? Nou ja, het was het proberen waard.
Tegen de tijd dat de taxi me voor het gebouw in Mott Street afzette, was ik degene die eruitzag alsof ze gered moest worden. Zonder zelfs maar in de spiegel te kijken wist ik dat mijn wangen rood en vlekkerig waren, mijn haar vochtig en slap, en wat ik aan make-up had gebruikt die dag was onder mijn ogen uitgelopen. Ik zag eruit als een zweterig roze wasbeertje.
De voordeur van de salon zat op slot en toen ik door het raam tuurde zag ik de benen van een man op een ladder staan. Ik klopte aan, zag toen hoe de man langzaam naar beneden kwam en naar de deur liep om open te doen. Hij droeg een werkbroek, een T-shirt en had een riem om waar gereedschap aan hing. Een vlaag koude lucht kwam me tegemoet. Godzijdank hadden ze de airconditioning aan de praat gekregen.
'Zijn Massimo en Patrick er?' vroeg ik.
'Boven, in het kantoor,' zei de man.
Ik liep naar de trap.
'Wacht eens even... verwachten ze je?' vroeg hij.
'Het is in orde, ik ben...' ik bleef even steken. Wat ben ik? Massi-

mo's ex-vriendinnetje? Patricks ex-beste vriendin? Hun ex-partner? 'Het is in orde,' zei ik met iets meer vastberadenheid. De man stapte opzij toen hij de blik in mijn ogen zag.

Hoewel ik haastig de trap opliep zag ik dat de salon er ongelooflijk mooi uitzag. Om eerlijk te zijn een beetje al te mooi. Alsof het geld Patrick en Massimo op de rug groeide. De salon werd overspoeld door daglicht en elk detail zag er volmaakt chic uit, van de chique witte vazen op elke werkplek tot de oude foto's van het centrum van New York in hun verweerde houten lijst. Massimo's donkere hoofd stak om de hoek van een deur boven aan de trap. Zijn recente onverschilligheid ten opzichte van mij werd, op dat moment, vervangen door een combinatie van oprechte verbazing en ergernis. Hij was niet op zijn hoede geweest. Maar wacht eens – dacht ik hoopvol – was hij misschien niet een heel klein beetje blij me te zien?
'Georgia!' riep hij uit.
Ik hoorde Patrick op de achtergrond roepen: 'Wát?'
'Wat doe je?' vroeg Massimo. 'Ik bedoel, hier? Wat doe je hier?'
'Ze weten het,' zei ik ademloos.
'Wie weten het? Wat weten ze?' Patrick stond nu naast Massimo boven aan de trap.
'Ze... mag ik binnenkomen?'
Ze gingen opzij en ik liep hun kantoor binnen. Het was precies zoals ik me had voorgesteld tijdens al die avonden dat we over onze bouwkundige plannen gebogen hadden gezeten: een lichte, hoge, knusse ruimte. Een heiligdom. Op het prikbord boven het enige bureau dat er stond hingen ansichtkaarten, knipsels uit tijdschriften: afbeeldingen van kunstwerken, natuur en mooie vrouwen die inspirerend waren, van Isabella Rossellini tot Louise Nevelson. Een splinternieuwe cappuccinomachine stond te glimmen op een tafeltje in de hoek. Ik herkende de porseleinen kopjes die ernaast stonden uit het appartement van Massimo en even voelde ik een pijnlijke steek. Elke ochtend dronk ik mijn kopje koffie uit die kopjes en ik was zo gelukkig geweest. Zo vol-

slagen gelukkig, zonder dat ik me bewust was dat mijn geluk beperkt was... een doodlopende weg op mijn levenspad.
'Wat is er aan de hand?' vroeg Patrick. Hij ging schrijlings op een draaistoel zitten en wachtte op mijn antwoord. Massimo stond bij de deur, klaar om te vluchten.
'Ze... eh... T. was...' stotterde ik. Waarom was dit zo moeilijk? 'T. had een afspraak vandaag, en ze... ze feliciteerde me met de nieuwe salon.'
Ze keken me wezenloos aan.
'Wat betekent... dat ze op de hoogte is,' zei ik, mijn kracht terugvindend. 'Ze hoorde het van Claudia G., en die hoorde het van...'
'Mevrouw K.,' maakte Massimo mijn zin af.
Ik was verbijsterd.
'Hoe wist je dat?' vroeg ik aan Massimo.
Hij leunde tegen de deurpost. Zijn lichamelijke aanwezigheid, zo dicht bij hem te zijn, was bijna meer dan ik kon verdragen.
'Omdat ik aan mevrouw K. heb gevraagd het aan Claudia G. te vertellen,' zei hij nonchalant. 'En ik wist dat Claudia G. het natuurlijk aan T. zou vertellen.'
Ik keek van Massimo naar Patrick, toen weer naar Massimo. Patrick knipperde niet eens met zijn ogen. Blijkbaar was dit het plan geweest.
'Dus jullie wisten...'
'We gaan later deze week open,' zei Massimo. 'We zijn klaar.'
'Dus laat de geruchten maar op gang komen!' lachte Patrick.
Ik barstte in tranen uit. Werkelijk, barstte, zoals in exploderen. Ze stonden met zijn tweeën naar me te kijken, een beetje verbaasd, daar ben ik van overtuigd. Ik denk dat ze me geen van beiden ooit in zo'n toestand hadden gezien.
'Ik dacht... maar ik dacht...' slaagde ik erin uit te brengen.
Ze bleven gewoon naar me staan kijken. Ze zouden me hier niet bij helpen.
'We vertellen het Jean-Luc morgen,' zei Massimo uiteindelijk. 'Dus het is tijd voor wat gratis publiciteit. Het is duidelijk dat we het niet direct aan T. konden vertellen... het is veel beter als ze het

als een roddel hoort. Woensdag zal er een berichtje in *Page Six* staan. En volgende week maandag staat er iets over in de column met nieuwtjes van *New York*.'
Zoals gewoonlijk had Massimo overal over nagedacht. Plotseling werd alles zo echt. Niet dat het eerder niet echt was geweest, maar dit was anders. Dit was nú. Het idee dat ze weg zouden zijn, dat ik ze niet elke dag zou zien zoals ik jarenlang had gedaan, was iets wat ik natuurlijk had geweten. Maar weten dat iets een keer gaat gebeuren is iets anders dan wanneer het echt gebeurt, pijnlijk langzaam.
'Het spijt me,' snikte ik. Ik kon me niet beheersen. Ik stond tranen met tuiten te huilen. 'Ik ga maar weer.'
Mijn ogen kruisten die van Massimo toen ik langs hem glipte en naar de trap liep. Er was zo veel woede en teleurstelling tussen ons, het leek onmogelijk. We hielden van elkaar. Dat was voor mij niet veranderd, en ik moest wel geloven dat het voor hem ook niet was veranderd. Waarom konden we niet samen zijn? Deze gedachte veroorzaakte weer een nieuwe stortvloed van tranen. Ik rende de trap af, langs de man die het plafond schilderde, de deur uit, de snikhete Mott Street op.

Het laatste wat ik de volgende morgen wilde was naar mijn werk gaan. Ik liep de hele weg van mijn appartement naar de salon, langzaam door de drukke spitsuurmenigte. Zoals altijd bleef ik op de hoek van Fifty-Ninth en Lexington stilstaan en bekeek de voorpagina's van de kranten. Ik verwachtte min of meer een enorme kop in *The Post* te zien staan: *Verraad in Jean-Luc Salon! Sterstylisten van de Upper East Side trekken naar het centrum!* Ik ging een broodjeszaak binnen en kocht een ijskoffie, die ik onder het lopen opdronk. Uiteindelijk kon ik niet langer blijven treuzelen. Mijn eerste klant kwam om tien uur.
Ik kon me niet voorstellen wat die dag zou brengen. De woede van Jean-Luc had me al meerdere malen de stuipen op het lijf gejaagd. En ik had het gevoel dat ik nog niet eens het topje van die ijsberg had gezien. Waarom was ik zo zenuwachtig? Ik zou het niet

zijn die daar naar binnen ging om snel en efficiënt mijn vertrek aan te kondigen. Ik zou het niet zijn die zou moeten duiken als Jean-Luc een stoel naar mijn hoofd gooide. Ik kon me niet voorstellen hoe ik me zou voelen als ik werkelijk van plan was geweest samen met Massimo en Patrick naar binnen te gaan. Had ik maar gevraagd hoe laat ze van plan waren de gemene streek uit te halen. Alles wat ik deed voelde als het laatste wat ik samen met Massimo en Patrick zou doen. De lift ging naar de bovenste verdieping, de etages zoefden voorbij. De deuren gleden open en de koele, geparfumeerde lucht van de salon overspoelde me onmiddellijk, zoals altijd. Maar het voelde allemaal anders. En niet in positieve zin. Ik voelde me bedroefd, beroofd. Een hoofdstuk in mijn leven werd afgesloten, en ik vond het nieuwe hoofdstuk nu al eenzaam en angstaanjagend. Ik liet mijn blikken door de salon glijden en zag Massimo en Patrick, beiden op hun gebruikelijke werkplek. Het was al heel druk in de salon, zelfs zo vroeg op de dag.
Mijn eerste klant was de echtgenote van de hoofdredacteur van een van de succesvolle vrouwenbladen, die vroeger zelf model was geweest. Ik bracht in haar krullende haren twee verschillende kleuren blond aan: helblond en een koperblonde tint.
'Ga je dit weekend nog naar het oosten?' vroeg ze. *Naar het oosten.* Ik wist dat haar huis – een van die grillige, met dakspanen bedekte cottages – prachtig was gelegen aan Georgica Pond in East Hampton.
'Ik kon dit jaar geen plek vinden,' zei ik. Zelfs als Massimo en ik nog samen waren geweest, wilden we de hele zomer, en onze laatste cent, aan de nieuwe salon besteden.
Ik keek naar Massimo's werkplek. Hij knipte de pony van de society-echtgenote van een plastische chirurg. Hij leek volkomen op haar geconcentreerd te zijn, helemaal niet zenuwachtig. Alsof dit een dag was als alle andere. Een en al zorgeloosheid, die Massimo.
Faith Honeycomb bevond zich op haar werkplek bij het raam, ze was bezig met een enkele kleurbehandeling. Toen ze klaar was en even een moment vrij had, kwam ze naar me toe.

'Is alles goed gegaan, gisteren?' vroeg ze.
'Ja... dank je,' zei ik. Ze was zo aardig tegen me. 'Ging alles goed hier?' vroeg ik Faith. 'Met de klanten?'
'Alles stond duidelijk op hun kaarten,' zei Faith. 'Maar wat belangrijker is, ik ben blij dat alles goed met je is. Je kunt me altijd iets vragen.'
Faith liep terug naar haar werkplek en begon aan een actrice die er bekend uitzag, maar die ik niet helemaal kon plaatsen. En ik ging terug naar de rij klanten die zich al op het muurbankje begon te vormen. Ik durfde niet eens naar mijn lijst te kijken, het was zo'n idiote dag. Wat, denk ik, een godsgeschenk was. Zo kon ik me in elk geval niet te veel met Massimo en Patrick bezighouden. Ik had van Patrick slechts een glimp opgevangen bij binnenkomst. Hij was bezig met een ingewikkeld, opgestoken kapsel bij de gastvrouw van een talkshow.
De volgende klant was mevrouw H. Haar verfmengsel stond al op me te wachten, klaar voor gebruik. Kastanje en goudbruin. Een elegante combinatie, dat moet ik zeggen, die haar gezicht jonger maakte dan cosmetische chirurgie kon doen. Ik vlocht de kleuren door haar haren en probeerde geconcentreerd te blijven. Dat kostte me moeite... niet wat mijn werk betreft, maar wat betreft de gebruikelijke roddelpraatjes. De klanten verwachtten dit van me. Ze verwachtten dat je op de hoogte was van alle laatste gebeurtenissen, films, restaurants, mode en, vooral, schandalen. Ze leken te weten wie er kortgeleden in mijn stoel gezeten had. Als ik highlights maakte bij de echtgenote van de belangrijkste kandidaat voor de democraten, dan wisten ze dat... en vroegen ze me wat ik dacht dat zijn kansen waren. Alsof ik dat kon weten. En als ik de nieuwe kok van een trendy restaurant dat in een herenhuis in de West Village zat een kleurbehandeling gaf, dachten ze dat het betekende dat ik daar een tafeltje voor hen kon regelen. Maar vandaag lukte het me gewoon niet.
'Heb je het gehoord van Mitzi P.?' vroeg mevrouw H., één wenkbrauw ironisch opgetrokken, alsof ze duidelijk wilde maken dat de sociale tragedie van die week haar eigenlijk niets kon sche-

len: een erfgename van middelbare leeftijd wier echtgenoot er vandoor was gegaan met... de au-pair? Een stewardess? Zijn secretaresse? Ik kon het me niet meer herinneren. Het kon me niets schelen. Ik maakte wat geluidjes, maar het gesprek stokte zo'n beetje. Ik zag dat mevrouw H. teleurgesteld was.
'Vijftien minuten onder de lampen,' zei ik, toen ik in recordtijd klaar met haar was. Ik zorgde ervoor dat ze het naar haar zin had; met een *British Vogue* en een café au lait gevaarlijk op haar schoot balancerend.

Op dat moment hoorde ik een klap en een misselijkmakende bons achter me. Het geluid van iemand die op de grond stort is afschuwelijk, het gaat door merg en been. Het is tegelijkertijd gedempt en luid. Het overstemt alle andere geluiden.
Heel even was het doodstil in de salon. Föhns werden uitgezet. Gesprekken vielen stil. Iemand gilde. Ik draaide me met een ruk om en daar lag Faith, ineengezakt op de stenen vloer, haar haren als een stralenkrans om haar hoofd uitwaaierend. Haar ogen waren gesloten en haar mondhoeken opgetrokken, alsof ze net voordat ze viel iets leuks had gedacht.
'Doe iets!' hoorde ik schreeuwen en ik realiseerde me dat het mijn eigen stem was. 'Bel 911!' Ik keek wild om me heen. Iedereen bewoog te langzaam. Nee. Daar was Massimo, een telefoon tegen zijn oor gedrukt. Hij sprak heftig, dringend door de telefoon, alle belangrijke informatie doorgevend. Natuurlijk was het Massimo. Wie anders dan Massimo?
Een paar assistenten en één klant bogen zich over Faith heen.
'Geef haar lucht.' Patrick liep naar het groepje toe. 'Ze heeft frisse lucht nodig.'
Sweetie jammerde op de achtergrond, wat niet veel hielp. Zijn stem was zo schel dat hij de sirene van een ambulance leek.
'Kan iemand hartmassage geven?' vroeg Patrick. 'Is er een dokter aanwezig? Of een verpleegster?' De klanten, stylisten en assistenten stonden allemaal als aan de grond genageld. Dit hoorde niet te gebeuren in een schoonheidssalon op een prachtige zomerse

dinsdag. En dit hoorde Faith Honeycomb niet te overkomen.
'Faith!' jammerde Sweetie. 'Wakker worden!'
'De ambulance is onderweg,' zei Massimo. Hij boog zich over Faith heen, tilde voorzichtig haar hoofd op en schoof er een kussentje onder. Patrick en Massimo probeerden elk haar hartslag te vinden.
'Weet je, dit overkwam mijn schoondochter ook eens,' zei een van de klanten, die aan de zijkant stond, met haar blote armen over haar wijnrode gewaad heen over elkaar geslagen. 'Op een dag viel ze gewoon flauw... het bleek een anafylactische reactie te zijn op een parfum dat ze net bij de toonbank bij Barney's had geprobeerd.'
'Ik voel haar hartslag,' zei Massimo. Ik moet zeggen dat hij geweldig was.
'Godzijdank,' fluisterde iemand.
Opschudding bij de deur, het geluid van rammelend metaal, piepende banden over de oneffen stenen, langs de fontein rijdend. Het ambulancepersoneel was gearriveerd – grote mannen in uniformen die er volkomen misplaatst uitzagen tussen de schoonheidsmiddelen, spiegels en vazen met bloemen.
'Aan de kant!' schreeuwde een van hen. 'We komen eraan!' Ze maakten de bovenkant van Faiths schort los en bevestigden kleverige hartreceptoren op de sneeuwwitte huid van haar borst.
'Wat is er gebeurd? Is ze gevallen?' vroeg een van hen aan ons.
'Het lijkt of ze gewoon is flauwgevallen,' zei ik.
Een zuurstofmasker werd bijna onmiddellijk over de neus en mond van Faith gedrukt. Ze hesen haar op een brancard en controleerden tegelijkertijd haar reflexen, toen droegen ze haar op de brancard naar buiten.
'Waar brengen jullie haar naartoe?' riep Massimo hun na.
'Lenox Hill,' zei een van de verplegers.
Patrick was naast me komen staan zonder dat ik het had gemerkt.
'Lijkt me een hartaanval,' zei hij.
Tranen sprongen in mijn ogen. 'Zeg dat nou niet!' riep ik.
Patrick greep mijn hand en hield hem stevig vast. 'Lieverd, dat maakt het nog niet minder waar.'

Terwijl Faiths brancard in de lift verdween, leek iedereen nog steeds als aan de grond genageld te staan. Massimo stond naast de deur, met gebogen hoofd. Ik zag zijn lippen bewegen en realiseerde me met een schok dat hij aan het bidden was. Toen hij klaar was, deed hij zijn ogen open en keek naar me. We stonden daar alleen maar, Massimo en ik, naar elkaar te kijken terwijl de salon om ons heen weer langzaam tot leven kwam. Ik wilde mijn blik niet afwenden. Ik zal je zeggen, het enige wat ik wilde was met die man samen zijn – hem zien en door hem gezien worden, van hem houden en hij van mij – voor de rest van mijn leven.

'Ik ga naar het ziekenhuis,' zei Massimo.

Ik knikte. Natuurlijk deed hij dat. Iemand moest daar zijn voor Faith.

Hij keek naar zijn wachtende klanten op het muurbankje.

'Het spijt me,' zei hij. 'Ze heeft niemand.' Zijn stem stokte, maar toen vermande hij zich. 'Wij... wij zijn haar familie.'

Wat kan ik zeggen over de uren daarna? Een dag komt niet meer goed na gebeurtenissen zoals deze. Klanten kwamen, klanten gingen. Jean-Luc vroeg me Faiths wachtende klanten bij die van mezelf te voegen. Op de een of andere manier ging de tijd maar langzaam voorbij. Mijn vingers deden pijn en ik had een bonzende pijn in mijn hoofd. Voor enkelen van ons was de toestand van Faith het enige waar we aan dachten. Maar voor de meeste anderen had het net zo goed iets kunnen zijn wat op tv was gebeurd.

Uiteindelijk kreeg het me te pakken. Wat kan ik zeggen? Ik had een sigaret nodig, ik snakte ernaar, kon niet leven zonder. Ik rookte misschien vijf sigaretten per jaar, en dit was een van die momenten. Massimo was nog steeds niet terug uit het ziekenhuis. Er was niets bekend over Faiths toestand. Patrick en ik bleven elkaar over de hoofden van onze klanten heen aankijken, probeerden ons verbonden te voelen, te kalmeren. In elk geval hadden de gebeurtenissen van die dag een heleboel onzin opzijgeschoven.

Ik liep naar het trappenhuis – absoluut verboden, maar wat moest ik? – met een sigaret die ik had gebietst bij een van de assistenten, en stak hem op. Ik probeerde langzamer te ademen, me te beheersen. Ik liet een smal rookwolkje door mijn neusgaten ontsnappen. Toen, terwijl ik rustiger werd, kwam het plotseling bij me op: het was een poos geleden dat ik Jean-Luc had gezien. Waar was hij in hemelsnaam naartoe gegaan te midden van deze crisis? Ik zag dat de deur boven aan de personeelstrap openstond. Deze deuren hoorden nooit open te staan, en ze mochten alleen bij brand door personeel worden gebruikt – dus ik liep snel, zachtjes, zuiver een ingeving volgend, naar boven. De deur naar de vergaderkamer van Jean-Luc boven aan de trap stond ook open.

'Dus we zitten helemaal goed wat betreft de dekking?' hoorde ik Jean-Luc zeggen.

'Natuurlijk... we zijn gedekt. Absoluut. Om je gerust te stellen zal ik je de papieren van de administratie laten brengen, maar geloof me maar, wat betreft aansprakelijkheid kan ons niets gebeuren...'

Ik was er behoorlijk zeker van dat ik de stem van juffrouw WXYZ herkende.

'Dat stomme mens.' Jean-Luc verhief zijn stem. 'En als ze zegt dat ze is uitgegleden op de stenen? Of plotseling vergiftigingsverschijnselen kreeg?'

Ik deed langzaam een stapje achteruit, zoals je terugdeinst van een gevaarlijk dier dat zou kunnen aanvallen. Ik voelde me misselijk worden. Ik weet dat men dat wel eens zegt, maar ik dacht echt dat ik zou gaan braken. Hoeveel jaar had Faith voor Jean-Luc gewerkt? En voor die tijd, hoeveel jaar kenden ze elkaar al?

Ik drukte mijn sigaret uit tegen de muur van het trappenhuis. Doreen had me veel dingen geleerd in het leven, en een daarvan kwam brullend naar boven: *God praat voortdurend tegen je*, zei ze altijd. *Je hoeft alleen maar te luisteren.* En daarmee bedoelde ze niet God, de alwetende man in de hemel. Daarvoor was ze iets te cynisch en had ze te veel meegemaakt in haar leven. Nee, ze bedoelde dat alleen een dwaas het uithangbord zag hangen zonder te lezen wat erop stond.

Om zes uur die avond kwam Massimo de Jean-Luc Salon binnenlopen. Hij zag er vermoeid en heel erg verdrietig uit. Ik wist hoeveel bewondering hij voor Faith had. We vonden haar allemaal de allerbeste. Ze was zo'n idool dat het onmogelijk leek dat ze ziek kon zijn. Of erger.
'We weten het nog niet,' zei hij alleen maar. 'Ze ligt op intensive care. Ze denken... misschien een beroerte. Maar ze wachten nog op de testuitslagen.'
We stonden dicht bijeen, Patrick, Massimo en ik. En hoewel ik me vreselijk zorgen maakte om Faith, dacht ik op dat moment alleen maar: *we zijn samen*. Ik zou ze nooit laten gaan. Voor geen goud ter wereld, inclusief mijn eigen stomme bangheid.
'Nou, mijn vriend...' Massimo wendde zich met een diepe zucht tot Patrick, 'de timing is niet zo goed, maar we hebben geen keus. Morgen zal het in de krant staan. Zullen we naar Jean-Luc gaan?'
Patrick knikte. Een berustend knikje. Het zou niet zo moeten zijn. Dit was hun glorieuze moment. Ze liepen met zijn tweeën naar de lift, waarmee ze één verdieping omhoog naar Jean-Lucs kantoor zouden gaan. Ze waren al bij de deur van de salon toen het woord dat ergens diep vanbinnen in me vastzat eindelijk ontsnapte.
'Wacht!' schreeuwde ik.
Ze draaiden zich naar me om, mijn twee mannen.
'Ik wil met jullie mee,' zei ik.
Massimo keek me aan.
'Mag ik met jullie mee?' herhaalde ik. 'Alsjeblieft?'
Ze stonden beiden bij de deur. Mijn god. Stel dat ze me niet meer wilden? Stel dat het te laat was?
Maar toen stak Massimo een hand uit.
'Kom mee, partner,' zei hij.

Oorlogskleuren

Doreen's Salon in Mott Street in de toen nog vrij onbekende New Yorkse wijk Nolita opende zijn deuren op een prachtige, warme zomerochtend. Onze eerste afspraken stonden geboekt voor tien uur. De avond ervoor hadden we alle klanten gebeld die een afspraak met een van ons drieën hadden bij Jean-Luc. Eigenlijk hadden we al onze klanten gebeld, punt. Iedereen die ooit bij ons was geweest bij Jean-Luc zou nu naar Doreen's komen.
'Hallo, mevrouw L.? U spreekt met Massimo van Jean-Luc. Nou ja, eigenlijk werk ik niet langer bij Jean-Luc. Wacht even... maakt u zich geen zorgen. Ik bel u om u te vertellen dat we een splinternieuwe salon hebben geopend in Mott Street... nee, ik zal het voor u spellen... M-O-T-T... inderdaad. In Nolita. Dat is in het centrum. Ja, in Manhattan. U zult het morgen in de krant zien staan. Ik wil u even zeggen dat uw afspraak van halftwaalf nog mogelijk is. O, heel goed. Dan zien we u morgen. Ciao!'
We belden de een na de ander van de lijstjes die Patrick en Massimo tijdens de afgelopen maanden zorgvuldig hadden samengesteld. Iedereen zei te zullen komen. Iedereen! We zaten propvol cafeïne van onze kopjes cappuccino en hadden zo veel energie dat we rond het eiland Manhattan hadden kunnen rennen.
Bovendien hadden we, al vroeg die morgen, telefoontjes gekregen van assistenten die bij Jean-Luc Salon werkten.
'Doreen's Salon, wat kan ik voor u doen?' nam ik de telefoon die eerste morgen aan. Hij rinkelde al toen we de voordeur open-

maakten. *Doreen's, wat kan ik voor u doen?* Het was een zin die me net zo vertrouwd was als mijn gezicht in de spiegel... een zin waarvan ik niet had gedacht dat ik hem ooit in mijn leven nog eens zou uitspreken.
'Georgia?'
'Ja?'
'Met Tiffany.'
Mijn hart sloeg over. Ik was bang dat het allemaal zou beginnen: de woede, het verraad, de verwijten.
'Wat is er aan de hand, Tiff?' vroeg ik, terwijl ik probeerde nonchalant te klinken.
'Ik heb het vanmorgen in *The Post* gelezen,' zei ze. 'Daarom bel ik.'
'Hoor eens,' zei ik. 'Het spijt me, ik...'
'Kan ik voor jullie komen werken?' flapte ze eruit.
Ik voelde het warme, veilige gevoel dat ik had gehad vanaf het moment dat ik had besloten met Patrick en Massimo mee te gaan groeien.
'Natuurlijk,' zei ik. Mijn keel voelde wat dik.
'Emilio en Sue willen ook komen,' ging ze verder. 'Hebben jullie al assistenten aangenomen?'
Dat hadden we niet. Massimo had geweten dat dit zou gebeuren, realiseerde ik me plotseling.
En hij had natuurlijk niemand van het personeel bij Jean-Luc kunnen vragen met ons mee te gaan. Maar, zo bleek, dat was ook niet nodig geweest.
'Zeg maar dat ze kunnen komen,' zei ik.
Ik legde de telefoon neer en draaide me vrolijk om naar Massimo, die een enorm boeket orchideeën en fresia's in een strakke, rechthoekige vaas stond te schikken.
'Tiffany, Emilio en Sue,' zei ik.
'En Lori en Geoffrey ook,' zei hij.
'Mijn god, Jean-Luc zal helemaal door het lint gaan,' kreunde ik.
'Zál gaan?'
Ik dacht terug aan de vorige avond. Jean-Luc was kalm geweest –

griezelig kalm – toen we zijn kantoor binnenkwamen en hem vertelden dat we weggingen. Het enige signaal dat er vanbinnen iets moest koken waren zijn wit weggetrokken lippen; ze waren onmiddellijk wit geworden, als rijp na een nacht vorst. Hij zat rustig achter zijn bureau te luisteren toen Massimo de woorden uitsprak, simpel, direct: *We gaan weg en openen onze eigen salon.* Toen stond Jean-Luc op, liep met grote stappen door zijn kantoor, en hield de deur voor ons open. Hij gebaarde met een armzwaai dat we moesten vertrekken. Toen ik langs hem liep voelde ik het krachtveld van zijn woede.

'Hij raakt zo'n beetje de helft van zijn assistenten kwijt,' zei ik tegen Massimo, die de bloemen zo prachtig had geschikt dat het leek alsof ze net door de bloemist bezorgd waren.

'We zullen nog van hem horen,' zei Massimo. 'Daar ben ik zeker van. Hij zal waarschijnlijk voodoopoppetjes van elk van ons maken en er spelden in steken.'

'Dat moet je niet zeggen!'

'Kom op, bella. Ik maak maar een grapje.'

Massimo klonk niet bezorgd. Totaal niet. En er was iets met me gebeurd – ik begreep het niet en zou het onmogelijk hebben kunnen verklaren – al mijn angst was verdwenen, en wat overbleef was het tegenstrijdige gevoel dat alles op de een of andere manier in orde zou komen.

'Kom hier, Georgia,' zei Massimo, met gespreide armen. Hij omhelsde me, hield me zo stevig vast dat ik naar adem snakte. We waren het moment dat we elkaar kwijt zouden raken gevaarlijk dicht genaderd, maar nu, nu hij me in zijn armen hield, leek het de normaalste zaak van de wereld dat we samen waren. 'Ik ben zo vreselijk blij dat je hier bent.'

'Ik ook,' zei ik zachtjes. 'Het spijt me zo erg dat ik...'

'Laten we het vergeten,' viel Massimo me in de rede, terwijl hij een vinger tegen mijn lippen drukte. 'Als iets goed is, is het alleen maar een kwestie van tijd, oké?'

Tien uur, de muziek klonk door de salon – Massimo's favoriete jazzklassiekers – en op elke werkplek stonden prachtige boeketten bloemen. De scharen en kammen lagen op nieuwe witte handdoeken uitgespreid, en mijn werkplek was klaar, met roltafeltjes, doosjes met folie, haarspelden, lange repen katoen. De eerste assistenten van Jean-Luc waren gearriveerd: degenen die ontslag hadden genomen zodra ze het nieuws hoorden.
De klok wees na tienen aan. De klanten waren laat. Toen werd het kwart over tien. Halfelf. Ik begon een misselijk gevoel in mijn maag te krijgen. We hadden nu al een stuk of zes klanten binnen moeten hebben, en er was niemand komen opdagen. Zouden ze *allemaal* te laat kunnen zijn? Misschien was het toeval.
'Misschien kost het hun moeite Mott Street te vinden,' zei Massimo. 'Veel van hen zijn nog nooit in deze wijk geweest.'
'Of misschien hebben ze het verkeerd begrepen,' zei Patrick. 'Misschien dachten ze dat we volgende week zouden openen, niet deze week.'
Ze leken zich aan strohalmpjes vast te klampen.
'Nou, laten we de tijd maar gebruiken, want ik ben ervan overtuigd dat het later vandaag druk zal worden,' zei ik. 'Er is hier nog van alles te doen.' En dat was waar. Er waren nog talloze probleempjes op te lossen. De verlichting op de verfplek was niet zo fel als nodig was, dus belden we de verlichtingsman. De voordeur maakte een piepend geluid als hij dichtging, dus Patrick rende naar de ijzerhandel om wat olie te kopen. De cd-speler bleef steken, maar Massimo slaagde erin hem weer aan de praat te krijgen. Het was twaalf uur 's middags. Toen twee uur. Toen halfvier. En geen van de klanten die hadden beloofd te komen kwam de openstaande deur van de salon binnen wandelen.
'Eh... Georgia?' Tiffany kwam naar me toe toen ik bij de achterdeuren stond die uitkwamen op de prachtige tuin met keitjes, waar we ons voorstelden dat de klanten in de zon zouden zitten terwijl hun kleur inwerkte.
'Ja, Tiff?'
'Je moet me niet verkeerd begrijpen, maar... komt dit wel goed?

Ik bedoel, ik dacht dat de klanten allemaal zouden komen.'
'Wij ook,' zei ik. 'Dat dachten wij ook.'
'Dus dit gaat moeilijker worden dan we hadden gedacht,' zei Patrick, achter ons. 'Dat moet ons eigenlijk niet verbazen. Ik bedoel, we vragen om hun hele manier van denken te veranderen. Naar een hele andere wijk te komen. De sfeer is hier totaal anders.'
'Ja, maar is het een sfeer die hun zal aanstaan?' vroeg Tiffany nerveus. Ik kon het haar niet kwalijk nemen dat ze nerveus was. Bij Jean-Luc had ze in elk geval zo'n beetje van haar fooien kunnen leven. Hier, als er geen klanten waren, zou ze niets hebben. Geen van ons zou iets hebben. Ik slikte moeizaam om mijn angst te verdringen. Ik zou niet toestaan dat ik weer bang werd.
'Inderdaad,' zei ik opgewekt. 'We zullen eraan moeten werken. Maar moet je deze salon eens zien!' Ik spreidde mijn armen. 'Is het niet de mooiste salon die je ooit hebt gezien?'
En hij was mooi. Hij was echt mooi.
Precies op dat moment kwam een meisje de voordeur binnen. We moesten ons inhouden niet op te springen. Ze liep naar de receptiebalie. Ik herkende haar niet als een van de klanten van Jean-Luc. Ze had knalrood haar, absoluut geen Upper East Side. Ze droeg een vale spijkerbroek en een oranje-groen T-shirt zonder mouwen. Een diamanten knopje glinsterde in haar neusvleugel.
'Wat kunnen we voor je doen?' vroeg Massimo, die het eerste bij haar was.
'Is dit een nieuwe salon?' vroeg ze, om zich heen kijkend.
'We zijn vandaag opengegaan,' zei Massimo.
Ze draaide helemaal in het rond, de salon in zich opnemend.
'Mooi,' zei ze.
'Dank je,' zei Massimo ietwat stijfjes. *Mooi.* Was dat alles? Het arme kind. Ze kreeg al onze teleurstelling over die hele dag over zich heen.
'Hoeveel kost knippen?' vroeg ze. Ze haalde een hand door haar knalrode bos haar.
'Negentig voor een tweede stylist, en honderdvijftig voor een eerste stylist,' zei Massimo.

Ze hield haar hoofd schuin. 'Honderdvijftig dollar?' vroeg ze. Ze plofte bijna van ongeloof.
'Ja,' zei Massimo. 'We hebben bij...'
Ze schudde haar hoofd, alsof het haar echt speet.
'Shit. Honderdvijftig dollar. Welke gek betaalt honderdvijftig dollar om zijn haar te laten knippen?'
Ze draaide zich om en liep de deur uit, heupwiegend in haar vale spijkerbroek. Ze giechelde op het moment dat de deur achter haar dichtging. *Honderdvijftig dollar om je haar te laten knippen*, hoorde ik haar lachen.

De dagen daarop werd het niet veel beter. O, er waren een paar dappere klanten die de weg naar Mott Street vonden. De tijdschriftuitgever kwam. En een bijzonder dappere klant uit Short Hills, die zei dat we eigenlijk dichterbij zaten, nu ze door de Holland Tunnel kon rijden. Sommige klanten lieten hun secretaresses bellen om hun afspraak af te zeggen, andere kwamen gewoon niet opdagen. In de tussentijd ontdekten we dat Jean-Luc een massale mailing had gedaan.
Beste trouwe Jean-Luc-klant, was de aanhef. *We willen u graag een gratis knipbeurt aanbieden bij een van onze eerste stylisten, samen met een gezichtverzorgende behandeling door Violet, onze nieuwste schoonheidsspecialiste. En terwijl u zich ontspant in de luxueuze omgeving van Jean-Luc Salon, is voor u de wereldberoemde plastische chirurg Dr. Derick Dermis aanwezig om klanten van Jean-Luc tijdens de zomermaanden een gratis Botox-behandeling te geven.*
Godallemachtig. Hoe moesten we daarmee concurreren? Jean-Luc deelde werkelijk voor honderden dollars aan gratis behandelingen uit.
'We moeten erover nadenken hoe lang we het op deze manier volhouden,' zei ik op de vierde middag tegen Massimo.
'Ik weet precies hoe lang we het kunnen volhouden,' zei Massimo. 'Drie maanden. We hebben dertigduizend dollar om de zaak draaiende te houden... tienduizend per maand. Als de zaken dan niet veranderd zijn...' Hij zweeg. Ik weet niet precies wat hij erger

vond: deze misrekening wat betreft de klanten die met ons mee zouden gaan, of het feit dat hij mij met zich mee had gesleurd. Ik deed wat ik kon om hem geen rotgevoel te geven, maar het was onmogelijk. We zaten met zijn allen op dit zinkende schip.

Het was een woensdagmiddag, aan het begin van de tweede week van de salon. Massimo en ik hadden de zaak om negen uur 's morgens geopend, veel te vroeg voor de slaperige, bohémien buurt, waar de mensen om een uur of tien, elf uit bed kwamen en de meeste winkels – met uitzondering van de 24 uur per dag geopende bodega – pas rond het middaguur opengingen. Maar wat moesten we in godsnaam anders? Thuis gedeprimeerd zitten zijn? Nee. In plaats daarvan zaten Massimo, Patrick en ik gedeprimeerd onze cappuccino's in de achtertuin te drinken.
'Wie is die knaap?' Massimo keek door de glazen deur naar binnen. Ik keek de salon in en zag een man bij de receptiebalie staan, zijn gewicht van de ene voet naar de andere verplaatsend. Hij zag er niet uit als een klant, en nog minder als een van de hippe jongelui uit het centrum die zo nu en dan binnenkwamen om ons te vertellen dat we veel te duur waren. Maar goed, deze knaap... hoe moet ik het zeggen zonder een afschuwelijke snob te lijken? Ach, wat kan het me ook schelen. Dat lukt waarschijnlijk niet, dus daar gaat-ie: hij droeg een bruin pak, en geen mooi bruin pak. Een goedkoop pak. En zijn schoenen waren zwart, dof versleten zwart, met rubber zolen. Ik nam dit allemaal in me op toen ik even bleef staan kijken. Hij leek de receptioniste iets te vragen. Ik zag haar even aarzelen, toen naar de tuin wijzen, naar ons.
Ik begon een beetje zorgelijk te worden, hoewel ik geen idee had waarom. Het zweet stond in mijn handen. Geen van ons bewoog zich. We zaten doodstil op de op bestelling gemaakte gietijzeren tuinstoelen die we voor de salon hadden laten ontwerpen door een kunstenaar in Tribeca.
'Georgia Watkins?'
Ik stond op, een beetje duizelig door het bloed dat plotseling naar mijn hoofd steeg.

'Ja?'
'Dames gaan voor,' zei hij, en hij overhandigde me een grote, officieel uitziende manilla envelop. En op dat moment realiseerde ik me waarom hij er bekend uitzag. Hij zag eruit als een detective in een tv-serie, of een agent in burger.
'Wat is dit?'
'Een dagvaarding,' zei hij, een glinstering van plezier in zijn ogen. Toen draaide hij zich om en gaf eenzelfde envelop aan Massimo. Toen aan Patrick.
'Zei je nou dagvaarding?' vroeg Patrick.
'Jean-Luc daagt ons voor het gerecht,' zei Massimo vlak.
Er was geen twijfel mogelijk.
'Maar dat kan hij niet doen!' Ik schudde mijn hoofd.
De man in het slechte pak had zich al omgedraaid en liep naar buiten. Ik ben ervan overtuigd dat hij nog iemands dag moest verpesten.
'Kom mee,' zei Massimo. We liepen achter elkaar aan naar boven. De assistenten in de salon keken ons aan, bezorgd, maar we probeerden hen deze keer niet gerust te stellen. Deze keer waren we doodsbenauwd.
Massimo draaide het nummer. Patrick pakte mijn hand en hield hem vast.
'Hallo, ik wil meneer K. spreken,' zei Massimo. 'Het kan me niet schelen of hij in een vergadering zit. Dit is een noodgeval.'

Het is een kwestie van succesvol partnerschap om moedig en met een helder hoofd een crisis te doorstaan. Wat betreft een helder hoofd: het was zeven uur 's avonds en we zaten op meneer K. te wachten in een van die trendy steakrestaurants iets buiten het centrum, waar de martini's in kolossale glazen worden geserveerd.
En die dronken we. Een dokter zou het ons hebben voorgeschreven, echt. We verkeerden een beetje in een shock. Zeg nou zelf, Jean-Luc had gedreigd Richard voor het gerecht te slepen toen die zijn eigen salon opende, maar hij had hem geen dagvaarding laten bezorgen.

'Hij is knettergek,' mopperde Patrick.
'Nou, dat wisten we al,' zei Massimo.
De papieren lagen voor ons op het tafeltje. Het leek erop – nee, niet leek, het was een feit – dat Jean-Luc van elk van ons, Massimo, Patrick en mij, een miljoen dollar eiste. Een miljoen dollar! De woorden en getallen draaiden voor mijn ogen; ik zag ze, vervolgens losten ze op en even later zag ik ze weer. Het was ongelooflijk. We hadden het beroepsgeheim geschonden. We vormden *oneerlijke concurrentie.* In de dagvaarding stond verder dat elke klant voordeel had van een *geheime formule.*
'Geheime formule!' barstte Patrick los. 'Kom daar maar mee aan bij Edna Bosco!'
'Wie is Edna Bosco?' vroeg Massimo.
'Onze lerares op de opleiding in Weekeepeemie,' antwoordde ik. Ik moest bijna lachen als ik aan mevrouw Bosco dacht. Bijna. Ze had me een van de beste lessen geleerd die je een kleurspecialist kunt geven: als je in nood zit, heb je altijd iets aan een pot blonderingscrème.
'Dit is krankzinnig,' zei Patrick terwijl hij de rest van zijn martini achteroversloeg. 'Ik bedoel, iedereen doet wat wij doen. Iedereen.'
'Wat bedoel je?' vroeg ik.
'Dit overkomt elke eigenaar van een salon... van Kenneth tot Vidal Sassoon. Mensen vertrekken. Ze beginnen voor zichzelf. Hij zou blij moeten zijn dat we niet pal om de hoek zijn begonnen.'
'Jean-Luc ging bij Hiroshi weg om voor zichzelf te beginnen,' zei Massimo met een glimlachje.
'Je zou denken dat hij het zou begrijpen,' zei Patrick. 'Ik bedoel, ik verwacht niet zijn zegen of zoiets, maar dit...' hij sloeg met zijn hand op de papieren, '... het is afschuwelijk om zoiets te doen.'
'Hallo, jongens.'
Meneer K. liet zich in de lege stoel vallen die voor hem klaarstond. Hij trok een zakdoek uit het borstzakje van zijn jasje en veegde er de druppeltjes zweet mee van zijn kale hoofd.
'Hoe gaat het met jullie?' vroeg meneer K.

'Niet zo goed,' zei Patrick.
'We hebben een heleboel vragen,' zei Massimo.
En ik, ik was met stomheid geslagen. Wat gebeurt er als dat wat je het meest vreest werkelijkheid lijkt te worden? Ik dacht alleen maar: *we waren zo dichtbij. We hadden ons doel bijna bereikt.*
'Hij heeft geen poot om op te staan,' zei meneer K. die de papieren die we enkele uren eerder naar zijn kantoor hadden doorgefaxt had gelezen. 'Geen poot. Deze dagvaarding stelt niets voor. Er is geen grond voor. Het is bedoeld om jullie de schrik op het lijf te jagen.'
'Nou, dat is in elk geval gelukt,' zei ik.
Meneer K. bestelde een martini, haalde toen een visitekaartje uit zijn koffertje en gaf het aan Massimo.
'Deze knaap moeten jullie bellen,' zei hij.
'Wie is hij?' vroeg Massimo.
'Een vriend van me die jurist is en gespecialiseerd in dit soort zaken,' zei meneer K. 'Hij is de beste.'
Natuurlijk was hij de beste. Iedereen naar wie meneer K. ons had gestuurd – van de advocaat van onroerend goed tot de aannemer en de boekhouder – was de beste geweest. En ook best duur.
'Hoeveel gaat dat kosten?' vroeg ik.
'Ik heb vanmiddag met hem gesproken,' zei meneer K., mijn vraag ontwijkend. 'Hij is ervan overtuigd dat hij dit door de rechter kan laten afwijzen. Maar het kan misschien even duren.'
'Hoeveel?' drong Patrick aan.
'Je kunt het je niet permitteren om het niet te doen,' zei meneer K.
'Hoeveel?' vroeg Massimo.
Meneer K. zuchtte.
'Hij wil een voorschot. Dat willen al die knapen. Ik denk dat dertigduizend genoeg moet zijn.'
Ik denk niet dat Massimo of ik die nacht een oog dichtdeed. We bleven maar draaien en woelen, hielden elkaar vast, lieten elkaar dan weer los, de lakens gedraaid en vochtig van het zweet. We zochten zoals gewoonlijk troost en steun bij het lichaam van de

ander, de plafondventilator draaide langzaam boven ons hoofd, liet de vochtige lucht in Massimo's slaapkamer circuleren. Wat we niet deden, was praten.

Wat had het, uiteindelijk, voor zin om te praten? Dertigduizend dollar. Het was angstaanjagend, griezelig. Het was alles waarop we konden terugvallen, precies het bedrag dat we achter de hand hadden, de enige manier waarop we Doreen's Salon misschien van de grond konden krijgen.

Ik moet 's morgens eindelijk in slaap zijn gevallen, want toen ik wakker werd was Massimo verdwenen. Op het nachtkastje, onder een stenen asbak van een restaurant in Rome, lag een briefje: *Ik ben naar de salon*, stond erop. *Kom naar me toe. Ik hou van je, M.* Ik vroeg me af waarom hij zo vroeg naar de salon had willen gaan. Wat had het voor zin? Wat was er te doen? Ik stelde me Massimo voor, zittend in het kantoor boven, kijkend naar de kolommen met getallen terwijl hij probeerde ze op een andere manier op te tellen.

Ik ging op een fatsoenlijk tijdstip naar Doreen's. Ik wilde er niet te vroeg komen. Het laatste wat ik wilde was met Massimo in een lege salon zitten, en verdrietig naar elkaar zitten staren. Ik liep door het Washington Square Park van de West Village naar Mott Street. Een paar zomerstudenten van de New York University gooiden met een frisbee. Een man met een lange baard zat op een bankje, het leek alsof hij daar de hele nacht had gezeten. Hij sprak zachtjes in zichzelf, vriendelijk mompelend, alsof hij zichzelf geruststelde.

De winkels in Nolita waren natuurlijk allemaal nog gesloten. Sinds we met het werk aan Doreen's waren begonnen, waren er een paar nieuwe winkels opengegaan. Eén winkel verkocht Franse kinderkleding en was zo klein dat er maar een paar klanten tegelijk in pasten. Een andere winkel verkocht extravagante lingerie. In de etalage stond alleen een doorzichtige mannequin met een roze-zwarte puntige beha. Wie zou dat ding ooit dragen? Het leek op iets wat Madonna in de jaren tachtig op een van haar tournees had gedragen.

Toen ik Mott Street insloeg, zag ik dat de straat geblokkeerd werd door auto's en limousines die dubbel geparkeerd stonden in de smalle zijstraat. Het waren er zo'n acht of tien. Wat was er in hemelsnaam aan de hand? Zat de president in het café voor een croissant? Was de premier van Engeland hippe schoenen aan het kopen voor zijn vrouw?
Er stapte een chauffeur uit een zwarte Mercedes die vlak voor Doreen's dubbel geparkeerd stond. Hij deed de achterdeur open en ik zag één zijdezacht lang been tevoorschijn komen, de verzorgde voet gehuld in een bleek lavendelkleurig sandaaltje van Jimmy Choo.
Het was een Upper East Side-been, tot aan de tenen met de dure nagellak. Ik herkende het onmiddellijk.
'Joehoe!' zong een honingzoete stem.
Roxanne Middlebury. Ze zag me staan, stokstijf, midden op het trottoir, kwam naar me toe en plantte een dikke, knalroze Chanel-kus op mijn wang.
'Roxanne! Wat doe jij...'
'Hallo!' hoorde ik nog een stem toen het portier van een limousine zachtjes achter me dicht klikte. Ik draaide me om en daar kwamen Muffie Von Hoven en Tamara Stein-Hertz naar me toe lopen, arm in arm.
'Tamara! Muffie!'
Een taxi hield stil naast de rij limousines en de gedeukte deur ging open. Ik bleef als gehypnotiseerd staan, om te zien wat er nu weer zou gebeuren. Mijn hart begon te bonzen. Twee in een broek gestoken benen zwaaiden naar buiten en langzaam, heel langzaam, werd een steil, sneeuwwit, haarscherp geknipt bobkapsel naar buiten gestoken.
'Faith!' Ik begon te huilen. 'O, mijn god, Faith!'
'Laten we met zijn allen naar binnen gaan. Er is een hoop werk te doen,' zei ze kordaat.

In de salon klonk muziek. Betty Carters hese gejammer vulde de salon, met een dreunende bas. Ik liep snel de trap op, gevolgd

door de dames. Voordat ik het kantoor binnenging hoorde ik stemmen en ik ademde diep in. Ik moest sterk zijn... zo niet voor mezelf, dan wel voor Massimo. Ik bedoel, het was aardig van de klanten (en Faith!) om te komen, maar werkelijk, wat kon iemand eraan doen? Het was voorbij. Daar was ik zeker van.
Massimo zat op een draaistoel, en T. en Claudia G. zaten naast elkaar op het lange houten bureau, hun slippers van Lambertson & Truex wiebelend aan de voeten van hun glanzende blote benen.
T. zat te telefoneren. Ze fladderde met haar vingers naar me toen ik binnenkwam. Ik keek naar Massimo. Ik weet dat ik er volkomen verbijsterd moet hebben uitgezien, want... nou ja, dat was ik ook. Wat deden al deze klanten in godsnaam in het kantoor? Regel 1 van de salonetiquette: laat de klanten nooit achter de schermen het onaantrekkelijke radarwerk van de salon zien. Daar kon nooit iets goeds van komen. Het verbrak de betovering.
Maar, desalniettemin, daar zaten ze.
'Richard Johnson, alsjeblieft. Met T.,' sprak T. zelfverzekerd in de telefoon. Haar stem had een licht geaffecteerd Engels accent. Ze trommelde met haar glanzende rode nagels op het bureau.
'Richard! Schat, hoe gaat het met je?' Ze wachtte niet op antwoord, zei alleen maar: 'Mooi, mooi. En hoe gaat het met Nadine? Geweldig. Luister, schat... ik heb een primeurtje voor je. Maar je moet me beloven dat het morgen voor op *Page Six* staat. Het hele verhaal.'
Ze zweeg even, knipogend naar Massimo. Vervolgens lachte ze uitbundig, alsof Richard Johnson net iets geweldig grappigs had gezegd. Zodra ze ophield met lachen, werd haar gezicht uitdrukkingsloos, en er verschenen vastbesloten rimpels in haar voorhoofd (tijd voor Botox!).
'Het gaat over Jean-Luc, schat. Ben je er klaar voor? Die vreselijke Fransman wil die drie geweldige, aantrekkelijke, getalenteerde jonge mensen die net bij hem zijn weggegaan en voor zichzelf zijn begonnen voor het gerecht slepen. Hij eist... je zult het nooit geloven... een miljoen dollar per persoon.'
In de tussentijd was Claudia G. ook druk aan het telefoneren ge-

slagen. Ik gaf Massimo zijn cappuccino en ging op zijn schoot zitten. Claudia tuurde naar het schermpje van haar Blackberry en tikte een nummer in.

'Kate? Met Claudia G. Waarom neem je nou zelf je telefoon op, lieve schat?' Stilte. 'O, dat wist ik niet.' Ze legde een hand over het mondstuk, rolde met haar ogen naar ons en zei *haar vader ligt in het ziekenhuis*. 'Werk je? Wil je een verbazingwekkend verhaal horen?' En zo ging het maar door. Tegen de middag waren er zo veel publicisten en leden van de beau monde, kopstukken en zwaargewichten die hun hele gewicht in de schaal wierpen op de tweede verdieping van Doreen's Salon in Mott Street, dat het kantoor rook als de tuin voor de duurste parfums ter wereld, en lagen er zo veel handtassen op de grond dat het de lederwarenafdeling van Barney's wel leek. Het was ontroerend en prachtig om te zien, dat kan ik je wel vertellen. Ik werd overweldigd door de aanblik van al deze – laten we wel wezen – niet altijd zo aardige vrouwen die hun werk opzijschoven, hun kappersafspraken en zelfs hun kinderachtige ruzietjes, om ons te redden.

L. en M., beruchte rivalen, werkten samen om Anna Wintour te bellen, de koningin van alle tijdschriftredacteuren, en verzekerden zich van een artikel in *Vogue*. T. had, binnen enkele uren, beloften losgepeuterd van alle roddelbladen, *Women's Wear Daily*, en zelfs van de zakenbijlage van de *Times*.

'Beseffen jullie het wel?' vroeg ze, toen ze eindelijk een pauze nam, één slok nemend uit een van de eindeloze kopjes koffie die de assistenten bleven brengen. 'Jean-Luc heeft jullie een enorm geschenk gegeven.'

'Hoezo?' vroeg Massimo, maar hij had het eigenlijk al begrepen.

'Iedereen over de hele wereld zal willen weten wat jullie zo verdomde duur maakt. Waarom klaagt hij jullie voor miljoenen aan? Iedereen zal nu willen weten wie jullie zijn.'

'Die getalenteerde, hardwerkende jongelui,' zei L. opgetogen. 'Die hun stukje van de Amerikaanse droom najagen.'

Alle vrouwen knikten. 'We zijn dol op een underdogverhaal,' zei een van hen.

'Maar het is allemaal waar,' flapte ik eruit.
Het was even stil in het vertrek, toen ze allemaal nadachten over het woord 'waar', alsof het een zeldzame delicatesse was, iets buitengewoons en exotisch.
'Dat weten we, schat,' zei T. terwijl ze haar telefoon weer pakte. 'Waarom denk je dat we hier zijn?'

En ze leefden nog lang en gelukkig

Een beroemd iemand zei eens dat je nooit meer terug naar huis kunt, maar ik denk van wel. En er is niets heerlijkers dan weer naar huis gaan nadat je een heerlijk leven voor jezelf hebt opgebouwd, ver, ver van dat huis. Teruggaan is een maatstaf, een geruststellende herinnering aan alles wat je hebt bereikt. Maar het allerbelangrijkste is om nooit, maar dan ook nooit te vergeten waar je vandaan komt.

Als ik door Main Street in Weekeepeemie loop, ben ik Doreen Watkins' dochter, en dat zal ik altijd zijn. De meeste mensen in Weekeepeemie lezen de *Vogue* of *Bazaar* niet, en zelfs als ze het wel deden, zouden ze een artikel over een beroemde kleurspecialist overslaan, want wat heeft dat uiteindelijk met hun leven te maken? Ze kennen het verhaal achter de dagvaarding en de storm van publiciteit die erop volgde niet, en hoe Jean-Luc zijn aanklacht liet vallen, maar niet voordat hij van ons de meest besproken salon van New York had gemaakt.

Grappig, zoals de dingen kunnen gaan.

Elk jaar, op de dag voor kerst, sluiten Massimo, Patrick en ik de salon al vroeg en gaan we naar het noorden, naar Weekeepeemie. En we komen altijd net aan op het moment dat Doreen en Melodie de laatste hand aan de kerstboom leggen... ze wachten er tot het laatste moment mee, zoals gebeurt bij zoveel drukke, gelukkige families.

Maar dit jaar... het vijfde jaar sinds we zijn geopend (en bijna moesten sluiten), komen mijn moeder en zus naar ons toe in

plaats van dat wij naar Weekeepeemie gaan. Dit jaar is het voor ons moeilijker om weg te komen.
De salon is versierd voor de kerst. Op de voordeur hangt een krans, en er schitteren witte, knipperende lichtjes in de bomen in onze achtertuin. Rendieren als sneeuwvlokken geknipt uit smetteloos wit papier, huppelen over de spiegels: Massimo's eigen bijdrage aan de versiering. En (wat kan ik nog meer zeggen?) een jazzversie van 'Jingle Bells' klinkt door de luidsprekers.
Het is de bedoeling vanavond het kerstfeest van de salon te vieren – we hebben nu 63 werknemers, inclusief het reservepersoneel en de baliemedewerkers – en het is een beetje gaan sneeuwen wanneer Doreen de deur van Doreen's openduwt en onmiddellijk wordt opgenomen, overspoeld door omhelzing na omhelzing, kus na kus van alle aanwezigen in de salon. Het duurt zelfs even voordat ik maar bij haar in de buurt kan komen – mijn eigen moeder! – want iedereen die voor me werkt, en de klanten die vanaf het begin zijn gekomen, is dol op haar.
'Hallo, mam.' Ik strijk een lange, golvende haarlok uit haar gezicht en begroet haar met een kus. Haar geur, dennenappels en babypoeder, maakt altijd weer dat de tranen in mijn ogen springen.
'Hallo, prachtige schoonmoeder van me.' Massimo staat plotseling achter haar en drukt haar even tegen zich aan.
'Waar is mijn meisje?' vraagt Doreen. Haar ogen schieten door de salon.
'Hoe bedoel je? Ik sta hier voor je,' plaag ik. Ik weet precies over wie ze het heeft.
Dan ziet ze wat ze zoekt. Bij de receptie, op de vloer (met speciaal voor dat doel nieuwe vloerbedekking) zit een klein meisje met wild, krullend blond haar... het soort haar waar een kleurspecialist alleen maar van kan dromen.
'Daar is ze! Daar is mijn schatje!' Doreen loopt snel naar haar toe. Ze speelt niet met blokken, mijn dochter. Ze speelt niet eens met poppen. Nee. In de laatste straaltjes van het winterse middaglicht dat door de glazen gevel van Doreen's valt, slaat ze langzaam de pagina's van een modetijdschrift om, wijzend naar de mooie plaatjes.

Dankwoord

Veel dank ben ik verschuldigd aan al die mensen die me begeleid hebben op mijn pad van de schoonheidsspecialistenopleiding tot Madison Avenue:

aan alle kappers, overal ter wereld: jullie weten dat wij de uitverkorenen zijn!
En, aan Hubert, die me blond heeft gehouden,
aan al mijn vrienden en collega's, voor hun steun,
aan mijn assistenten die niet langer mijn assistentie nodig hebben, dank je wel,
en aan mijn huidige assistenten – ik zou de dag niet doorkomen zonder jullie!

aan een heel speciale vriend en klant, zonder wie dit boek nooit tot stand gekomen zou zijn,

aan Jennifer Rudolph Walsh, Sylvie Rabineau, Caryn Karmatz Rudy en alle mensen bij Warner Books. Jullie zijn een Dream Team!

En, ten slotte, aan al mijn klanten, met wie ik gelachen en gehuild heb en met wie ik een drankje gedronken en verhalen uitgewisseld heb. Sommige verhalen kan ik vertellen, sommige niet.
Het is allemaal een geweldige ervaring geweest, en dat zal het ook altijd blijven.